相沢沙呼　青崎有吾
乾くるみ　織守きょうや　斜線堂有紀
武田綾乃　円居挽

彼女。
百合小説アンソロジー

実業之日本社

実業之日本社文庫

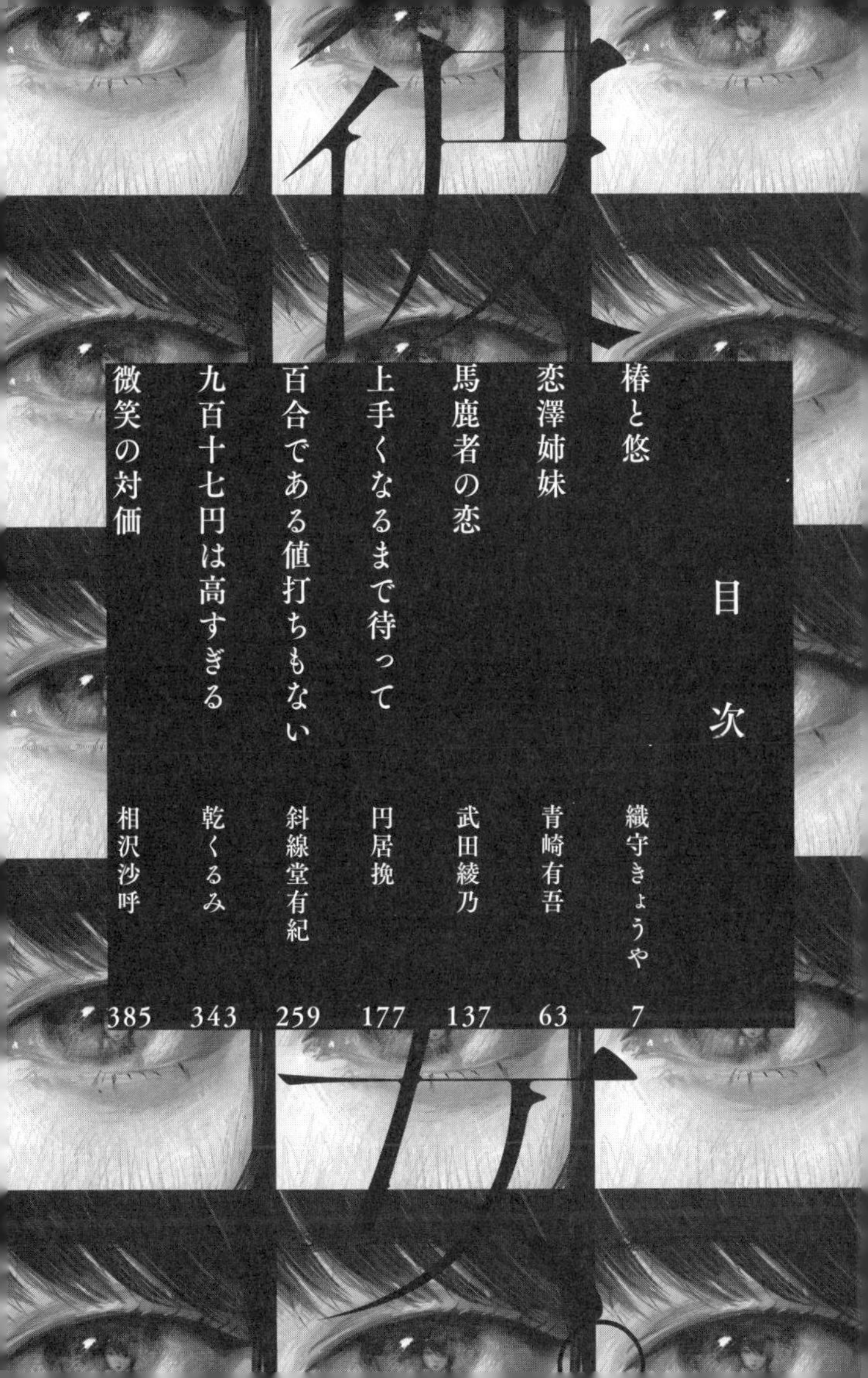

目次

［彼女。］
百合小説アンソロジー

「椿と悠」

織守きょうや

織守きょうや（おりがみ・きょうや）
1980年ロンドン生まれ。2013年『霊感検定』でデビュー。15年「記憶屋」で第22回日本ホラー小説大賞読者賞を受賞。同作に始まる〈記憶屋〉シリーズは累計60万部を突破している。2021年『花束は毒』が第5回未来屋小説大賞に選ばれる。他の作品に『黒野葉月は鳥籠で眠らない』『響野怪談』『花村遠野の恋と故意』『幻視者の曇り空』『学園の魔王様と村人Aの事件簿』『悲鳴だけ聞こえない』『彼女はそこにいる』『隣人を疑うなかれ』など多数。

扉イラスト／原百合子

高校二年生の新学期初日、窓際の一番後ろの席でうたたねしている女子生徒がいた。机に突っ伏して目を閉じているせいで、長い髪は机の端から垂れている。ほかの生徒たちよりも大分明るい色のそれは、緩やかに波打っていた。日の光に当たって、金色に見える。ライオンのたてがみのようだ。

髪と腕に埋もれて、顔は、三分の一くらいしか見えなかった。

それなのに、何故か、目が離せなかった。

彼女の名前は塩野悠（しおのゆう）といった。

おそらく一六五、六センチはあるだろう長身で、体が薄く、スタイルはいいはずなのに、猫背なせいか、そう見えない。

なんだかだるそうにゆっくり動き、窓際の席で、ときどきあくびをしている様子などは、変わった毛並みの、暢気（のんき）な動物のようだった。

目立つ外見に反して、どちらかというとおとなしい性格のようで、たいてい静かに一人でいた。特に淋（さび）しそうでもなかった。

自分からはあまり話さないが、話しかけられれば答える。愛想がいいとはいえないが、感じが悪いわけではない。集団に入ると仕切り役になることの多い私とは、正反対のタイプだった。

授業中に自分から発言をするようなことも一切なかったが、英語の授業で一度当てられて英文を朗読させられたときは、驚くほど発音がきれいだった。少しハスキーな声も心地よくて聞き惚（ほ）れてしまうほどだったが、普通に話しているときは特に何も感じない。ぼそぼそと、一言二言しか話さないからだろう。もったいない。

体育の授業では、長い手足をもてあましているようで、走るのが遅かった。運動は得意ではないようだ。

お昼休みになると、どこかへ行ってしまう。私は初日に「一緒に食べよう」と誘われた近くの席の女子たちと、なんとなく一緒に食べるようになっていたが、昼休みに塩野を教室で見かけることはなかった。

「ちょっと変わってるけど、いい人だよ」

一年生のとき、彼女と同じクラスだったという女子生徒が言っていた。もともと塩野を知っているらしいクラスメイトたちは、彼女を、そういうものとして受け容（い）れていた。新しくクラスメイトになった生徒たちは、様子見を続けているうちに、一定の距離を保つのが常態化しそうな雰囲気だった。

お互いに、それが一番いいとなんとなく感じているのだろう。クラスはうまく回っていた。

塩野を気にしているのはおそらく、私だけだった。

どうして気になるのか、自分でもよくわからない。

珍しい動物をつい見てしまうようなものだろうと思うが、気づいたら、目で追ってしまっている。


「あ」

下校途中、角を曲がったら、特徴的な茶色い髪が見えて、思わず声をあげていた。

「塩野さん。帰り道、こっちなの？」

塩野は、ぎょっとした様子で振り向いた後、無言で頷（うなず）いた。目が泳いでいる。

「知らなかった。私もこっち。一緒になるの、初めてだね」

一年生のときと同じように、私はクラス委員に選ばれていた。新学期が始まってしばらくの間は色々と雑務があって、帰りが遅くなることが多かった。

塩野は授業が終わると、いつもさっさと帰っているようだったから、私と帰る時間が重ならなかったのだろう。

一緒に帰ろう、と口に出すほどのことでもない。私は自然に彼女の横に並んだ。

同じ方向なのに、わざわざ離れて歩くのも変だ。

「いつもどこでお昼を食べているの？」

「……なんで？」

「別に理由はないけど、気になっただけ。屋上とか？」

「いや……ああいうとこにはたいてい先客がいるから」

美術室とか音楽室とか、と塩野はもごもご答える。

他に人がいないところでゆっくり食べているということのようだ。

教室にいるときと同じで、話しかければ答えるが、なんだか居心地悪そうにしている。それに、私を見ない。

どうも、警戒されているようだ。

もしや、彼女は、私のことをクラスメイトとして認識していないのではないのか。

もう、同じクラスになって二週間近く経つというのに？

私はクラスでは目立つほうだ。自惚れでなく、私の容姿は、それなりに印象に残るものであるはずなのに——いや、しかし、塩野ならあり得る。周囲のことに、あまり興味がなさそうなのだ。

「同じクラスの、秋山椿だけど」

「……知ってる」

塩野はそう言いながら目を逸らした。

嘘でしょ、と指摘はしないでおく。

そのやりとりの後、塩野の表情や態度から少し硬さがとれたので、クラスメイトとわかって警戒を解いてくれたのだと解釈して、あれこれと話しかけた。

季節のこと、クラスのこと、来月以降の学校行事のこと。塩野はうんとかふーんとか、適当な相槌を打っている。私はかまわず話しかけていたが、話が途切れたときに、彼女がじっと私を見ているのに気がついた。

「何？」

「よくしゃべるなと思って」

「うるさかった？」

「うるさくはない」

うるさくないならいい。

塩野は、「粉もん屋　さとだ」と看板のかかった店の前で足を止めた。

「……ここに寄っていくから」

建前としては登下校中の買い食いは禁止だが、ほぼ誰も守っていない校則だ。いちいち咎め立てする気はない。

私も、注文する彼女の横に並んだ。

私が一緒に店の前まで来たことに、塩野は驚いているようだったが、慣れた様子でたこ焼きを注文し、鞄から財布を出して代金を払う。

店先に硬そうな丸椅子とベンチが並んでいて、そこで座って食べることもできるようだ。

はいたこ焼き一丁ね、と渡された容器を、塩野は、「ども」と小さく言って受け取った。

そのまま歩き出そうとするので、「ここで食べないの？」と尋ねたら、あっちに公園があるから、と言われる。

「店の前に座ってたら、人が見るから」

「人通りのあるところのほうが安心でしょう。今日は私がいるからいいけど、一人のときは、人気のない公園でたこ焼き食べたりしちゃだめ。女の子なんだから」

口うるさいなと思われたかもしれないが、言わないわけにはいかない。

制服を着た女子高生というだけで、いつおかしな人間に目をつけられるかわからない世の中だ。警戒しすぎるということはない。

塩野は、思ってもみなかったことを言われた、という顔をしていたが、気圧(けお)されたように頷いた。

それから、横道に入り、住宅街の中にある公園に私を案内する。

遊具は滑り台しかない、小さな公園だ。私たちは、滑り台の前にあるベンチに並んで座った。

「お昼が少ないいんじゃない？　だから足りなくなるのよ」

「ごはんとは別もの。食べたくなるんだよ、単純に」

店員に渡された容器には、湯気の立つ焼きたてのたこ焼きが並んでいる……はずだが、そのたこ焼きが見えなくなるくらいたっぷりと、ソースとマヨネーズがかかっている。かつおぶしと青のりも、びっくりするような量だ。

塩野は爪楊枝（つまようじ）で、ソースとその他もろもろまみれのたこ焼きを一つ口に運んだ。

かつおぶしと青のりはともかく、ソースとマヨネーズの量は明らかに多すぎる。塩分とカロリーがとんでもないことになっていそうだ。それ以前に、こんなにいろいろかかっていて、もとの味などわかるのだろうか。

塩野が、もぐもぐと口を動かしながらこちらを見た。

「もしかして、食べたことない？」

「……お出汁（だし）でいただく明石焼き（あかしや）なら、一度」

食べる、と言って、塩野が容器を差し出してくる。抑揚があまりない話し方で一瞬わからなかったが、私は、それが「食べる？」という質問であることに気がついた。

見ると、たこ焼きに、爪楊枝は二本刺してある。

「食べ方わかる？」

「食べ方？」

「……冗談だよ」

私はハンカチを取り出して膝の上に広げた。

「いただきます」

なるべくソースのかかっていないところを探したが、どこも同じだった。端っこの一つに爪楊枝を刺して、口に運ぶ。

こぼさずに食べるには、一口で食べるしかない。

ソースのかかった表面は大丈夫だったのに、中が熱くて驚いたが、膝の上からハンカチをとって口元を隠し、なんとかごまかした。

熱いけれど、おいしい。

ソースとマヨネーズって、合う。外はかりっとしているのに中はふわふわと柔らかくて、卵の味もしっかりしていて、その中で紅しょうがの存在感も効いている。

「……おいしい」

正直な感想を呟く。

塩野は少し得意げな表情になった。

それから、二つ目を食べ始める。

口元に、かつおぶしのかけらがついている。

その横には、小さなほくろがある。


生まれて初めてたこ焼きを食べた翌日、私は二日連続で、先生から何の用事も仰せつかることなく下校時刻を迎えることができた。一緒に帰ろうと塩野に声をかけるつもりだったのに、クラスメイトに話しかけられて、週明けの小テストの範囲を教えてあげているうちに、気がついたら塩野は教室からいなくなっていた。いつものんびりしているくせに、帰るときだけは素早い。

仕方なく一人で学校を出て、いつもの帰り道を歩いていると、昨日たこ焼きを買った店よりも数メートル手前にあるクレープ屋に、目立つ後ろ姿を見つけた。

また買い食いをするつもりらしい。彼女が列に並んでいるうちに追いついたようだ。まだ私に気づいた様子はないが、ちらちらと後ろを振り向いて、何かを気にしている様子だ。

何を見ているのかと思ったら、歩道で立ち止まって、スマートフォンを手にきょろきょろしている二人連れの女性がいる。漏れ聞こえてくる会話を聞く限り、東南アジアからの観光客らしかった。

スマートフォンを見ながら不安そうにしているので、

「お困りですか？」

私は二人に近づいて、日本語で話しかけた。彼女たちは顔をあげたが、言葉がわからないようだったので、英語でもう一度同じことを言ってみる。今度は伝わったらしく、彼女たちの表情が明るくなった。しかし私の英語はあくまで高校生レベルなので、ここから先会話を続けるには不安があった。

彼女たちは、英語で私に何か説明し始める。どこかへ行きたい、と言っていることくらいはわかった。見せてくれたスマートフォンの画面には、見覚えのある鳥居の写真が表示されている。

「ああ、この神社。もう一本向こうの道です。ええと……塩野さん、英語できる？　説明してあげて。この信号を渡って、ラーメン屋さんがある角を右に曲がって坂をのぼったところにありますって」

塩野は、クレープ屋の列から抜けてこちらへ来て、彼女たちのスマートフォンを確認すると、私の説明した方向を指さしながら英語で道を説明し始めた。

大きな声ではないが、流暢な英語だった。むしろ、普段日本語で話しているときよりも、はっきり話している気さえする。

観光客たちは、「ありがと」と日本語で言って、笑顔で歩いていった。塩野の説明はちゃんと伝わったらしく、正しく神社へ続く道を進んでいる。

安心して見送り、私は塩野に向きなおる。

「ありがとう。並んでいたのにごめんなさい」

「別に、いいよ。まだ注文してなかったし。ていうか、委員長にお礼言われることじゃないし」

塩野はこめかみあたりを掻きながら言った。

「私も、気になってたんだ。さっきの人たち……迷ってんのかなって思ったけど、話しかけていいのかわかんなくて」

よかった、と小さく言って、クレープ屋の列に戻る。

私はそのまま、塩野の横に並んだ。

塩野はちらっと私を見たが、別に邪魔そうにはしなかった。

「私も食べることにした」

念のために宣言する。塩野は、そうだろうな、というような表情で頷いた。

「クレープも初めて？」

「下校途中に食べるのはね」

短い列の先頭に並んだ若い女性が、苺の誘惑チョコクレームブリュレスペシャル、と注文するのが聞こえた。どういうものか想像できない。私はレジの横に貼られたメニュー表を確認した。中には、わかりやすい名前のメニューもある。

宇治抹茶ババロア白玉添えにしよう。

「委員長、困ってる人がいたら放っておけないタイプだね」

「そうかも、割とね。放っておけないというか、おかないというか」

それこそ委員長気質なのかも、長女だし、とつけ足して、通学鞄から財布を出した。

塩野はメニュー表を見ている。

「話しかけてくんのって、それ？」

「塩野さんは……」

「塩野でいい」

「塩野は困っていたの？」

私が訊き返すと、塩野は黙った。

「困っていたとは知らなかった。委員長としてできることがあったら言って」

「いや、別に困ってはいない」

「そう」

よかった、と言ったら、変な顔をされた。

「私が塩野に話しかけたのは、困っていると思ったからじゃなくて、そうしたかったから。背が高くてかっこいいし髪がきれいな色だし、目立つなあと思って見ていたから。友達になりたいと思っただけよ」

塩野はますます変な顔になったが、やがて、「わかった」と言った。

前に並んでいた客が何を注文するか迷っている間、私たちは少し話をした。

私が友達になりたいと言ったから気を遣ってくれたのか、塩野は自分のことを話してくれた。イギリスからの帰国子女だということ、髪の色は、もともと茶色だが、それをさらに一段階明るく染めていること。もともと茶色で天然パーマだから、子どものころの写真を提出して、学校側のＯＫをもらったこと。この情報開示は、なかなかに友達っぽい。

「似合ってる」

「校則違反だとか言わないんだ」

「塩野の髪が茶色でも、誰にも迷惑はかからないよ」

彼女ほど明るい色は珍しいが、教師に目をつけられない程度に髪色を染めている生徒は何人もいる。

それに、今ここでこうしていることだって、厳密には校則違反だ。

「それに私、この髪、好きだし。日に透けると金色に見えて、ライオンみたい」

お待たせしました、ご注文をどうぞ、と店員が言う。

塩野はぱっと目を逸らして、どれにする、と訊いた。


私は勉強も運動も、たいていのことは人並み以上にできる。その中でも、料理は得意だ。

母親が小料理屋をやっているから、その影響で、小学生のころから料理はしていた。出汁巻卵には、特に自信がある。

学校へ持っていくお弁当も、いつも自分で用意している。ほとんどの場合、夕食の残りに簡単な一品二品を足して詰めるだけだったが、今日は気合を入れた。

二人分作って、それは丁寧に弁当箱に詰める。普段の自分用よりもおかずの数を増やして、ごはんも、桜えびの混ぜごはんにした。

　いつものように、昼休みを知らせるチャイムが鳴ると同時に教室を出ようとした塩野をつかまえ、校舎の北側出口へと連行する。昼食時は人が少ないエリアなうえ、出口の両サイドにある花壇の縁が、ちょうど座りやすい高さなのだ。

「この間、たこ焼きをごちそうになったお礼」

　そう言って弁当箱を渡すと、塩野は驚いた様子で受け取り、ふたを開けてさらに驚いた顔になった。

「え、エビで鯛……」

　帰国子女の割に日常生活で慣用句を使いこなしている。

　彼女の反応に、私は気をよくした。

「料理は得意なの。おいしいから食べてみて」

　れんが造りの花壇のふちに、並んで座って食べ始める。

　塩野はまず卵焼きを食べて、目を丸くした。

「……すごい。おいしい」

「でしょう。今回はシンプルな出汁巻きにしたけど、お弁当なら海苔や大葉を巻いて焼いたり、たらこをほぐして混ぜたのもおすすめ。今度また作ってくるから、食べ比べてみて」

　魔法瓶にほうじ茶を作ってきている。ふたに注いで塩野に渡した。

　塩野はピーマンのじゃこ炒めを食べたところだった。熱いほうじ茶を飲んで、ほう、と息を吐く。

「おいしい……すごい」

　塩野はさっきから同じことしか言っていない。嬉しいのでもっと言ってほしい。

　これまで口うるさい委員長としか思われていなかった感があるが、これで私を見直したはずだ。やはり胃袋をつかむのは有効だ。

　私が満足して自分の分のじゃこ炒めを口に運んだとき、

「あれ、椿が外にいる。珍しい」

　すっと影がさしたと思ったら、佐野康太が立っていた。高校になってからクラスが同じになったことはないが、小・中学校と一緒だった幼なじみだ。

　部室棟に用があるらしく、左手に提げたビニール袋に、部誌と菓子パンとパック入りの牛乳が透けていた。

　急に現れた康太を、塩野はぽかんとした表情で見上げている。

「あ、卵焼きほしい。もらっていい？」

「いいわけないでしょ」

「頼む！　今日パンなんだよ。部活あるし、たんぱく質足りなくて倒れるかも」

　仕方ないので、箸を渡してやった。康太は嬉々として私の弁当箱から卵焼きをとって、口に放り込む。私の卵焼きは母のレシピ通りで、康太は小さいころから、母の作るそれが好物だった。

「あーやっぱうまい。薄味なんだけど、味のバランスが絶妙なんだよなあ」

「これは佐野康太。家が近所で、ご両親が共働きだから昔はうちで一緒にごはん食べたりしてたの」

あっけにとられている塩野に説明した。

康太はそのとき初めて塩野に気づいたようで、彼女の膝の上の弁当箱に目をとめ、「あれ」という顔になる。

「おそろいの弁当食べてんの？　すげー仲良し」

からかう口調ではなく、単純な感想を述べる口調だった。康太はそういう男だ。思ったことをすぐ口に出す。

「椿が誰か一人とそんな仲良くなんの、珍しいな」

よかったな、と続けそうな調子だったので、私は咳払（せきばら）いをして、さりげなく遮った。

「彼女は、同じクラスの……」

「知ってるよ、塩野さん。一年のとき同じクラスだったし」

ね、と康太は塩野に笑顔を向ける。

塩野は顔を赤くして頷いた。

まったく私の好みではないが、康太は人懐っこいし、背が高くて顔も派手だから女子には人気がある。

「部室棟に行くんでしょ。さっさと行って。昼休み終わるよ」

邪魔しないで、と口に出さなかったが、康太はハイハイと素直に言って歩き出した。

「おばさんに、また卵焼き喰わせてって言っといて」

ビニール袋からパンを取り出して、歩きながら食べ始めている。食い意地が張っているのは、小学生のころから変わらない。

中学生のときから、百回くらい「佐野くんとつきあってるの？」と訊かれていた。主にクラスの、あるいは康太のクラスの女子から。そのたびつきあっていないしその予定もないと答えてきたのだが、訊かれてもいないうちから「つきあってないから」などと弁解するのは自意識過剰だろうか。

誤解されるのも嫌だったが、塩野にその質問をされるのも、なんだかちょっと嫌だった。

塩野は呆(ほう)けたように康太の後ろ姿を見ていたが、今は、下を向いて白和(しらあ)えを食べている。

私が塩野の分もお弁当を作って持っていくようになると、塩野はお昼代として持ってきていた五百円を私にくれた。

一人分作るのも二人分作るのも労力はさして変わらない。いらないと言ったのだが、材料費もかかるし、と言われて三百円だけもらうことにした。材料費は三百円もかからないが、もらったお金は一緒に下校途中におやつを買って食べる費用に充てることにした。

塩野は、私のお弁当を食べるようになってから、買い食いの回数が減ったという。たこ焼きやクレープの店に寄るかわりに、今日はドラッグストアのコスメ売り場に二人で来た。私が使っているリップクリームが残り少なくなってきたので、買うのにつきあってもらった形だ。

塩野はカラフルなパッケージの商品が並んだ棚の前にいる。私は、コンビニでもよく見かける有名なメーカーの薬用リップを手に取った。

「委員長が普段使ってるリップどれ？　同じの買う？」

「今は、以前京都に旅行に行ったときに買ったのを使ってる。ひのきの香り」

「渋い……」

塩野は私の顔に鼻を近づけて、香りはわかんないな、と言った。近い。

「塩野が使ってるのは、ここにある？」

「これだけど、委員長には、オレンジより別の色がいいかも」

塩野が指したのは、薄いオレンジ色がつくタイプのものだ。何種類も色があって、テスターが並んでいる。

「これとか？　チェリー」

塩野がテスターをとって渡してくれた。

私はティッシュでテスターを拭いて、勧められたリップを塗ってみる。これまで使っていたものよりも、するっとした感触だった。

「……やっぱこっちのほうがいいかも」

塩野はしげしげ私を見た後で言った。今度は、淡いピンク色のものを渡される。ほとんど色はつかないが、ほんのりピンクになって艶が出るタイプだと書いてある。

「メイクしてないのに、リップだけ濃いと浮いちゃうから。制服だと余計」

それもそうだ。つけ心地は同じだろうから、試さずにピンクのほうを買うことにする。

ついでに、ネイルのコーナーやヘアケアコーナーを冷やかした。シャンプーはいつも家族で同じものを使っているので、これまであまり気にしたことがなかったが、随分たくさん種類がある。並んでいる中で私が知っている商品は、椿油のシャンプーくらいのものだった。

「委員長の髪はさらさらだな」

塩野が、初めて気づいたかのように言った。

「ありがとう。よく言われる」

「……そうだろうな」

「前にも言ったけど、私は塩野の髪が好きだよ」

私が言うと、塩野は恥ずかしかったのか、目を逸らしたが、

「そのうち、赤くしたいんだ。こういう赤。さすがに高校じゃ無理だけど」

そう言って、陳列されたヘアトリートメントのラベルを指さす。さっき私が試したリップクリームのような、鮮やかなチェリーレッドだ。

「似合いそう」

思ったとおりを口に出した。

塩野は、嬉しそうに笑う。照れたように、歯を見せて。

そのとき唐突に、仲良くなれたかも、と思った。

休みの日に二人で出かけたことはない。私服も見たことがない。でも、私たちは、友達と言えるかも。

嬉しい。

今度休みの日、どこかへ遊びに行かない？　それとも、私の家に遊びに来ない？　そう提案するつもりで口を開きかけて、私はふいに、塩野の横顔に見惚(みと)れた。

顎から頬のラインがすっとしていて、鼻が高くて、塩野は横顔が特にきれいだ。

薄い唇と、その横にある黒子(ほくろ)を見つめて、こんな感じだっただろうか、と思う。

以前は、触ってはいけないきれいな獣のようだと思っていたけれど、今は、もっと近くにいる気がする。

「委員長、今度さ」

オレンジ色がのった唇が動いた。

「卵焼きの作り方、教えて」

——塩野はもともときれいだし、かっこよかった。私は最初からそう思っていた。でも、少し変わった。背すじが伸びた。前より笑うようになったし、目が合うようになった。

自分でおいしいお弁当を作れるようになったら、私のお弁当はいらなくなるだろうか。それならそれでいい。それぞれ自分で作ったお弁当を、また一緒に食べればいい。

前より話しやすくなったと、クラスの皆も思っているはずだ。いいことだ。友達が多くて悪いことなんてない。皆が塩野のよさに気づいて、彼女の学校生活がより充実するなら、友達として、喜ぶべきことだ。

前よりもっときれいになった塩野に、誰かが、たとえば、康太が気づいたら。

それは……それだって、少しも悪いことじゃない。

私はとっくに気づいていたのに、皆気づくのが遅いよ、と、少しの優越感を持って、私はそれを眺めるだけだ。むしろ、誇らしく思うだろう。

「いいよ、もちろん。いつでも」

笑顔で言った。

塩野が、卵焼きを誰のために作りたいと思ったのかは、考えないと決めた。

それなのに。

康太に、彼女ができた。

私がそれを知ったのは、そのたった数日後のことだった。髪の長い一年生で、部活の新しいマネージャーだという。

もちろん、康太は、ただの幼なじみの私に、わざわざ報告なんてしてこない。たまたま、隣のクラスの女子が話しているのを聞いたのだ。

「えー、ショック。後輩にとられるとか」

「ていうか、二組の人とつきあってるんじゃなかったんだ」

彼女たちは廊下の窓際に陣取って、すぐ後ろに私がいることにも気づかず話していた。

二組の人というのはたぶん私だ。

通り過ぎるとき、ちらっと窓の下に目をやると、部室棟へ向かう途中らしい康太が髪の長い女子と親しげにしているのが見えた。あれが彼女だろう。顔はよく見えないが、小柄で華奢(きゃしゃ)な女の子だった。

教室に入ると、塩野が窓際の席で帰り支度をしている。最近は、クラス委員の用事があって私がすぐに帰れないときでも、一人でさっさと帰らずに待っていてくれるようになった。

教室を出るのはもう少し後にしよう。康太たちは正門とは反対側にある部室棟へ向かっているようだったから、今外に出ても鉢合わせになることはないだろうが、念のためだ。

私が声をかける前に、塩野のほうがこちらに気づいて顔をあげた。

「委員長？」

私が黙って立っていたから、不審に思ったのだろう。心配そうに声をかけてくれたので、何でもないとごまかした。

私はまだ、塩野に卵焼きの作り方を教えていない。

隠し続けることなんてできるわけもないとわかっていたが、もう少し、と思っていた。

「あ、佐野くんだ。彼女できたって本当だったんだ」

教室の窓から外を見たクラスの女子が、声をあげた。彼女と仲のいいもう一人が、え、どこどこ？　と窓際に駆け寄る。

塩野の表情が変わった。私しかそれに気づいていない。

塩野は窓のほうを振り向いて、彼女たちの視線の先を見た。

「あれが彼女？　結構普通の子っぽいけど……え、うちの学年じゃないよね。秋山さん、知ってる？」

「さあ、私は知らないけど」

冷たく聞こえないように、でも、興味がないということが伝わるように応える。

ちょうど、康太たちが校舎を突っ切って、部室棟のある反対側へ抜けたタイミングだったのだろう。私は教室の窓には近づかなかったが、塩野の位置からは、彼らの姿が見えたはずだ。

胸の中心がぎゅっと引っ張られるような感覚をやりすごし、唇を引き結ぶ。

私が塩野の気持ちに気づいていることを、彼女は知らない。気づかれてはいけない。

何でもない風を装って話しかけようとして、せっかく落ち着かせたはずの心臓が跳ねた。

呆然(ぼうぜん)としたように窓の外を見る、塩野の目が涙をたたえている。

情けないことに、私は激しく動揺した。

泣くんだ、と思った。

塩野って、泣くんだ。

いつもの私なら、さりげなく人目につかないように塩野を隠して、その場から離れられるように誘導しただろう。もしくは、目を逸らして気づかないふりをして、本人が取り繕うのを待ったかもしれない。

それなのにそのどちらもできず、私は棒立ちになって塩野を見ているしかなかった。

窓から外を見下ろしている女子たちは、気づいた様子はない。

塩野はもともと注目されるタイプではなく、教室に人も少なかったので、誰も気づいていないようだった。せめてもの救いだ。

瞬(まばた)きをした拍子に、つうっと涙が頬をすべり落ちる。

睫毛(まつげ)に涙の粒がついて濡(ぬ)れている。

それを、私だけが見ていた。


月曜日の朝、教室に入ると、いつもの窓際の席に座った塩野の髪が、短くなっていた。

私は手に持った鞄を落とすところだった。

色はそのまま、首の半ばあたりまでの長さになっている。

髪が短くなったぶん顔がよく見えて、きれいな輪郭が強調されていたが、光の縁取りのようだった長い髪がなくなった横顔は、なんだか寒々しく見えた。

細くて長い首が、まっすぐ伸びた背中につながっている。

大人っぽくて、よく似合うけれど――泣きたくなった。

「おはよう」

塩野に先に声をかけられて、はっとする。

私は平静を装って「おはよう」と応えた。

「髪、切ったんだ」

触れないのも不自然なので、ただ事実を指摘する口調で言う。

うん、と短く答えて、塩野は少し居心地が悪そうにした。

似合うと言ってあげるべきなのに、私は何も言えずに席につく。

今日のお弁当に卵焼きは入れていない。入れても入れなくても意識してしまうと思って迷ったが、かわりに半分に切った煮卵を入れることにした。

昼休み、外には行かず、「たまには」と言って、音楽室でお弁当を食べた。

塩野は何故とも訊かずについてきて、煮卵の入ったお弁当をおいしいと言って食べた。

少し元気がないだけで、塩野はいつもの塩野だったけれど、私のほうがなかなか、髪の短い塩野に慣れない。

むきだしになったうなじを見ると、それだけで泣きそうになる。

そんなに好きだったの、と訊いてしまいそうで、そのたびに言葉を飲み込むせいで、口数が少なくなった。

どうして自分がこんな気持ちになっているのかわからないし、こんな気持ちが何なのかも、わからない。

自分で作ったお弁当がおいしくなかった。塩野と食べているのに。

きっと、時間が必要なのだ。

数日もすれば、私は塩野の新しい髪型に慣れる。塩野も少しは元気になるだろう。校内で康太と彼女を見かけても平気なくらいに、いつかは回復する。

こんな風にぎこちないのは、今だけだ。

いつも通りにしていよう、そのうちに本当に、いつも通りになるから。授業中ずっと考えて、そう結論を出して、授業が終わると同時に、いつものように窓際の席まで塩野を迎えに行った。

何か食べて帰ろうと提案すると、塩野は、なんだかほっとした様子で頷く。よかった。自然に振舞えていたようだ。

「塩野は何がいい？」

「コロッケとか」

「おやつにコロッケ？　おかずじゃない？」

話しながら教室を出て、廊下を歩いていたら、

「あ、いた、椿！」

突然名前を呼ばれた。

前方から、康太が歩いてくるのが見える。

その後ろには、二年生の教室の前で居心地悪そうにしている、髪の長い一年生の姿もあった。

「これ、母さんが、おばさんに渡してってさ。あと、何かの会の集まり用にお弁当注文したいから電話しますって言ってた」

今は彼女と一緒だから今度にしようとか、まず彼女を紹介しようとか、そんなことは思いつきもしない様子で、康太は私に近づいてきて、文庫本サイズの包みを渡す。母親同士の物の貸し借りだろう。よくあることだが、一年生だったら、私と康太が幼なじみだと知らないかもしれない。目の前でほかの女を名前で呼んで、彼女の気を悪

くさせていなければいいが。康太は、そういうところの配慮はまったくできない男だ。

私の横にいる女の子が、自分を好きかもしれないなんてことにも、気づくはずのない男だ。

「……わかった」

私は包みを受け取って鞄におさめた。

すぐ横にいる塩野の顔を見られない。早く行って、と康太とその彼女に念じる。なのに、

「あれ、塩野さんだ。髪短い」

私の願いもむなしく、康太は塩野に目をとめる。

そして、まったく何の含みもなく、ただ思ったとおりを口に出す。

「似合うじゃん。イメチェン？」

「……康太」

語尾にかぶせるように名前を呼んだ。

「彼女を待たせてるんでしょ。私たち、用があるから」

強めの口調だったかもしれないが、康太なら、「たまたま機嫌が悪かったのかな」

「急いでるのかな」と思うだろう。

廊下の先、進行方向には、あの女の子がいる。

私は塩野の手をつかんで、反対方向へ歩き出した。きょとんとしている康太とその

彼女に背を向け、振り返らないでずんずん進む。

塩野は引っ張られるまま、ついてきた。

出口と反対方向に用なんてない。意味もなく来た方へ引き返して、さっき出てきたばかりの教室に入った。

入れ違いに、最後に残っていた生徒が出ていったので、教室には私と塩野だけになった。

「どうしたの」

私に手首をつかまれたまま、塩野は優しい声で言った。

手をつかんだまま振り返ると、彼女は、心配そうに私を見ている。

失恋した友達を慰めるのは私の役目なのに、私のほうが心配されてどうするのか。

情けなく思いながら、こんなはずじゃないのにと苛立（いらだ）ちながら、でも、塩野に優しくされて嬉しい。失恋したばかりなのに、私を気遣ってくれるのが嬉しい。

その一方で、理不尽だとわかっていても、胸に渦巻く思いがあった。

たぶん、塩野が珍しく優しい顔をしていたから、甘えたくなったのだ。

「……髪」

「髪？」

「なんで切っちゃうの」

ああ、言ってしまう。

「好きだったのに」

好きだって言ったのに。

恨みがましい言葉に、塩野は目を瞬(またた)かせている。

私がつかんだままの塩野の手はだらんと力が抜けて、でも、私の手をふりほどこうとはしない。

塩野の髪が好きだった。本人の普段の振舞いとは不釣り合いに派手な色のそれを見せつけるでもなく、ただ、その髪が自分にとっては自然なのだというように、気負わずにそこにいるのがかっこよかった。人にどう思われたいと思って、そのために染めたわけではないのだろう。

似合っていた。彼女らしいと思った。彼女の世界が、彼女だけで完結していることの象徴のようだと感じていた。

それなのに、切ってしまった。

失恋したからなんて、そんな、どこにでもいる普通の女の子みたいな理由で。

塩野の髪だから、切るのも自由だけれど。髪を切れば吹っ切れるなら、好きなだけ切ればいいけれど。塩野だってあの髪が気に入っていて、誰に何と言われようと、自分が好きで、自分のためにあの髪でいたはずで……誰かのために切ることなんか、考えもしなかったはずなのに。

あの髪は塩野の一部だったのに。

自分の一部を切ってしまうほど、切って一緒に捨てなければいけないほど、塩野が誰かを好きになるなんて、想像していなかった。

たぶんそれが一番ショックだったのだ。

友達が失恋して傷ついていることよりも、私にとっては、そちらのほうが重要だった。

やめてよ。恋なんかしないでよ。塩野の気持ちに気づいたときから、私はずっとそう思っていた。言えるわけがないけれど。

誰かのために卵焼きを作りたいなんて、そんなこと考えないでほしい。

料理なんてできなくたっていい。私がなんでも作ってあげるから。

誰かのために可愛くなんて、ならなくていい。塩野はそのままでいい。デートだって私とすればいい。どこにでも行くのに。

置いて行かないで。

あなたと、明日も、一緒に帰りたい。

それだけなのに。

じわっと目の奥が熱くなった。まずい、泣く。みっともない。

慌ててうつむいたとき、

「委員長」

塩野が、私を呼んだ。

「私が髪を切ったから泣いてる……わけじゃないよね」

遠慮がちに言う。私がこんな醜態をさらすのは初めてだから、困惑するのは当然だ。せめて幻滅されていないといいけれど。そのうえ、髪を切ったことを責められて、塩野にしてみればわけがわからないだろうに、彼女は変なところで真摯だった。

「私に言いたいことがあるんだったら、言ってほしい。……わかってないかもしれないから」

他人の言うことには頓着しない、他人のことにも頓着しない塩野が、私のことを理解しようとしてくれている。

嬉しいことのはずなのに、それを喜ぶ余裕はなかった。

できれば塩野にはいいところだけ見せたかったのに、こんなみっともない姿をさらして、今さら何を伝えたらいいのか。

態勢を立て直すために、空いているほうの手で目元をぬぐう。

息を吸って、考える。

塩野に言いたいこと。あるはずだ。きっとたくさんある。康太なんて塩野には似合わないよとか、あいつデリカシーないからやめたほうがいいよとか、私といるほうが絶対楽しいよとか、だから当分、次の恋も探さないでいいよとか。

結局私が塩野に求めていることは、呆れるほど勝手なわがままばかりで、それに気づいて、情けなさにまた涙が出た。

私とだけ仲良くして。私以外に特別を作らないで。

そんなこと、言えるわけもなかった。

拭ったそばから、ぼとぼと涙が落ちた。

何を言っても情けない涙声になりそうで、なかなか口を開けなくて、しゃくりあげながらようやく言った。

「明日も一緒に帰りたい……」

結局のところ、今口に出せる私の願いはそれだけだった。

たったそれだけを言うために号泣している私に、塩野は神妙な声で、わかった、と言った。

「一緒に帰るよ。明日も……今日も」

それでも私が泣き止まないので、塩野は困った顔をしている。

私は右手で塩野の手首を握ったまま、左手で不自由しながら涙を拭く。

しばらく涙は止まりそうにないけれど、意地でも右手は放さない。

＊＊＊

人の顔と名前を憶えるのは得意じゃない。

しかし、秋山椿のことは、かなり早い段階で認識した。

彼女はクラス委員だったので、名前を聞く機会も多かったし、教室の最前列、ど真ん中に座っていて、私の席からもよく見えたのだ。斜め後ろからの横顔だけだが。目鼻立ちがはっきりしていて、肌が白く、背中まである真っ黒な髪はサラサラだ。姿勢がよくて凜（りん）としている。そこにいるだけで人目を引くタイプだった。

間違いなく美人なのだが、ぴしっとしていて隙がないし、切れ長の目が、少女漫画のライバル役みたいだなというのが第一印象だった。きれいだけど、ちょっと意地悪そう。性格、きつそう。

失礼な感想だが、思うだけなら許されるだろう。

とにかく、自分とは全然タイプが違うし、合わないだろうから、積極的にはかかわらないようにしようと――そもそも、自分から誰かに積極的にかかわることなんてないが――思った。

この学校は、校則も比較的ゆるく、のんびりした校風だ。小・中学生時代を海外で過ごした私は、日本の高校では浮いてしまって苦労するのではと両親に心配されていたのだが、「人は人」という考えのクラスメイトが多かったのか、一年生のときは平和に過ごすことができた。特別仲のいい友達はいないが、いじめ等のトラブルもなく、今のところ学校生活に不満はない。

とはいえ、校内にジュースやお菓子の自販機がないとか、服装や髪型に決まりがあるとか、海外の学校と比べれば不自由は多いし、最初は戸惑った。登下校中にヘッドフォンで音楽を聴くのもダメらしい。海外にいたときは、スクールバスで送迎があったから、音楽を聴きながら登下校ができたのに。

　わざわざ反抗しようとは思わなかったが、全部言うとおりにして、ルールに合わせてそれまでの自分を変えてしまうのも嫌だったから、茶色い髪は地毛で、パーマも天然ですということで通している。それで特に何も言われないので、この学校とこの国でもなんとかやっていけそうだと安心した。

　この学校も、もう二年目だ。一年目は悪くなかった。多くは求めないから、また一年平和に過ごせるといい。変に干渉されることさえなければ、私は一人で楽しく生きていられる。

　終業のチャイムが鳴ると同時に荷物をまとめ、席を立った。

　部活も習い事もしていないので、急いで教室を出る必要はないのだが、おやつの時間が遅くなると、夕食に差し障る。

　帰り道での買い食いは、毎日の楽しみだった。

　日本は食べ物がおいしいのがいい。安くてすぐ食べられるものがおいしいというのは特にポイントが高い。日本食を食べて幸せを感じているとき、やっぱり自分は日本人なんだなと実感した。

　たとえば、ソースとマヨネーズの組み合わせは、日本にしかないものだ。まず、あの濃厚などろっとしたソース自体が日本独特だ。そこにかつおぶしと青のり。生地の中に練り込まれた紅ショウガのアクセント。

今日のおやつは絶対にたこ焼きだ、と決意して校門を出て、自宅までの道を歩いていると、

「塩野さん。帰り道、こっちなの？」

後ろから声をかけられた。

振り向いて、ぎょっとする。

秋山椿だ。

何故ここに、と思ったら、彼女の家も同じ方向らしい。これまでは、クラス委員の用事等で下校時刻が遅くなることが多かったせいで、一緒にならなかったようだ。クラス委員も大変だ。

椿は気さくに話しかけてきた。しかも、何故か私の横に並び、一緒に歩き始める。

あれ、何だこれ、一緒に帰る流れ？

私が戸惑っていると、椿はそれをどうとったのか、

「同じクラスの、秋山椿だけど」

生真面目（きまじめ）に名乗った。

いや、知ってるよ。さすがに。

私を何だと思っているのだ。

知らない人だと思って戸惑っていたわけではない。

脱力してしまい、「知ってる」と返すにとどめた。

椿は頷いて、またどうでもいい話を始める。

なんだかうるさそうなのにつかまった、と思ったが、こんなことで、おやつの予定を変更するつもりはない。

私がたこ焼き屋に寄っていくと言うと、意外なことに椿もついてきた。

買い食いは校則違反だと言われるかと思っていたが、それについては何も言わない。そのかわり、公園で食べようとしたら、一人のときに制服のまま、人気のない場所には行かないほうがいいと注意された。

日本は犯罪が少なくて、小学生だって一人で出歩けるくらい安全な国なのに。

女子高生とは言っても、わざわざ私を選んで襲うような物好きはいないだろうと思ったが、ここはおとなしく頷いておく。

二人で並んでベンチに座り、容器のふたを開ける。ソースとマヨネーズにかつおぶしが山盛りになったたこ焼きに、椿は若干怯(ひる)んだようだった。こいつは夕食前にこんなものを食べるのか、と思われているのだろう。かまわず、刺してあった爪楊枝をつまんで一つを口に入れた。

やっぱりおいしい。間違いない味だ。味わっていると、

「お昼が少ないんじゃない？　だから足りなくなるのよ」

椿が言った。

お母さんか。

椿はたこ焼きを食べたことがないようだ。帰国子女の私でも食べたことがあるのに。

分けてあげたら、「いただきます」と言って爪楊枝で上品に口に運んだが、熱かったようではふはふ言っていた。たぶん口が小さいせいだ。

ごく自然に口元を隠す仕草がきれいだった。食べ終わった後は、ハンカチで、ソースのしずくのついた指先を拭いている。品のいい振舞いが身についている感じだ。

「おいしい」

そりゃよかった。

なんとなく愉快な気分になった。

私はたこ焼きを頬張りながら、秋山椿に対して抱いていた印象を改める。

思ったとおりの委員長気質ではあるが、思っていたほどとっつきにくくはない。

結構普通だな。

それ以来、椿は何かと話しかけてくるようになった。

たこ焼きが気に入ったのか、帰り道での買い食いにも毎回つきあう。生クリームをたっぷり絞ってチョコレートソースをかけたクレープを見て、ソースたっぷりたこ焼きを見たときと同じ表情をしていたが、結局おいしいと言って完食していた。

ここ数日でわかったことは、秋山椿が、思っていたより変な奴（やつ）だということだ。

お高くとまっているわけではない、という意味で、意外と普通なんだな、とあのときは思ったが、それとはまったく別のベクトルで、椿の行動は予想外だった。

帰り道だけでなく、休み時間にも話しかけてくる。昼食を一緒に食べようと誘う。当然のように、教室を出るところから一緒に帰る。やたらと、私にかまう。

人の世話を焼くのが好きなのかもしれない。

そう思って見れば、椿は自分からクラスの面倒な雑事も引き受けるし、道に迷っている人がいれば声をかける。それをどれも、当然のようにやってのける。

長女？　と訊いたら、肯定された。下に弟がいるらしい。納得だ。誰かの世話を焼くのが習い性になっているのだろうか。

それにしても、何故私にばかりかまうのか。私が浮いているからか？　特に不便は感じていなかったのだが、孤立しているように見えたのだろうか。

一度一緒に帰ってから、なんとなく意識して目で追うようになったが、椿は、すべてにおいてお手本のような生徒だった。

しっかり者で成績優秀、教師の信頼も厚く、人に頼られるタイプ。体育の授業の様子を見る限り運動もできるようだ。いつもぴんと背すじが伸びていて、堂々としている。

体幹がしっかりしているのか、歩くときに体が揺れないのにも驚いた。立っていても座っていても、頭から足先まで一本筋が通っているかのようにぴしっとしている。

よく黒板に、あんなにまっすぐきれいな字が書けるものだと感心する。

椿を見て、自分が猫背になっていることに気づいて姿勢を正す、ということが何度もあった。

おすまししている様子をみれば、ちょっとむかつくくらいに非の打ちどころのない優等生だが、一緒に買い食いをしているときの椿は、完璧からは程遠い。はっきり言ってうるさい。子犬がころころまとわりついてくるような感じだ。私はそれが嫌じゃなかったが、本人はショックを受けそうだから言わないようにしている。

あと、意外とよく笑う。

一緒に帰るようになって数日経ったある日、椿は私に手作り弁当を持ってきた。

初めて買い食いした日にたこ焼きを分けてもらったお礼だと言っていたが、生真面目にもほどがある。

栄養バランスがどうのと言っていたから、私が昼食にコンビニで買ったパンやお弁当を食べているのを気にしていたのかもしれない。

海外では、お弁当といえばパンにチーズとハムか、ジャムを挟んだだけのサンドイッチが定番だ。あとは、りんご丸ごと一個とか、野菜スティックとか、せいぜい、ヨーグルトとか。

私はそれも嫌いではなかったが、日本におけるお弁当文化には憧れがあった。

特に、手作りのお弁当はそれだけでテンションがあがる。

校舎の外へ連れ出され、花壇の縁に座らされて渡された弁当箱を開けると、中には混ぜご飯とおかずがたっぷり詰まっていた。

プチトマトとかブロッコリーとか、テレビのＣＭでよく見かけるような彩りの野菜は一切入っていない。かろうじてピーマンが緑だが、他の野菜は煮つけてあるので、全体的に色合いは茶色い。

端的に言って、おばあちゃんぽい。これを椿が作ったのだと思うと、ちょっと愉快な気分になる。

いつも椿がそうするように、いただきます、と手を合わせてから箸をつけた。上品な味つけで、甘いもの、しょっぱいもののバランスもいい。特に卵焼きが絶品だった。出汁の味がする。

何でお弁当？　甲斐甲斐しすぎない？　いくらなんでも申し訳ないっていうか、私別に食べるのに困ってるわけじゃないんだけど……という戸惑いもなくはなかったが、何種類ものおかずとごはんがバランスよく詰められたお弁当の前には消し飛んだ。

おいしい。感動的においしい。

私の反応を見て安心した様子で、椿も、同じお弁当を食べ始めた。

しばらくの間、私はろくに感想も言わずに夢中で味わっていたが、

「あれ、椿が外にいる。珍しい」

そんな声が降ってきて、顔をあげる。

背の高い男子が目の前に立っていた。

確か、佐野なんとか。

下の名前は忘れたが、一年生のとき同じクラスだった。

彼は女子に人気があって、いつも輪の中心にいたので、憶えている。

親しげに話しかけているところを見ると、椿とも知り合いらしい。というか……椿、と下の名前で呼んだ。

別のクラスに美人の彼女がいるらしいと聞いていたが、そうか、それが椿か。

一目見て納得する。美人とイケメン。絵に描いたようだ。お似合いだ。

佐野が椿の弁当箱から卵焼きを奪って去っていった後も、椿はなんとなく、ばつが悪そうにしている。さっきまで、佐野が来る前は、得意げにおかずの話をしていたのに。

気にしなくていいのに。

冷やかすつもりも、やっかむ気持ちもない。私は食事を再開した。

卵焼きはやっぱりおいしい。


椿と昼食をとるようになって、帰り道に買い食いする頻度は下がったが、下校は毎日一緒にした。食べ物を買うかわりに、書店や雑貨屋に寄り道をすることもあった。

今日は椿がリップクリームを買いたいと言うのでドラッグストアに寄る。

派手なポップや安売り商品の並ぶ店内で、椿はどうにも浮いていて、コラージュのようだった。

可愛いパッケージの商品がたくさん並ぶ中で、椿は、素っ気ないデザインの、薬用リップを手に取っている。

普段どういうものを使っているのかと訊いたら、旅行先で買ったヒノキの香りのリップクリームだと言われた。ヒノキ。さすがにドラッグストアのラインナップにはない。入浴剤ならあるかもしれないけど。

やっぱり、こういうところが、ちょっとおばあちゃんっぽいんだよな。ちょいちょいおばあちゃん。美少女なのに。しかも、おそらく椿自身も、自分が美人で人目を引くという自覚と自信があって、それを意識して行動しているところもあるのに、自分の行動がときどきおばあちゃんぽいことには気づいていないのだ。

やたらと私の世話を焼き、かまってくるのも、まさにおばあちゃんが孫にかまうみたいな感じだった。どうして私なのかはまだよくわからないが、髪の色が好きだと言われたから、私を物珍しく思っているのかもしれない。それこそ、文字通り、毛色の違う動物に興味を持つように。

私が使っているリップクリームを訊かれたので答えたが、薄いオレンジ色がつくタイプは、椿のイメージではない。

もっと淡い桜色とか、名前のとおり、椿色のイメージだ。同じシリーズで赤い色つきのものがあったので、テスターを手渡すと、椿はティッシュでそれを拭いてから、すっと唇の上に滑らせた。

口紅よりも薄づきのリップだが、ひとぬりで、唇が赤く色づく。

うわ、と思わず声が出そうだった。

赤いリップはだめだ。何かエロい。

リップをぬる仕草も込みで、いけないものを見たような気になる。

「……やっぱこっちのほうがいいかも」

ほとんど色のつかない桜色のリップを渡す。

制服姿で濃い色のリップは浮いてしまうから、と説明すると、椿は納得したようだった。これにする、と言って早速レジに持っていく。

私も同じシリーズの色違いを使っているから、広い意味ではおそろいだ。

そう思った後、誰が見ているわけでもないのに、ちょっと恥ずかしくなる。

私は、おそろいのものがほしいのだろうか。そういう考えを持ったことはこれまでなかった。誰かに合わせるとか、誰かの真似をするとか、そんなこととは無縁だったのに。

その後も、買う予定のないコスメやヘアケア用品の棚を見て回った。誰かと一緒にこんなことをするのは初めてだ。

新しいヘアケア用品なんて必要なさそうなくらいまっすぐな椿の髪を見て、思わず「さらさらだな」と声が出た。そのままシャンプーのＣＭに出られそうだ。

椿らしい髪だ。そうなりたいと思うことはなくても、単純に、きれいだと思った。

椿は、平然と「ありがとう」と応える。

誉められ慣れている人間の反応だ。嫌味がなくて笑ってしまった。

「私は塩野の髪が好きだよ」

椿は、こういうことを臆面もなく言う。

慣れないが、自分や、自分が好きなことを肯定されるのはやっぱり嬉しい。

子どものとき、テレビで観たサバンナの動物の特集番組で、たてがみを風になびかせているライオンを見た。それがかっこよくて、のんびり歩いているだけでも存在感があって、日に当たる金色がきれいで、私もあの色にしたい、と言って母親を困らせたことがある。

今の髪の色はライオンのたてがみほど明るくはないが、初めて一緒に帰った日、椿にライオンみたいだと言われて、それを思い出した。

だから、いつかは赤く染めてみたいのだと、ずっと思っていたことを打ち明けた。

椿は、大げさに騒がず、咎めもせず、「似合いそう」と言ってくれる。

いい奴だ。

何だか、「友達」って感じだ。

これまで、昼休みも帰り道も一人でも、全然淋しくはなかった。他人に気を遣うより一人のほうが楽だし、楽しいことは一人でしても楽しく、おいしいものは一人で食べてもおいしい。満足していた。

でも、椿と一緒に何かするのは、一人のときとはまた違う楽しさがある。

あのとき声をかけてもらったことを、今ではよかったと思っているが、椿が私の何を気に入ったのかは、今もわからない。二、三日で飽きるだろうと思っていたのに、意外と続いている。

椿の気まぐれで始まった関係だから、いつ終わるかもわからなかった。

お弁当だって、これからずっと作ってもらうわけにはいかない。高校を卒業したら会わなくなるかもしれないし、その前でも、椿に彼氏ができたら……いや、すでに佐野とつきあっているのだったか。だったら、そもそも、毎日私と帰っていていいのだろうか。

また前のように一人になるのは、そう先のことでもないかもしれない。

覚悟はしておこう、と思って、少し淋しくなった。

この毎日が今だけのことだとしても、高校二年生のとき、きれいでちょっと変わり者の友達がいたのだと、私はいつか思い出すだろう。

「今度さ、卵焼きの作り方、教えて」

一緒に帰らなくなっても、別々に昼食を食べるようになっても、椿の卵焼きの味は覚えておきたい。そう思って言った。

椿は屈託なく、「いいよ」と応える。


椿が教室に入ってきたとき、何かあったと、すぐにわかった。普段から白い肌がさらに白く、表情が硬い。

どうしたのかと声をかけようとしたとき、

「あ、佐野くんだ。彼女できたって本当だったんだ」

「え、どこどこ？」

窓際にいたクラスの女子が声をあげ、それを聞いた椿の表情がまた強張った。

私が窓の外を見ると、部室棟のほうへと歩いていく佐野と、知らない女子生徒が見えた。

女子生徒は佐野の腕に寄り添って、見るからに親密そうだ。

すっと背すじが寒くなった。

「うちの学年じゃないよね。秋山さん、知ってる？」

悪気のないクラスメイトが、よりにもよって椿に、そんなことを訊く。いつも通りの落ち着いた声で、知らないと答える椿の声が聞こえた。

平気じゃないだろう。だって、さっき、泣きそうな顔をしていた。

本当は泣きたいはずなのに、どうしてそんな平然とした声が出せるのか。

失恋したときくらい、完璧じゃなくたっていいのに。

気がついたら、私の頬を涙が流れていた。

私が泣いてどうする、と慌てて拭く。

椿はその日の帰り道、何度か泣きそうな顔をしたけれど、一度も泣かなかった。


髪を切った。

ちょうどリタッチのタイミングで、美容院に行く予定があったので、思い立って、「短くしてください」と言った。

私が失恋したわけじゃないのに、何故髪を切ろうなんて思ったのか、自分でもよくはわからない。でも、あんな表情をするくらいショックを受けているくせに、何も言わず泣きもしない椿は、きっと、髪を切って区切りをつけることもしないだろうと思った。だからかわりに私が、というのもおかしな話なのだが、そうしたいと思ったのだ。

かなりばっさり切ったので、頭が軽くなった。

制服を着て鏡の前に立つと、なんだかすっきりした顔をしていた。

　椿はこれからも、私に、佐野の話をしないだろう。きっと何事もなかったかのように振舞うだろうから、私もそれに合わせて、何にも気づいていないふりをしなければならなかった。

　月曜日の朝、髪を切った私を見て椿は驚いたようだったが、特に何も言わなかった。昼休みは少しぎこちなかったが、下校時刻になると、いつものように席まで迎えに来てくれた。

　椿も、いつも通りに振舞おうとしているのがわかって、ほっとする。

　今日は帰りに何を食べよう、肉屋のコロッケはどうか、などと話しながら教室を出て歩いていたら、誰かが椿の名前を呼んだ。

　正面から歩いてくるのは、佐野だ。髪の長い女子生徒と一緒だった。

　椿を見つけて、嬉しそうに近づいてきて、話しかける。髪の長い彼女のほうは、所在なげに少し後ろで待っていた。

　椿は一瞬顔をこわばらせたが、すぐに能面のような無表情になり、落ち着いた様子で相手をしている。

　どうやら、椿と佐野は、最初から、つきあっていたわけではないらしい。そして佐野は、椿が自分を好きなことを知らないようだ。そうでなければ、無神経すぎる。

　知らないからこそ、彼女と一緒にいるときに、無邪気に声をかけてくるのだ。

「あれ、塩野さんだ。髪短い。似合うじゃん。イメチェン？」

私の髪なんかどうでもいいから、さっさとどこかへ行ってほしい。

佐野は何も悪くないが、椿は今、彼女と一緒にいる彼を見ていたくないはずだ。

私だって、彼らを前に無理をして平気なふりをしている椿を見ていたくなんてない。

「康太」

いつもより少し低い声で、椿が言った。

「彼女を待たせてるんでしょ。私たち、用があるから」

私の手をつかんで、廊下を引き返す。

階段へ向かう途中には、佐野の彼女がいたからだろう。

用もないのに教室へと戻る椿に、私はついていった。

誰もいなくなった教室に入って、椿はやっと足を止めたが、私の手をつかんだままだ。

大丈夫？　と訊こうとして迷って、「どうしたの」と声をかける。

さすがにこの後、何もなかったかのようには帰れない。

失恋の相談なんて柄ではないが、聞くだけならできる。できる限り優しくしようと心づもりをする。

椿は振り向いて、私と向き合った。

桜色のリップを塗った唇が、迷うように震える。

「髪……」

髪？

「なんで切っちゃうの……好きだったのに」

何を言われたのかわからなくて固まった。

うつむいた椿の顔が赤い。その目に、みるみるうちに涙が溜まった。

え？

佐野は？

「……委員長」

もしかして、私は何か勘違いしていたのだろうか。

椿は、佐野のことで泣いているのではないのか。でも、今、佐野と会った後で泣き出した――そういえば佐野が、私の髪について何か言っていたような気はするが。

「私が髪を切ったから泣いてる……わけじゃないよね」

おそるおそる訊いた。

まさかそんなわけがない。

でも、我慢していたのが決壊して、そのときにとっさに出ていた言葉ということは、私が髪を切ったことについて、何か思うところはあったのだろう。もしかして、私が勝手に、椿のかわりのつもりで髪を切ったことに気づいているのだろうか。それにしたって、泣くことはないと思うが。

やっぱり、椿はよくわからない。わからないけれど、

「私に言いたいことがあるんだったら、言ってほしい。……わかってないかもしれないから」

わからないなりに向き合って、わかる努力はしたいと思った。

おそらく椿は、私のことで泣いている。そう思うと、悪い気はしなかった。少なくとも、失恋して泣いているよりは、それを何もできずに見ているよりは、ずっといい。

美人は何をしても美人だなと思っていたけれど、目と鼻を赤くしてぐしゅぐしゅ泣いている顔は子どもみたいだった。

でも、それが、なんだか可愛い。

「一緒に帰るよ。明日も……今日も」

左手首はつかまれたままだ。ちょっと腕を動かして角度を変えて、きゅっと指先を握った。

椿は私と手をつないだまま、まだ泣いている。

可愛くて困る。

次の日、登校してきた椿は、髪を短くしていた。

私より短い、潔いショートカットだ。

真っ黒でつやつやな髪のショートは、それはそれで新鮮だった。昨日までよりも、少し幼く見える。

切ったんだ、と私が言うと、そうよと頷いた。顎を引いて、凛としたたたずまいで、もうすっかり、いつもの椿だ。

そういえば、私が髪を切ったときも、椿は同じことを言っていた。「切ったんだ」と。切ったことは見ればわかるのに、動揺して、それしか出てこないのだ。

「きれいだったのに」

短くなった分、顔がよく見え、清廉な印象はさらに強くなった。とても似合っていたけれど、やっぱりちょっと残念で、恨みがましいような一言が漏れる。

椿は、それを聞いて、嬉しそうな表情になった。

「仕返し」

なんだそれ。

してやったり、というような表情に、笑ってしまう。

椿は、私が笑うのを見て、

「言い忘れてたけど……」

こほん、と咳払いをした。

「短いのも可愛い。似合ってる」

今さらそんなことを言う。

顔は私のほうを向いているのに、目は逸らして、少しばつが悪そうにしているのは、昨日の自分の醜態――私は醜態だとは思っていないが――を思い出してのことだろう。

ショートだと顔がよく見えていいな。

そう思いながら私も口を開く。

「委員長も、ショート、似合うよ」

そろそろ椿って呼んでよ、と不満げに眉根を寄せて言った。

じゃあ、私も悠で。

［恋澤姉妹］
青崎有吾

青崎有吾（あおさき・ゆうご）

１９９１年神奈川県生まれ。明治大学文学部卒業。２０１２年、『体育館の殺人』で第22回鮎川哲也賞を受賞しデビュー。続く『水族館の殺人』が第14回本格ミステリ大賞（小説部門）の候補、『早朝始発の殺風景』が第73回日本推理作家協会賞（長編および連作短編集部門）の候補となる。23年夏には「アンデッドガール・マーダーファルス」がＴＶアニメ化、「ノッキンオン・ロックドドア」がＴＶドラマ化され話題となった。他の著作に『11文字の檻　青崎有吾短編集成』『地雷グリコ』など。

扉イラスト／伊藤階

1

「この競技にダブルスがあるなら恋澤姉妹がチャンピオンだ」

　ワラビと名乗った片腕の女は慣れた調子でハンドルをさばく。瓦礫やひび割れを避けながら、年代物のジープ・ラングラーは見捨てられた国道を行く。中東の空はもっと埃っぽいかと思っていたけど、ハリボーのスマーフグミみたいに青い。今日は風がないのだという。

「姉妹は誰とも会いたがらないけど、世界中で恨みと興味を買いまくってるから、いろんな奴が会いにくる。腕試し、度胸試し、復讐、捕獲、偵察、取材、巡礼、保護、勧誘、対話、撮影、好奇心、金儲け。いろんな目的で、いろんな奴が。やめとけって言っても聞きゃしないんだもの。ま、そういう連中のおかげで私は飯を食ってるんだけどね」

「あなたは恋澤姉妹と知り合いなの？」

「なわけないじゃん」ワラビはふき出す。「でも住所は知ってる。私はマネージャーじゃなくてツアーガイド。姉妹に会いたいって奴がいれば、家の入口まで案内する。そこから先はご自由に。明日迎えにまいります。ではごゆっくり。次の日私は戻ってきて、客だったものを車に乗せて、適当な場所に埋めにいく。環境保全もガイドの仕事ってわけ。で、あんたの目的は？」

　わたしは答えず、窓の外を見る。

　丘の向こうでかすむ街には、空爆と暴動による不ぞろいな歯形が刻まれている。十五年以上続く紛争のど真ん中。四万平方キロメートルにわたる地区が事実上閉鎖されていて、ワラビのコネがなければ外国人が入ること自体叶（かな）わない。住民はほとんど逃げ出したけど、故郷を捨てきれずに細々と暮らしている人たちもいて、市街地の中にはいくつかのコミューンができているらしい。

　恋澤姉妹も、そんなコミューンのひとつに潜んでいるのだろうか。

「音切除夜子（おとぎりじょやこ）っていう日本人がここに来た？　エプロンをつけた女」

「あー、来たよ。三ヵ月くらい前」

　ワラビはドリンクホルダーの缶コーラを取る。ハンドルから手が離れたせいでジープが左右に揺れる。

「彼女はいいシングルスプレイヤーだったみたいだね。致命傷以外にも傷が多くてさ、姉妹もちょっと手こずったみたい。片付ける側からすれば損傷が少ないほうが楽なんだけど」

ジープが制御を取り戻しても、わたしの視界は揺れていた。

除夜子、死んだのか。

死んだのか、除夜子。

まあ連絡つかないし。除夜子だって世界一強いってわけじゃないし。死んでるだろうなとは思ってたけど。見ていたテレビを断りなく消されたような気分だった。あるいは追いかけていた背中が急に自宅に駆け込んで、ドアを閉められてしまったような。喉の渇きを覚える。コーラを一口もらいたいと思った。

「除夜子、何か言ってた？　ここに来た目的とか」

「さあ。あんまり話さなかった」

「そう」

「除夜子の知り合い？」

「先生だった。わたしの」

「じゃ、あんたの目的は復讐ってわけだ」

「……そんなんじゃない」

その言葉が本心かどうかは、自分にもわからなかった。

除夜子を殺したのが恋澤姉妹なら、会ってひとこと言ってやりたい。それは確かだ。

わたしは義理堅いほうじゃないけど、師匠の無念を晴らすのは弟子の役目って気もする。

でも除夜子のメールボックスを覗(のぞ)いてみても、恋澤姉妹に関連した依頼は見当たらなかった。ゴミ箱やバックアップも漁(あさ)ったけど、どこにもなかった。だとしたら、仕掛けたのは除夜子からなんじゃない？　だとしたら、わたしが動く道理はなくない？

怒りや恨みを持とうにも、わからないことが多すぎる。

わかっているのは〈恋澤姉妹〉というキーワードだけ。

除夜子にドアを閉められたいま、わたしが追えるのは恋澤姉妹の背中だけだ。でもその姿ははるか先で、まだ手が届きそうにない。道には霧が立ち込めていて、輪郭すらおぼつかない。もっと近づかなければ。

面会に〝戦闘〟が伴うというなら、なおさらだ。

「あと一時間くらいで滞在ポイントだけど。宿に着いたらどうする？」

「除夜子を埋めた場所に連れてって」

「オーケー。姉妹にはいつ接触する？」

「すぐ会うつもりはない」ここへ来たのは除夜子の死亡確認のためだ。「まず、恋澤姉妹のことを詳しく知りたい」

「〈観測者(ウォッチャー)〉志望か」

「ウォッチャー？」

「姉妹のファンをそう呼ぶのさ」

「二人の過去や経歴を知っている人がいたら、会わせてほしい」

「それはできない」ワラビの顔から笑みが消えた。「まず、そんな奴はこの世にほとんどいない。それに、余計な行動は恋澤姉妹に気づかれる可能性がある。〝人生に干渉した〟と判断されれば、私らは消される。あんたは姉妹のことを変人の世捨て人くらいにしか思ってないかもしれないけど、あの二人はそういう次元じゃ……おっと」

ブレーキが踏まれ、土埃が尾を引いた。

道の真ん中に、布で顔を隠し、錆(さ)びついたＡＫ－47を構えた男が立っていた。

男は現地語で何かを叫ぶ。左右から同じ銃で武装した男がひとりずつ現れ、ジープに近づいてくる。ワラビがうめいた。

「まいったな、地元の過激派崩れだ。あんた銃は？」

「ないけど、武器なら持ってる」わたしはシートベルトを外す。「すぐ撃ってこないのはなぜ？」

「誘拐目的か、でなきゃ弾の節約かな。連中は常に物資不足だから……あ、ちょっと」

「わたしがしゃがんだら、なんでもいいから日本語を叫んで」

ドアを開け、ジープを降りる。

助手席側を見張っていた男が目をぱちくりさせた。

眼鏡にショートボブ、ゆったりした紺のカットソー、ベージュのワイドパンツに、タウンシューズ。そんな美大生めいた恰好(かっこう)をした、身長百六十センチ弱の、日本人の女が近づいてくるのだ。まあ驚くだろう。

ツルタ、トラジ、ゴンザ。男たちに名前をつける。名前は必ずつけろ、というのが除夜子の教えだった。適当でいいから何かしらつけること。つけるのとつけないのとじゃ大違いだから。つければほら、いつまでも忘れずに済むでしょ。忘れちゃだめなの？　絶対だめ。忘れるのは、マナー違反。

アサルトライフルを向け、ツルタがわたしを威嚇する。リーダー格らしきトラジも車の前部から近づいてくる。ワラビの言うとおり発砲はされない。弾が入ってないのかもしれない。どっちでもいいけど。

充分な距離まで近づき、わたしはしゃがみ込んだ。二つの銃口が突きつけられるのを感じながら、カーキ色の土を見つめた。除夜子が埋まった土地の色。グリーン系が好みだったのに。ワイドパンツの右裾にそっと手を入れ、くるぶしのホルダーに指を這(は)わす。いつもの形と、いつもの冷たさ。

「どこでもドア～」

車内から声がして、銃口が一瞬、わたしから逸(そ)れた。

逆手に持った武器を振り抜く。

マグネシウム合金製、長さ三十五センチ、赤い飾り紐(ひも)つきの靴べらが、ツルタの両(りょう)

脛を破壊する。立ち上がると同時に、屈曲反射によって位置が下がった彼の頭をつかみ、戻しの一撃を喉に突き込む。かん高い悲鳴は途中で途切れた。

ぽかんとしているトラジの前腕に、腕と靴べらを絡ませ、ひねる。てこの力でトラジの手首が折れ、銃が取り落とされた。そのまま首の横に靴べらを滑らせ、引き倒す。喉を踏み砕いてとどめを刺す。

車体の向こうからゴンザの声。意味はたぶん〈どうした?〉

駆け戻り、サイドミラーに足をかけ、ジープの車体に飛び乗る。予想どおり、ゴンザはジープの前部から助手席側に回り込もうとしていた。虚を突き、上から飛びかかる。ぶつかる瞬間彼の首の裏に靴べらを当て、膝で顎を押し上げた。頸椎の折れる音がした。

ゴンザの服で血を拭ってから、ホルダーに靴べらを戻す。

ワラビは信号待ちのような気楽さで、窓から顔を出していた。

「やー、助かったよ。何かお礼を……」

「恋澤姉妹のことを知ってる人たちに会わせて」

ガイドが肩をすくめると、左肘から先で余っていた服の袖がぶらんと揺れた。

「世界中飛び回ることになるぞ」

「お金なら払う」

「わかったよ。でもまずは墓参りだろ。乗りなよ。えーと……」

「芹。鈴白芹」

「山菜コンビか、いいね」

現地人のくせに日本文化にやたら詳しい。ワラビもたぶん偽名だろう。

助手席に戻り、缶コーラを勝手に飲む。ふと、聞きたかったことを思い出した。

「恋澤姉妹の下の名前は？」

「姉は吐息。妹は血潮」

ワラビは空中に漢字を書き、わたしは礼を言った。

恋澤吐息。恋澤血潮。

これでマナー違反を犯さずに済む。

*

「恋澤姉妹に会ってくる」と言い残して除夜子が姿を消すまで、わたしは彼女たちのことをほとんど知らなかった。名前だけは聞き覚えあるけど、どこにあるかは思い出せない異国の街。そんなふうな存在だった。そして調べ始めても、街は遠いままだった。

恋澤姉妹。

推定二十代。日本人。姉と妹の二人組。

不可視の怪異。生ける都市伝説。観測を試みた者を片っ端から殺してゆく、最強の姉妹。

人生に干渉する者を許さない——それが恋澤姉妹の基本ルールだ。見ようとする者も触ろうとする者も話しかけようとする者も、ある一定のラインを越えた瞬間、問答無用で殺される。男でも女でも老人でも子どもでも善人でも悪人でも、武装していようと何人だろうと、容赦なく、分け隔てなく、地の果てまで追いかけられて。彼女たちに勝てた者はまだ誰もおらず、ゆえに、彼女たちをよく知る者もこの世には存在しないのだという。

ほんとかよ、と思う。

業界の噂(うわさ)には尾ひれがつきがちだ。ワラビだってただの詐欺師なのかも。適当な女で、お墓の正確な場所も忘れていた。「だいたいこのへん」と連れてこられたものすごく広い荒野の前で、わたしは馬鹿みたいな気持ちで手を合わせた。

でも彼女は、除夜子の遺品を持っていた。深緑のエプロンの切れ端。この手の品は〈観測者(ウォッチャー)〉に高く売れるのだという。わたしは倍の値で買い取った。

月明かりが、脱ぎ捨てた服を照らしている。靴べらをカビだらけのマットレスに置き、携帯で階下のワラビに電話をかける。

「シャワーを浴びたい」『じゃあボイラーを動かすよ。息が荒いね。シーツの交換がいる?』「トレーニングをしてただけ」

壁の向こうから、ごおおん、という音が聞こえ始める。お湯が温まるまでは時間がかかりそうだ。わたしはパイプベッドに腰かけて待つ。

手が、自然とエプロンの切れ端に伸びる。

最初の日に、なんでそんな服なの、と聞いた。汚れないから、と除夜子は答えた。これが一番だと私は思うな。スーツなんか着る人たちの気が知れないよ。それに私、今日からお母さんだし。歳(とし)、そんな離れてないじゃん。まあそうだけど。お姉さんのほうがいい？　なんでもいい。彼女は楽しそうで、わたしはうつむきがちだった。

いまそのエプロンは、血と埃で汚れている。

そっと顔を近づけても除夜子の香りはしなかった。布地の数ヵ所に穴が開き、血痕はその周囲にこびりついている。穴はどれも九ミリ程度で、一見弾痕のように見えるが、焦げ跡はついていない。ボールペンだ、と見当をつける。

ごおおん。壁の向こうで湯が温まっていく。わたしは立ち上がった。肩甲骨を回し、靴べらを構え、再び振り始める。まだ顔も背丈もわからない二十代の女二人を想定し、急所に刺突を重ねていく。

体を動かせば思考を散らせる、というタイプではまったくなかった。そういうタイプならそもそも除夜子の目にとまっていない。靴べらを振るたびわたしの中には思念が淀(よど)み、記憶が渦巻き、感情が対流した。それらはやがて混ざり合い、幾度となく繰り返してきたひとつの疑問が、胸の奥で形を取った。

除夜子。

なんで恋澤姉妹に会いにいったの。

恋澤姉妹に話を聞けば、その答えを知れるだろうか。

2

「タイトルは妻の担当なんだ。辞書を開いて、最初に目に入った単語をつけさせる」

指先を粘土で汚した老人が杖をつきながら現れ、ソファーに座る。

ブエノスアイレスの海辺に建てられた静謐なギャラリーには、彼の作品が並んでいた。まともな形をした壺はひとつもなかった。ねじれたり、潰れたり、膨らんだり出っ張ったり。わたしとワラビは二つにちぎれた壺の前で、なぜこれが『公共事業』なのかと議論していたところだった。

「競りではどれも十万ドルの値がつく。金持ちを喜ばせるためのポルノだよ。空虚だが、余生の過ごし方としてはマシなほうだ」

「まだ七十歳でしょ」と、わたし。「現役でも通ると思うけど」

「余生さ。私の人生は十二年前の八月に終わった。完膚なきまでに」彼はわたしのほうを向き、片眉を上げた。「ワラビ、案外若い子を連れてきたな」

「連れてきたくはなかったんだけどね」

「若かったらだめ？」

「気は進まないな。私はこれから、君の死刑執行を手伝うのだから」

恋澤姉妹に殺される、と言いたいのだろう。

それは事実かもしれないけど、子ども扱いは好きじゃない。わたしはギャラリーを横切り、老人の正面に座った。給仕がやってきてカップを配る間も、彼から目を切らなかった。

「わたしの人生も七年前の五月に終わった。だからいまは、余生。終わらせたのは両親だった。尾縞さん、あなたの人生の終わりには、恋澤姉妹が関わってるの？」

尾縞忠則――南米に拠点を置く日本人芸術家は、表情を変えなかった。彼のサングラスの表面にはわたしの顔が映っていて、自分と見つめ合っている気分になる。

カップに指を這わせ、喉を湿らせてから、彼は語り始めた。

「金沢の小さな港町で、潮風がことよく似ていた。野張という名の画家の屋敷で、〈人体倶楽部〉というサロンが催されていた。活動目的は、ヌードデッサン。野張は金を払って世界中からモデルを招き、我々の前でポーズを取らせた。骨格。筋肉のつき方。指先、うぶ毛、曲線美。我々は夢中でデッサンし、作品の品評を行い、技法について議論を交わした。全員が美術の探求者で、人体に取り憑かれていた」

「あなたもメンバーだったの？」

「最初期からのね。昔は油彩画と人物画が専門だった」

「ピカソみたいに作風を変えたわけね」

「あきらめたんだ。ヒトラーのように」

　ラグリマは嫌いかね？　尋ねられてから、飲み物の名前だと気づく。カプチーノに似た真っ白な飲み物はほぼスチームミルクの味がして、コーヒーの風味は少しだけだった。ワラビは暇そうに海を眺めている。尾縞の話を聞くのは初めてではないのだろう。

「最も取り憑かれていたのは、主催者の野張だった。彼は招き入れるモデルたちの水準に満足していなかった。絵の技量を深めるにつれ、描く者たちの立ち方や、肉のたるみや、ポーズのブレに不満を覚えるようになった。倶楽部のメンバーが二十人に達したころ、野張は自ら〝完璧なデッサンモデル〟の育成に取りかかった。あちこちの施設から孤児を引き取ってきて、五歳から十二歳までの八人の子どもを養い始めた。その中に、恋澤姉妹もいた」

　疎遠になった家族をなつかしむように、彼はその名を口にした。

「みんな〝姉妹〟と当然のように呼ぶがね、実際のところ本当の姉妹かどうかはわからないんだ。彼女たちはそう自称していたし、姉妹のように常に一緒だったけれど」

　顔もあまり似てなかったしね――蛇足のようにつけ加え、尾縞は話を続ける。

「野張は子どもたちに人体の構造を叩き込み、雑技団と同等のストレッチをさせ、徹底的な筋力トレーニングを施した。長時間のポージングは全身の筋肉を酷使するからね。やがて、八人の子どもたちが倶楽部の主役になった。彼らの技量は卓越していて、中でも恋澤姉妹はツートップだった。彼女たちは毎日服を脱ぎ、台に上がり、何時間もポーズを取った。見られることが彼女たちの仕事だった。当時、吐息は十歳。血潮は八歳」

鼻白むわたしを予想していたように、彼は手をかざした。

「邪な思いを持っていた者はひとりもいないと断言できる。より正確に、より克明に描くことだけが我々の目的だった。……だが、それがまずかったのかもしれない。我々は特別な倶楽部の一員であることに酔い、その特権を最大限活かすべきだという義務のようなものに駆られていた。会員たちからのリクエストは徐々にきわどくなっていった。普通のモデルでは取りえない奇怪なポーズが見たい。全力疾走したあとの汗のかき方が見たい。痛みや快楽に歪む表情筋の動きが見たい。もっと近くで眼球を。耳孔を。へそを。性器を――」

尾縞は言葉を切り、またラグリマを飲んだ。静脈の浮いた手が絹のハンカチを取り出し、口元のミルクを拭うのをわたしは待った。

「それで？」と、うながす。

「それで、とは？」尾縞は聞き返した。「私が語ることはもうほとんどない。ある日、恋澤姉妹は全員を殺した。屋敷に火を放ち、姿を消した。以上だ」

「十歳と八歳の女の子が、二十人の大人を殺した？」

「鉛筆やパレットナイフを使ってね。誰も逃げなかったし、悲鳴も上がらなかった」

「早業だったのね」

「一分少々かな。我々は呆然としたまま、死の順番待ちをしていた。見蕩れていたんだ、ひとり残らず。すばらしい動きだった。彼女たちは本当に美しかった」

「……そう」

芸術の素養がないわたしに彼の話は理解しかねた。除夜子がやられたのも恋澤姉妹に見蕩れたから？　馬鹿げてる。除夜子はそんな死に方しない。そんな想像は除夜子に対する侮辱だ。

息を吐き、胃に溜まっていた熱を逃がす。

「恋澤姉妹は、あなたたちに復讐をしたわけ？」

「わからない。注目すべきは、モデル仲間の子どもたちも全員殺されたという点だ。あの時点で彼女たちの中には厳格な〈ルール〉ができていて、それにしたがっただけ――なのかもしれない」

「でも、あんたは生き残った」

ワラビが初めて口を挟んだ。尾縞はゆっくりとうなずいた。

「私は許されたんだ。とっさに取ったある行為によって」

「ある行為？」

老人はサングラスを外す。

わたしを覗き返してくる者はそこには誰もいなかった。南米の日差しと高価な照明に包まれた部屋の中で、彼の二つの眼窩(がんか)だけが闇をたたえていた。肌の色でも瞳の色でもない、それは虚空の色だった。

「自然と指が動いたんだ。許されることを計算したわけじゃない。かといって、恐怖や狂気に駆られたわけでもない」

「じゃあ、どうして」

「言っただろう。私は美術の探求者だった」

血しぶきと踊る恋澤姉妹を幻視するように。尾縞はうっとりと口を開け、何もない方向へ顔を向けた。

「もういらないと思ったんだよ。一番美しいものを見たからね」

*

「除夜子のことを考えてたでしょ」

ホテルのエレベーターの中でワラビに図星を突かれた。

わたしはガラス張りのシャフトから夜景を眺めるふりをする。でも、ガラスに映ったワラビと視線が合ってしまう。勝ち負けがどうでもいいサッカーの試合を見るときみたいに、彼女は薄く笑っている。

「ジープのときと同じ顔してたから。ねえ、ＯＫしちゃったから案内はするけどさ。あんたが本当に知りたいのは恋澤姉妹のこと？　それとも音切除夜子のこと？」

「……除夜子のことならよく知ってる」

へえ、そう。自信のなさを見透かしたような相槌。わたしは振り向く。

「あなただって除夜子のことは知らないでしょ」

「そりゃそうさ」

「なら首をつっこまないで」

「気をつけるよ」

「本当に除夜子と何も話してない？」

「もちろん」

エレベーターの到着音が鳴った。

並んで廊下を歩き、ワラビが自室のドアにキーを差す。わたしの部屋はひとつ隣。

「じゃ、用事があれば呼んでくれ」

「用事って何」

「何って……用事だよ。おやすみ」

苦笑いを残して彼女はドアを閉めた。ワラビ。褐色の肌に艶のある黒髪をなびかせた隻腕の女。美人だけど、変な奴だ。やっぱり何か隠されている気がする。

わたしはその気になればドアを壊して、彼女の残っているほうの腕をへし折って、秘密を吐かせられる。本当にそうしてやろうかとちょっとだけ考えたけど、やめた。いまガイドに消えられたら困るし、それに——不義理なやり方は除夜子に怒られそうだと思ったから。

自分の部屋に戻り、ベッドに倒れ込んで、ダマスク模様の天井を見上げる。

除夜子のことならよく知ってる。

わたしより四歳年上で、仕事も四年先輩だった。背が高かった。風呂が長かった。久世福商店の梨ジャムが好きで切らすと少し不機嫌になった。指導はめちゃくちゃ厳しかったけどわたしが吐くたび背中をさすってくれた。どこにでも頬杖をついて心ここにあらずな喋り方をした。テレビゲーム中に人から話しかけられたときみたいな、そんな喋り方。難読漢字に詳しかった。カメムシで悲鳴を上げた。先の先まで見通す謎めいた才覚があり、部署の中ではエース級だった。そして仕事を、心底嫌っていた。

誇りとか持っちゃいかんよ。わたしが初めて仕事をした日、除夜子はそのにじんだ絵の具みたいな喋り方で指針を示した。上はほめるだろうけどさ、得意がっちゃだめ。こんなのド底辺のクソ仕事なんだから。それはマナー？　そう、マナー。人としての？　んー、ていうよりは私としての。許されちゃいけないことしてるってのを忘れないようにしなきゃね。背負ったまま生きて、不幸せになって、いつかひとりぼっちで死ぬの。まあそんなのがふさわしいよ、私らには。

寝返りを打つ。

眠るときに除夜子のことを考えるのはいやだった。いまのわたしはひびの入ったジャムの瓶で、少しでも気を抜くと溶けた中身がこぼれ落ちそうだった。効きの悪い空調がわたしの形を緩ませていく。肌が汗ばみ、眠気が散る。やがて瓶が、静かに割れた。指先がシーツを這うように動き、わたしは蜜の中に沈んでいった。

除夜子のことならよく知ってる。

でも除夜子は、わたしのことをどれだけ知っていただろうか。

3

「おすすめは海蛎煎、牡蠣のオムレツね。あと薄餅、揚げない春巻き」

ワラビはすすめられた二品と白酒を注文し、わたしは沙茶麵とプーアル茶を頼んだ。わずか二分ですべての料理がテーブルに並んだ。

福建省の港湾都市、厦門の裏町にたたずむ食堂。昼どきをだいぶ過ぎたため、わたしたち以外客はいない。油のにおいが染みついた店にはこの地区のすべてが凝縮されていた。狭さと貧しさと小汚さ、熱気と年季と、気をつけてないと見過ごしてしまいそうなほど小さな、ほんの小さな幸福。沙茶麵の赤いスープをすすると、魚介のコクとピーナッツの風味が口いっぱいに広がった。

「あの子たちも、よくその席に座ってた」

友鳳(ヨウフォン)という名の店主はカウンターに寄りかかり、食事するわたしたちを眺めた。五十代の小太りな女性で、英語が達者だった。

「向かいの集合住宅の八階に住んでたの。『住みついてた』のほうが正しいかな、たぶんちゃんと契約してたわけじゃないから。ここにはそういう住人のほうが多い」

「二人がここで暮らしてたのって……」

「金沢のあとから二年間」牡蠣を頬張りながらワラビが答える。「吐息が十二歳、血潮が十歳になるまで」

「まだ小さい女の子が、二人きりで食べにくるわけでしょ。気にならなかった？」

「気にしてたら、あたしはいま生きてない。でしょ？」友鳳(ヨウフォン)は肩をすくめた。「正直、最初は気になったわよ。でもお金はちゃんと払ってくれたし、理由(わけ)ありの子は町にたくさんいたし……ちょっと噂も流れたの。善意で声をかけた何人かが姿を消したって。それでなんとなく、あの子たちは放っておいたほうがいいって空気が根付いた」

「じゃ、覚えてることはあんまりない？」

「あたし記憶力はいいのよ」

ほうれい線がカーブを描いた。彼女は〈利群(リーチュン)〉のシガレットを一本出し、火をつける。

「いつでも二人一緒だった。服は三、四着を着回してたみたい。こっちの言葉が上手で、日本人だなんて最初は思わなかった。お姉さんは礼儀正しくて大人っぽい子だった。天気とかについてあたしと二、三言話すこともあったわね。妹さんは人見知りな感じだったけど、表情豊かだった。店で飼ってた金魚を楽しそうに見てたっけ。トドロフって名前をつけて」

「思想家のトドロフ？」

「十歳にしては独特よね」友鳳(ヨウフォン)は煙を吐き出し、「あと覚えてるのは、蠅(はえ)」

「蠅？」

「夏場はたくさん出るんだけど。あの子たちが食べ終えたあと、いつもテーブルの隅に死んだ蠅が並べられてたの。五匹とか六匹くらい。叩く音は聞こえないのに、どうやって捕まえてるのか不思議だった」

「あはは」と、ワラビ。「〈観測者(ウォッチャー)〉好みのエピソードだね」

「箸で蠅をつかまえるくらい、わたしにもできる」

「十歳のころにもできた？」

ノーコメント。プーアル茶を飲んでから、わたしは友鳳(ヨウフォン)に尋ねる。

「二人の仲はよさそうだった？」

「ええ、すごく。でも、はしゃぎ合ったりふざけ合ったりする年相応の感じじゃなかった。デートする学生みたいな感じだったかしら。テーブルの上で手を触れ合ったりして、楽しそうに話してた」

　実演するように、ワラビがわたしの指に触れてきた。これもノーコメント。

「どんな話題を？」

「あらゆる話題を」実際にはEverythingと、流暢（りゅうちょう）な発音で友鳳（ヨウフォン）は言った。「街のこと、本のこと、服のこと、季節のこと、近所に住んでる野良猫のこと。要するに、みんなが話すようなことよ。いまでこそ怪物みたいな扱いだけど、あたしには普通の子たちに見えたな。ちょっと大人びただけの普通の姉妹。この町でひっそり暮らして平和に生きるって道もあったんだと思う。……でも、そうはならなかった」

　彼女は灰皿に煙草を押しつけた。笑みが消え、油でべたつく床に視線が落とされる。

「悪循環のきっかけを作ったのは、あたしなの」告解するように彼女は言った。「蒸し暑い夜だった。いつもみたいに二人が食べにきたんだけど、店は満席だった。席を詰めさせることもできたんだけど、これ以上店を混雑させたくなかった。あたしは炒海鮮（チャオハイシエン）と薄餅をプラ容器に入れて、二人に渡してあげた。あの子たちは手をつないで帰っていった」

　わたしは店の入口を見やる。喧騒（けんそう）の中に消えていく二人の少女を想像する。

「次の日、近くの公園で、斌（ヒン）っていう名前のマフィアと取り巻き五人の死体が見つかった。斌（ヒン）の片方の耳には割り箸が根元まで突き刺さってた。公園のベンチには、食べかけの炒海鮮と薄餅が」

「やったのは恋澤姉妹？」

「あの子たちはベンチでごはんを食べていて、酔った斌（ヒン）たちが通りかかって、何か〈ルール〉に抵触するようなことを言うか、するかしたんでしょうね。斌（ヒン）は〈虎舟（フーヂョウ）〉っていう地元の組の若頭だった。〈虎舟〉は〈八削会（バーシュエフゥイ）〉っていう広域マフィアの下部組織で、町でクスリをさばくのが仕事で……要するに、彼の死はけっこうな騒ぎになった。マフィアたちは犯人探しを始めて、路地裏に死体が増え始めた。大規模な抗争の噂がすぐに広まったけど、何が起きているかはまだ誰にもわかってなかった」

友鳳（ヨウフォン）も店の表へ目をやった。通りの向こうにはダクトの入り組んだ古いマンションがそびえている。

「一週間後、向かいの集合住宅から銃声が何発も聞こえたの。八階からね。警察が来たときには、あの子たちの部屋はもぬけの殻だった。廊下には〈虎舟〉が雇った殺し屋たちの死体が並べられてた。蠅みたいに」

恋澤姉妹にとっては、実際に蠅と同じだったのだろう。寄ってくるから叩いただけで、そこにはなんの感情もなかったのだろう。

そのときも、そのあと起きたすべてのことに対しても。

「ハリケーンが北上するみたいにあの子たちは北へ向かった。なんで知ってるかっていうと、噂が次から次に入ってきたから。福州では〈武条（ウーティアオ）〉が。温州では〈黒雀（ヘイチュエ）〉が。〈八削会〉の下部組織が常に二人を追いかけて、ひとり残らず返り討ちにあった。上（シャン）

海(ハイ)では〈八削会〉と敵対してた〈狗頭会(ゴウトウフゥイ)〉が二人に接触を図って、同じように殺されて、事態はさらにややこしくなった。火種が火種を生んで、それがさらに火種を……」

友鳳(ヨウフォン)は両手でボールを弄(もてあそ)ぶようなジェスチャーをし、中国語をつぶやいた。「転がり始めた玉は止まらない」的な意味の故事成語なのだろう、きっと。

「結局あの子たちは、三つのマフィアと十七の下部組織を破壊しつくして、それ以降噂は途絶えた。この国に見切りをつけたんでしょうね」

「よそでも嵐を起こしまくりだよ、彼女らは」

白酒で頬を染めたワラビが言う。友鳳(ヨウフォン)は「そう」と応じてから、

「でも、全部正当防衛でしょ?」

「話しかけてきた男に割り箸をぶっ刺すことを〝正当防衛〟と呼ぶなら、そうかもね」

笑えぬジョークに困惑するように、友鳳(ヨウフォン)は眉をひそめた。やさしい人なのだ、といまさらになって気づく。わたしは箸を置き、馬鹿な質問をする。

「友鳳(ヨウフォン)さん、恋澤姉妹は悪人だと思う？　それとも善人?」

「……わからない。あの子たちがマフィアをつぶしても、かわりの組織が台頭するだけで意味はなかったし。あの子たちの犠牲者の中にはいい人もたくさんいたはずだし」

だけど——と彼女は戸惑いがちに、

「だけど、やっぱり普通の子たちなんだと思う。だって、誰でも一度は思うじゃない？　大切な人と一緒にいるとき、誰にも邪魔されたくないって。そりゃもちろん実際はそんなこと無理で、どこかで他人とつながるしかないんだけど。人間は二人きりじゃ生きられないんだから——」

傾いた日が店内に差す。夜が近づき、繁華街から人々の営みの音が聞こえ始める。

「でもあの子たちは、強すぎた。心も、体も」

たぶんそれだけなんだわ、とこぼして、彼女は話を締めくくった。

ワラビが白酒のおかわりを注文した。

＊

酒に弱いなら最初からそう言ってほしい。

いやもしかして宗教で禁じられてたりしてそれでなのかな。いやこいつはそういうの気にしてないだろうな絶対。

眠りこけたワラビとわたしを乗せて、タクシーは宿へ向かっている。ワラビの頭は大きく傾き、わたしの右肩に着地している。左腕がない分くっつく体の面積が多い。酒くささにまじって香油めいた異国の女の香りがした。

バックミラー越しに運転手の視線を感じ、わたしは目をそらす。外は天気が崩れ、雨が降り始めていた。電飾の色が溶け込んだ青やオレンジの水滴がリアドアガラスを流れてゆく。人の体温を感じながらその光を眺めていると、昔の記憶がよみがえった。

——やっぱり普通の子たちなんだと思う。

恋澤姉妹は理解の及ばない怪物なのだと思っていた。思考回路をなぞることなんてやるだけ無駄で、彼女たちを縛る〈ルール〉も何か独自の哲学に基づいたものなのだと思っていた。

でも、そうじゃないのかもしれない。

十五歳の春に両親を殺すまで、わたしは普通に暮らしていた。

学校に通い、部活をし、休日は友達と服屋にいったり映画を見たりした。気になるバンドの動画チャンネルを毎日チェックしていた。好きな人もいた。部活の後輩。

初めてのデートは始終むずがゆかった。電車に乗って少し遠くへ遊びにいった。買い物をして、クリームパスタを食べて、こっそりキスをして、歩いて、もう一度キスをした。十二月だったのでイルミネーションが綺麗(きれい)だった。わたしたちは噴水の前に座り、手をつないで、身を寄せ合って光を眺めた。掃いて捨てるほど多くのカップルがいたけれど、行き交う通行人の視線はみんなわたしたちに注がれていた。穏やかな、冷ややかな、励ますような、野次るような、見守るような、咎(とが)めるような、あらゆる視線がわたしたちを突き刺した。握り合う手に力がこめられるのを感じた。それが愛情の表れなのか不安の発露なのか、わたしにはわからなかった。

そのときわたしが抱いた感情。

恋澤姉妹の原動力であるかもしれない感情。

それはどこまでもシンプルで何よりも純粋で、誰でも持ちうる根源的な気持ち。回りくどい比喩なんて必要ない、たった一言で言い表せる、それゆえとても強い気持ち。


見るな、という気持ち。

4

「このまま話すんでもいいか？　いま収穫期でよ、クソ忙しいんだ」

男はだみ声を張り上げた。農機を運転しているせいだ。

地平線まで続く畑は白い花に覆われている。ブルドーザーと塵芥車（じんかいしゃ）が合体したような幅広で緑色のばかでかい車が、時速五キロで進みながら、その花を体内に取り込んでゆく。ミシシッピ州、ノクサビー郡。あるのは畑と、空と、太陽だけ。ときどき頭上を横切る鳥の姿は、どれも痩せこけて見えた。

「あんたみたいなのときどき来るけどさ、正直アドバイスとかねーんだよな。そりゃ確かに、おれは連中とやり合って生き残ったよ。でも、おれが何かしたってわけじゃねえ。たまたまさ。もうカタギに戻ってるしな」

オーバーオール姿で両手を広げた彼に、「そうなの？」と皮肉を返す。

「大麻を育ててるのかと思った」

「綿花だよ。嬢ちゃんのパンツを作るのさ。それにマフィアだったことは一度もねえ。で、用件は？」

「あなたがたまたま生き残った日の話を聞かせて」

ゲイリー・タリスという名の綿農家は面倒くさそうにうめき、二メートル上から手招きした。わたしははしごを使わず跳んで、助手席に着地した。ワラビに手を貸し、ひっぱりあげる。くっつき合って、狭いシートに二人分のお尻を収める。

ゲイリーは赤ら顔の四十代の白人だった。つば広の帽子をかぶり、チェック柄のシャツの袖をまくり、濃い腕毛の中には控えめなタトゥーが彫られている。恋澤姉妹と戦って生還した、ただひとりの人間——だとワラビは言っていたけど、そんなふうにはちょっと見えない。

わたしたちが乗り込んだあともゲイリーは運転に集中していた。汚れた液晶に表示されるGPSを確認し、ハンドルを微調整しながら、彼は口を開いた。

「五年前、おれはダフネ&キール社の広報四課にいた」

「D&K……銃器メーカーね。広報四課の噂は聞いたことある」

「なにそれ」

「洗剤でもポップソングでも銃でも、宣伝メソッドは変わらない」わたしはワラビに説明する。「一番効果的なのは、コマーシャルを作ること。紛争や内戦に紛れ込んで、自社製品の表には出せないＣＭを撮るのが広報四課の仕事」

「あー、なるほど。ブラックマーケット用に実戦の映像を撮るわけね」

「ただ撮るだけじゃなく、演技や演出もする」ゲイリーが補足した。「おれは四十人ほど雇われてたアクターのひとりだった。ハイテク時代だからな、戦場でも銃撃戦は稀（まれ）だ。そういうときはおれらがかき回して、画面が映えるようにする。撮れ高が溜まったら編集して『アベンジャーズ』の予告編みたいにする」

「当時は、世界一実戦慣れした部隊って呼ばれてた」

「ロケはそこらじゅうでやったからな」

なんの感慨もなさそうに彼は喋る。銃のグリップを握り続けた男の手はいま、農機のクラッチに添えられている。

「ある日、恋澤姉妹がシカゴ近郊に住んでるって情報をうちの上層部が仕入れた。姉妹はすでに伝説級の厄介者（アウトロー）で、いくつかの組織が結託して、連中の首に懸賞金をかけてた。二千万ドル」

「大金ね」

「ひとり二千万ドルだ」ゲイリーはさらりと訂正した。「当時のＤ＆Ｋは南米進出にしくじって、資金繰りに悩んでた。で、四千万ドル補塡にあてようって考えたわけだ。広報四課はそのへんの特殊部隊よりずっと強かったし、武器と装備も自社製品がたんまりある。楽勝だろ、つってな」

「事務方はいつも無茶を言う」と、わたし。

「まあ埋め合わせも現場の仕事だ。おれらは恋澤とやり合う準備を始めた。まず、連中の行動を極秘に調べた。いくら人嫌いでも自給自足ってわけにゃいかねえ。月に二度、最寄りの町の食料雑貨店に買い出しにくることを突き止めた。高校の体育館くらいの広さの店だ。おれらはそこを買い取った」

「経理部が怒ったでしょうね」

「四千万ドルのための投資さ。作戦はオーソドックスなネズミ捕りに決まった。連中のホームになだれ込むより、こっちの陣地に誘い込んだほうがいい」

尾縞は〝彼女たち〟と呼んでいた。友鳳は〝あの子たち〟と呼んでいた。ゲイリーは恋澤姉妹のことを〝連中〟と呼ぶ。

「概要はこうだ。フェーズ1、撮影に使うって言って近所の奴らを遠ざける。実際おれらは撮影班だしな、映画の『アルゴ』みたいだろ？　フェーズ2、隊を二つに分け、A班は客のふりして店内で張り込む。バックヤードにはB班を配備。フェーズ3、連中が現れたら空調からオピオイド系の麻酔ガスを流す。即効性があるやつを。倒れるのを待って、殺す。こっちの主なスペックは兵士四十、突撃銃二十、短機関銃十五、ライフル五、拳銃とダガーナイフ人数分、ガスマスクその他装備一式、麻酔ガス四トン、特殊閃光手榴弾（フラッシュバン）いっぱい、催涙弾たくさん、銃弾山ほど」

「勝てそうじゃん」

　上司から娘の運動会の話を聞かされたときみたいな、興味を取りつくろった口調でワラビが言う。日差しを浴びたわけでもないのに、ゲイリーは帽子をかぶり直す。

「当日の話をしよう。おれはA班に振り分けられて、野菜売り場で作戦開始を待ってた。私服の下に防弾ベストを着て、バッグにはサブマシンガンとガスマスクが入ってた。隣には海兵隊（マリーン）のころから一緒のイアンって同僚がいてさ、ピリついてたから肩を叩いてやったよ。リハは入念にやったし、全員この作戦に自信があった。午後二時四分、駐車場の監視班から『ターゲット現着』って無線が入った。二十秒後に追加の報告が。『妹がナンバープレートを指さしてる』」

「ナンバープレート？」

「いつもどおりに見えるよう、おれらは駐車場に車を並べてた。地元の奴らと同じ中古車を何台も用意してな。だが、ナンバーにまでは気をつかってなかった」

「妹は……血潮は、町の人たちの車のナンバーを覚えてたの？　月に二度しか来ない雑貨店で見るナンバーを？　一目見ただけで差異に気づいたってこと？」

「まあ聞けよ、続きがある。次の報告はこうだ。『姉がこっちを見た』。なんでかって？　知るかよ。とにかく自動ドアが開いた時点で、連中には気づかれてた。こっちが仕掛けるより早く、近くにいたアクター二人がやられた。マスクを奪われたから麻酔作戦はおじゃんだ。隊長が『突入』を指示して、完全武装のB班が店になだれ込んだ。おれらも武器を抜いた。店内で戦闘が始まった。おれらはまだ勝つ気でいたが、すぐに場所の選定ミスに気づいた。店には姉貴の武器になるものが腐るほどあったし、妹の足場もそこらじゅうにあった」

におわせぶりにゲイリーは言葉を切る。わたしからの反応を待つみたいに。最初の言動とは裏腹に、会話を楽しんでいることが見て取れた。恋澤姉妹はこれを望んでいないのだろうな、と考える。こういうのが嫌いで、だから全員を殺すのだろう。

それでもわたしは、質問をせずにいられない。

「恋澤姉妹の戦い方を教えて」

「吐息は暗殺術だ。なんでも武器にする。副隊長のウィルは割った電球で頸動脈を裂かれた。最年長のクリスはトマトの缶詰で脳天をつぶされた。ジェフはベルギーの特殊部隊群(SFG)出身で、一番やり手だったが、セール品のベルトで銃を叩き落とされたあとプロテクターの継ぎ目十二ヵ所をボールペンで刺されて死んだ。こんなふうに交互に刺すのさ」

両手を回すように突き出すゲイリー。ボールペン――わたしは除夜子のエプロンを思い出す。

「血潮はタツマキガールだ。信じられないようなアクロバットをする。『ダイ・ハード4』に出てきたニンジャ野郎みたいな感じ。でも動きのすべてが理にかなってる。ニンジャ野郎は間抜けな死に方したけど、血潮ならジョン・マクレーンにも圧勝だな」

「映画が好きなの？」

「なんでだい？」

「たとえが多いから」

「最近はネトフリしか観ねえな、最寄りのシアターは百五十マイル先だ」投げやりに言い、ゲイリーは話題を戻す。「妹が敵の態勢を崩して、姉貴がとどめを刺すってパターンが多かったな。陳列棚の間を移動しながら連中はおれらを殺していった。何千発も撃ったが弾は一発も当たらなかった。二人の動きといったらもう、コンビネーションとかのレベルじゃねえな。なんていうか、あれは――そう、撮影みたいだった。最初から殺陣が決まってるみたいな。変だよな、それはおれらの専門だったのに」

　ゲイリーは遠い目をして、畑と空の境目を見つめた。農機の速度は相変わらずで、まだまだそこに辿り着きそうにはない。

「で、あなたはどうして生き残ったの」

「半分くらいやられたころかな、おれの前に連中が現れた。まばたきを一度したら、銃を血潮に蹴り上げられて、吐息が目の前に迫ってた。ああ死んだな、って思ったよ。そしたら、吐息の後ろにイアンが見えた」

「一緒にスタンバってた同僚？」

「覚えててくれてありがとよ。そんときのイアンの顔は傑作だったな。真っ青でいまにも泣きそうでさ。間抜け顔のまま奴は銃を一発撃った。弾は吐息をそれて、おれの左胸にジャストミートした。至近距離だから防弾ベストは意味なかったな。弾は貫通して、おれは吹き飛んで、レジ台の裏に転がり込んだ。で、そのまま気絶した。――気がついたら全部終わってて、恋澤姉妹はいなくなってた。おれ以外の奴は全員死んでた。イアンもな」

「心臓を撃たれたのに生きてたの？　奇跡的にそれたとか？」

わたしが尋ねると、ゲイリーははにかむ子どもみたいな顔をして、右胸を指さした。

「おれ、右心臓なんだよ。イアンだけがそれを知ってた」

「……わざと撃ったのね」

〝恋澤姉妹〟か〝肺への流れ弾〟か。ゲイリーが助かる可能性を天秤（てんびん）にかけ、判断し、とっさに動いた。

「さあな。あいつは射撃がクソ下手だったから、ほんとに狙いがそれたのかも。ま、どっちにしろイアンのアホのおかげさ。だいたい恋澤がやり損じを見過ごすってのもおかしな話だ。連中は気づいてたんじゃねえかな。でも俺とイアンに共感して、ほっとくことにした。そんな気がする」

「共感？」

「連中もたぶん、そういうのでつながってんだろ。その……絆（きずな）？　みたいなやつでさ」

ゲイリーは鼻の頭をかき、農機のエンジンを止めた。シートの下の揺れがやんだ。

「参考になったか？」

「かなりね」

人体への造詣。記憶能力。身体操作。連携。観察眼。〈ルール〉に基づいた躊躇（ちゅうちょ）のなさ。少しずつだけどわかってきた。

礼を言い、ワラビと一緒に農機を降りた。乗ってきたレンタカーは豆粒ほどの大きさになってしまっている。歩きだそうとしたとき、ゲイリーが声をかけてきた。

「嬢ちゃんも連中とやり合う気か？」

「わたしは話がしたいだけ」

「やめといたほうがいいと思うな。あんたけっこう強そうだけど、恋澤姉妹には勝てないね。実家に戻ってソイソースでも作んなよ」

「あいにく実家は跡形もないの」

「いいことないって、殺し殺されなんてさ。生き残ったから言ってるわけじゃないぜ？　その前、連中にやられかけたとき思ったんだ。ああすげえ、こんな奴らがこの世にいるなら、おれがやってきたことなんて――」

『インディ・ジョーンズ』のテーマが会話に割り込んだ。世界一実戦慣れした部隊で唯一生き残った歴戦の男は、携帯を取り出し、不機嫌そうに耳にあてた。

「もしもし？　え？　灯油？　納屋ん中だ、いちいちかけてくんなよ。……はいはい、夕方には戻るよ。わかってるって、母ちゃん！」

＊

国道沿いのモーテルは去年のハリケーン被害にあったらしく、建物の半分が改築中で、わたしたちは同じ部屋に押し込まれた。

ドライヤーの音がやみ、バスルームからワラビが出てくる。先に浴びたわたしはキャミソール姿でソファーに座り、仕事先からのしつこいメールに返信していた。薄い壁の向こうからはシンディ・ローパーの歌声が聞こえている。かれこれ二時間。ラジオか何かで専門チャンネルがあるのかもしれない。そこにアラビア風のメロディーが混じる。鼻歌はわたしの横を通り過ぎ、部屋のあちこちへ移動する。

スプリングがきしむ音とともに、鼻歌が止まった。

「あのさ、芹」

「なに」

「やめれば？」

わたしは顔を上げる。

ワラビは髪をタオルで拭きながら、セミダブルのベッドに座っていた。下はショーツ。上は何も着てない。左腕の肘から先は褐色の皮膚に包まれて、舐め溶かしたアイスキャンディーみたいになっている。

「やめるって何を」

「恋澤姉妹に会いにいくこと。ゲイリーが言ったとおりだよ。芹じゃ勝てない」

わたしは携帯を置き、体ごとワラビのほうを向いた。

「除夜子が会いにいった理由を知るまで、やめるつもりはない」

「理由は芹だよ」

「え?」

「除夜子を殺せって言われてたんだろ」

時間が止まった気がした。

気がしただけだ。ワラビの手はわしわしとタオルを動かし続けている。だけどわたしは、まばたきすることも忘れていた。

「ガイドの最中に直接聞いたんだ。除夜子はとっくに知ってたよ。芹はわかりやすいから、だってさ」

「……隠してたのね」

「除夜子に口止めされたんだよ。こう見えて私は義理堅いからね」

椅子の背にタオルを放り、ワラビはベッドに寝転がる。白いシーツの上で、艶のある黒髪が渦を巻く。

「『事務方はいつも無茶を言う』、か。あんたたちの事務方も無茶を言ったみたいだね。個人プレーが目立つ除夜子に見切りをつけて、芹に処理させようとした。それでちょっと困ったことになった。芹は除夜子を殺したくない。でも殺さないと、雇い主に自分が殺される。除夜子も芹を殺したくない。自分が死ぬのが一番いいけど、単純な自殺じゃ自演がバレる。で、恋澤姉妹に会うことにした」

　恋澤姉妹は観測者を殺す。

　恋澤姉妹には誰も勝てない。

　会いにいけば、確実に殺されることができる。

「姉妹は賞金首だから、挑戦して負けたっていう口実は一応成り立つ。ユニークとまではいえないかな。実をいうと、うちには自殺志願者もけっこう来るんだ」

「違うの」

　漏れ出たわたしの声はかすれていた。

「もう隠さなくていいって」

「違う。そうじゃないの」

　由々しさを察したようにワラビは黙る。わたしはソファーから立ち上がった。吐露するのは怖かった。言葉にすれば、それまで曖昧だったものに形を与えてしまう。

　除夜子のことならよく知ってる。

でも除夜子は、わたしのことをどれだけ知っていただろうか。

「除夜子と戦うつもりだった」

悩み抜いた末に選んだ、それがわたしの答えだった。

「殺し合うつもりだったの。だけど、直前で逃げられた」

身を隠そうとしたとか、わたしとの戦いを恐れたとか、せめてそんな理由であってほしかった。

でも、自殺しにいったなんて。

こぶしを握る。すべてが気に入らなかった。馬鹿な選択をした自分も、わたしを振り向くことなく退場した除夜子も、すべてが。ドアを閉める刹那、除夜子はどんな顔をしていたのだろう。取り残されたわたしは、どんな顔をすればいいのだろう。

「ふーん、そう」

ワラビの反応は軽かった。枕もとのスイッチに手が伸ばされる。照明が常夜灯に切り替わる。

「とにかく、これで目的は果たしたろ。日本に帰りなよ」

わたしは床に落ちる自分の影を見つめていた。オレンジの光に引き伸ばされたわたしは家具の影と重なり合って、頭部をなくしたみたいだった。ワラビの言うことは正しい。旅する理由は消えた。わたしは前髪をかき上げ――

「待って」あることに気づいた。「さっき、口止めされたって言った?」

「言ったけど」

「変じゃない？　だってその時点じゃ、わたしとワラビに接点はない」

ユーラシア大陸の反対側にいる女に秘密を話したところで、わざわざ口止めする意味があるだろうか？　普通はない。あるとすれば——

除夜子は予想していたのだ。

わたしが行方を追いかけて、ワラビに接触することを知っていた。

手のひらで転がされるような感覚に、舌打ちをこらえる。除夜子。先の先まで見通す謎めいた才覚を持った女。

ムカつく。

だけど、確信が持てた。わたしが除夜子の敷いたレールの上を走っているなら、ここはまだゴールじゃない。除夜子の行動の目的もきっとこれで全部じゃない。まだ続きがある。除夜子の残像を追いかけて、足跡が途絶えた最後の場所へ、わたしも辿り着く必要がある。

「恋澤姉妹に会う」

わたしは独り言のように宣言した。

恋澤姉妹に会う。会って、戦う。戦って、勝つ。勝って、除夜子のことを聞く。

そうすればきっと、除夜子の真の目的もわかる。

「ま、そうしたいなら止めないけど」

ワラビはあくびを漏らした。つられたわけじゃないけど、わたしも眠気を覚えた。ぶれかけた決意が固まってほっとしたせいでもあった。ベッドに近づく。セミダブルなら二人でもそれほど狭くないだろう。

「詰めて」

ワラビは体をずらした。五センチだけ。

毛布を半分はがしたまま、彼女は涅槃像みたいに横向きに寝ている。体を隠すのに唯一使える右腕は、頭の下に折りたたまれている。褐色の肌が常夜灯の色と溶け合い、なのに不思議と稜線は濃くて、琥珀色の世界になだらかな湾曲が浮き上がっていた。幻惑めいた光景だったけど、重力にしたがって形を変えるふくらみとわずかに沈んだシーツの歪みが、やわらかな質量の存在をどうしようもなく物語っていて、つまり神秘なんてどこにもなかった。女の口元には最初に会ったときよりも少しだけ親身な笑みが浮かんでいて、仔兎か何か愛でるように、歳下のわたしを眺めているのだった。

「除夜子は知ってたよ」

「それはもう聞いた」

「そうじゃなくてさ」

目元がひくつくのが自分でもわかった。

除夜子は何を告げ口したのだろう。ワラビに何を頼んだのだろう。これで何かを遺したつもりなのだろうか。このモーテルにハリケーンをぶつけたのも除夜子？　なんなのあいつ。本当にムカつく。さっきのは流れでフフッて感じでちょっと思っただけだったけど今度はマジでムカつく。

　殺してやりたい。

　もう死んでるけど。

　わたしは振り返り、ソファーを五秒ほどにらみつけ、またベッドに向き直った。息を吸って、吐く。眼鏡をはずす。視界がぼやける。ベッドに横になると、不明瞭な靄の中に異国の香りが形をとった。隣室の客はテレビをつけたまま寝入ったらしく、ずっとシンディ・ローパーのくぐもった歌声が聞こえていた。翌朝わたしたちはシーツの交換を頼んだ。

5

「トイチ派？　チトイ派？」

　オープンカフェの三人がけテーブルに知らない女が割り込んで、わたしの飲みかけのコフォラに口をつける。

　コフォラはコーラによく似たこの国の名物で、わたしにはあまりおいしいと思えず、ワラビに半分あげようかと考えていたところでは、あったのだけど。さすがにちょっと驚いた。

「えっと、なに？」

「感情ベクトル。恋をしてるのは吐息のほう？　それとも血潮？」

「……わからない」

「合格」彼女は唇を拭い、その手で握手を求めてきた。「うちのことはCQって呼んで。よろしく。歩きながら話してもいい？　ここは人が多くて、ちょっとよくない」

ワラビがテーブルに紙幣を置いた。わたしたちはカフェをあとにし、プラハの市街を歩き始める。

おとぎ話みたいな街並みに、女はあまりマッチしてない。ピアスにTシャツにダメージジーンズ。青白く痩せていて、髪にはトイピンクのメッシュが入っている。まだ十代に見える顔にはぽつぽつとほくろが散っている。

「凡百な受け攻め論争は恋澤姉妹に不要、うちも同意見。吐息と血潮は完全に補い合ってるもんね。ロッシュ限界を超えて混ざり合って真球と化した二つの惑星、それが恋澤姉妹だし、そういうとこが魅力なわけ。でもあえてどっちかって言われたらうちは吐息のほうが好きかな。お姉さんだけどけっこう可愛いところあるんだよね。ガラスの子熊のエピソード、知ってる？」

「……知らない」

「最高だよ！　あとで話したげる。エピソードは意外とたくさん見つかるの、〝ライン〟をわきまえながら掘ってけば。うちはこれでも古参の〈観測者〉で、廈門時代から二人を追ってる。コツもテクニックも知り尽くしてるから安心して。新人には優しくってのが恋澤クラスタのルールだし」

「わたしのことなんて説明したの？」

「いーからいーから」

ワラビと囁きを交わす間もＣＱはくっちゃべり続ける。同志が増えるのは嬉しいとか、去年はパリで大規模オフ会があったとか。ＣＱってなんの略だろう？　名前を隠されるのは好きじゃない。彼女を殺す予定はないけど、五分後には殺したくなってるかもしれない。

　連れ歩かれるうちに辺鄙な路地に入った。ＣＱは建ち並ぶアパートメントの通用口のひとつを開け、地下へと続く階段を下りる。

　鍵束を取り出して金属製のドアにつけられた三つの錠を開け、横のテンキーに何かを打ち込む。カシュン、と独特な音が鳴った。わたしはその機構を知っていた。ドアロックが外れた音ではなく、地雷の安全装置がかかった音だ。

「気休めだけどね」ドアを開けながらＣＱが言う。「吐息と血潮が本気になったらこんなのマジで意味ないから。散らかってるけど入って。適当なとこ座って。トドロフにはさわんないでね」

「トドロフ？」

ＣＱは壁際を指さす。金魚のステッカーが貼られた冷蔵庫みたいなハードディスクが冷蔵庫みたいになっていた。それを抜かせば、部屋はまるで戦時中のスパイの隠れ家だった。大きな無線機があり、大量のメモが貼られている。壁には書き込みだらけの世界地図がピン留めされ、そのすぐ下までファイルの山が積み上がっている。

わたしたちはすり切れたソファーに座る。そばの棚には汚れた軍用靴、血のついたネクタイ、壊れたトカレフ、穴のあいた頭蓋骨などが並んでいて、すべてのものに白と赤のシールが片方、もしくは両方貼られていた。眺めているうちに意味がわかった。吐息関連が白、血潮関連が赤。除夜子のエプロンと同じ、恋澤姉妹の〝記念品〟だ。

棚の横には真新しい軽機関銃（LMG）が立てかけられていて、これだけは実用のようだった。

「ＣＱ、あなた恋澤姉妹に狙われてるの？」

「ううん、まだ。でもいつ狙われてもおかしくない」

「そんなに心配いらないんじゃない？　彼女たち、ずっと遠くに住んでるし」

「そこからね。ＯＫ」

問題児を任された家庭教師みたいにＣＱは目玉を回す。冷蔵庫（トドロフじゃなくて本物の）から飲み物が出され、わたしたちに渡された。……コフォラだ。

「まず、恋澤姉妹をただの逸脱者だと思ってるならその考えは捨てて。あの二人はそういう次元じゃないから。ヴォルデモート卿（きょう）だって思ったほうがいいよ。姉妹について知ろうとすれば遅かれ早かれ気づかれるし、場合によっては殺される」

あの二人はそういう次元じゃない――ワラビもそんなことを言っていたけど。

「たとえば、ニキタっていうチェチェン人の〈観測者(ウォッチャー)〉がいた。ニキタの本業はハッカーで、恋澤姉妹が目撃された土地の防犯カメラに片っ端から潜り込んで、姉妹の映像を収集しようって考えた。でも、一ヵ月後に殺された」

「姉妹に気づかれたってこと？　どうやって」

「って思うよね。恋澤姉妹の感知システムについてはうちらもずっと議論してて、仮説はいくつかある。たとえば、『世界各地にスパイがいて姉妹へ情報を流してる』。これはナンセンス。協力者は二人の〈ルール〉にそぐわない。もしくは、『二人は凄腕(すごうで)のハッカーで世界中のネットを監視してる』。これはある程度ほんとかも。でもアナログで活動してた〈観測者(ウォッチャー)〉がやられたり、説明がつかない事例もいっぱいある。ネットに張りつく二人はちょっとイメージ崩れるしね。戦闘に関しては『超人的な視力や聴覚を持ってる』って説が有力。説得力はあるけど、どうかな。吐息は二キロ先の狙撃手に気づいたこともあるんだ。五感だけでそんなことってできる？」

CQはコファラを呷(あお)り、声をひそめる。

「どうやって感知してるのか、結局まだ答えは出てない。二人には魔力とか超能力があるって本気で信じてる〈観測者(ウォッチャー)〉もいる。有名どころだと魔女のエピソードがあるしね」

「魔女？」

「〈観測者〉の間じゃ定番だよ。二人の強さの秘密」

……強さなら少し興味がある。ソファーに腰を据え直す。

「野張邸の事件は知ってる？　その事件の少し前、屋敷に〝本物の魔女〟が訪ねてきたんだって。魔女は庭にいた吐息と血潮に目をとめて、二人に呪いをかけた」

「どんな呪い？」

「〈何年後の何時何分何秒に、君らは二人一緒に死ぬ〉。命日が決まってるから、その日が来るまで誰も二人を殺せないってわけ」

「…………」

「あ、あ、信じてないね？　マジなんだって、赤い髪の魔女。魔女にまつわる噂はたくさんあるんだ。失踪した建築家の話とか、自販機と話せるようになった女の子の話とか」

こんな与太が聞きたくてここに来たわけじゃないんだけど。ワラビに咎めるような目を向ける。ガイドは知らん顔で枝毛をいじくっていた。

「あと注意点としては、恋澤姉妹に会おうとするのは絶対ＮＧね」

ＣＱはそう言って、探るようにわたしを見た。今度はわたしが髪をいじる番だった。

「百パー殺されるから。深入りは禁物。でも、二人と刹那的に関わった一般人は世界中にたくさんいる。駅員とか、花屋とか、携帯ショップの店員とか。そういう人を巡ってコツコツエピソードを集めるってのが〈観測者〉の本道。正直、ガチ恋勢には困ってるんだよね。姉妹に迷惑かけるし」自分は迷惑じゃないとでも言いたげだった。

「一番やばいのは、ダグラス・セルゲートっていうイギリス人」

「セルゲート……〈フォトン・ファンド〉のボス？」

「そう、原発シンジケートの大物。末期ガン宣告されてからネジが飛んじゃってさ、いまは恋澤姉妹に心酔してる。何度も面会に挑戦して何百人も部下を殺したって噂だよ。アイルランドにでっかい地下シェルターを作ってるらしい。なんのための施設だと思う？　恋澤姉妹の新居だってさ」

関わらないよう気をつけてね。わたしは素直にうなずいた。頼まれたってそんな奴とは関わりたくない。

それから一時間ほど、ＣＱは〈観測者（ウォッチャー）〉としての心得やとっておきの恋澤情報を教えてくれた。四年前イビサ島で二人が目撃されたんだけど、そのときの話が超クールでさ。血潮はハニーナッツ・チェリオスのシリアルが好きらしくてね、うちらで郵送しようって計画もあったの。頓挫したけど。〈観測者（ウォッチャー）〉の一部でいま流行ってるのは、吐息と血潮は実はライバルって説。毎晩二人で殺し合ってるから最強になったってわけ。ウケるでしょ？　相槌が「へえ」と「そう」しか返らなくても彼女は気にしないようだった。わたしがコフォラの瓶を空にしてげっぷを漏らしたとき、ＣＱが指を鳴らした。

「そうそう、いいもの見せたげる」

彼女は寝室と思わしき部屋へ入っていき、一枚のキャンバスを持ってきた。大きさはモナ・リザくらい。

「恋澤姉妹のまともな写真は世界のどこにも出回ってない。でも、セルジュっていうフランスの〈観測者（ウォッチャー）〉が面白いこと考えたんだ。『恋澤姉妹が接した一般人（モブ）たちの中に、瞬間記憶能力者で、かつ絵の達者な奴がいるかもしれない』って。セルジュは世界中探し回って、イスタンブールの市場でそいつを見つけた。で、大金を払って絵を描かせた」

「つまり、それって……」

「世界でたった一枚の、恋澤姉妹の肖像画」

ＣＱはキャンバスの向きを変え、その絵をわたしたちに見せた。

油彩画だった。市場の大通りを歩く二人の若い女が、真正面から描かれていた。

「右が吐息で左が血潮ね」とＣＱに説明される。

背の高いほう——吐息はストレートヘアで、暗い色のジャケットとスキニーパンツを着ている。血潮は栗色のショートヘア。キャラもののＴシャツにショートパンツ姿で、服も雰囲気もラフな印象だ。二人とも顔立ちにも体格にも特徴はなく、禍々（まがまが）しいオーラもない。

二人の顔は左右の商店に向いていて、パンや果物の袋を抱えていて——そして、手をつなぎ合っていた。指を絡ませる握り方で。

正直、とりわけ感動はなかった。恋澤姉妹の容姿を気にしたことはなかったし、見たところで「ふーん」という程度だった。普通すぎて逆に驚いたくらいだ。でもCQは宗教画でも見るように、恍惚と絵を観賞している。頬が薄く染まり、瞳はうるんでいる。

「なんでこれ持ってんの」ワラビが尋ねた。「セルジュも姉妹にやられたの？」

「ううん、セルジュはうちがやった」無邪気な笑顔でCQは答えた。「だってさあ、こんなの、どうしてもほしいじゃん？」

*

寄り添って、夕焼けのカレル橋を渡る。

ワラビは欄干側を歩き、わたしは足りない腕のかわりを務めるように、彼女の左側を歩く。観光客が行き交っていて、あちこちからシャッター音と、似顔絵屋の呼び込む声が聞こえる。

「いろいろ案内してくれてありがとう」石畳を見ながらわたしは言った。「会おうと思う」

恋澤姉妹の、ルーツを知った。人格を知った。戦力を知った。魔力を知った。もう充分だと感じていた。期は熟した。

「死ぬよ」

「かもね」

「二人は除夜子のことなんてきっと覚えてない」

「それでも会いたい」

「まあいいけどさ」

カレル橋は全長五百十六メートル、写真で見たよりずっと長い。わたしたちの足音は石畳に響くことなく、最初から存在しないみたいに、喧騒の中に吸い込まれてゆく。

「だったら、やり残しがないようにすべきだね」

「どういう意味」

「うまいものを食べたり本を読んだり綺麗な街を見たり、そういうことさ」

「わたしはそういうの楽しんでいい人間じゃないから」

「最近は毎晩楽しそうに見えるけど」

「今度言ったら川に落とす」

「芹はお堅いね。ほかの連中はもっとカジュアルだよ」

「除夜子はカジュアルじゃなかった」

「除夜子はね」

ワラビは立ち止まり、欄干に寄りかかった。夕陽に背を向ける形になり、彼女の表情が見づらくなる。無言の時間の中でわたしは何かを問いかけられた気がしたけど、それに答えたくはなかった。名前も知らない聖人の像がわたしたちを見下ろしていた。

「ワラビ。あなたはガイドでしょ」

「そしてあんたは客だ」自分に言い聞かせるようにワラビは言った。「オーケー、恋澤姉妹に会わせるよ。明日、私の国に戻……」

バイブレーションの音が鳴る。

ワラビはポケットを探り、電話に出た。それを待つ間、わたしは眼下のモルダウ川を眺めた。夕陽を映した水面は紅葉(もみじ)色に輝いている。綺麗だね、とバックパッカーの会話が聞こえる。そうだろうか。残酷で不吉な色だ。わたしと、恋澤姉妹の人生の色だ。

電話を切ったワラビは、少し困ったような、ほっとしたような顔をしていた。

「ごめん、ツアーの新しい予約が入った。早急に恋澤姉妹に会わせてくれって言ってる。大口の客だから断れない。……わるいけど、芹は一個あと回しでもいいかな」

「いいけど」応えてから、ふと思いつく。「その人たちと一緒に行くのはだめ?」

こっちがシングルス、向こうがダブルスではそもそも不利だ。多人数のほうが勝率が上がるかもしれない。プライドもへったくれもない提案だけど、わたしの目的は試合じゃない。

ワラビは耳の裏をかく。

「私はいいけど、先方がなんて言うかだな。確認してみるよ」

「大口の客って、誰？」

「ダグラス・セルゲート」

6

恋澤姉妹の住んでいる家は、わたしの想像とまったく違った。

それは見捨てられた街の郊外にあって、わたしが知るどの住居よりも大きかった。あちこち破壊されているし薄汚れているけど、施設としての原型は充分残っている。子どもが積み木で遊んだような、色も形もちぐはぐな屋根。アーチ形の入場口の向こうには、涸れた噴水や、止まったエスカレーターや、空っぽのショーケースが見えた。巨大ショッピングモールの廃虚だ。

ジープは少しずつ速度を落としていき、広い駐車場の中央に停まった。ワラビはエンジンを止めたけど、キーを抜くことはしなかった。

「着いたよ」

わたしは時間をかけてシートベルトを外す。名残惜しむような沈黙が車内を満たす。

「まあ無理だろうけど、戻ってきてくれれば嬉しいよ」

「恋澤姉妹の命日が決まってるとしたら、きっと今日よ」わたしは微笑んだ。「戻ってくる。ワラビのリピーター第一号になる」

「そりゃ光栄だね」

ワラビも笑い、そっと右手を持ち上げる。

わたしはその手が助手席に伸ばされるのではないかと予想していて、少しならそれもいいかなと思っていて、眼鏡をはずしたときの置き場所までこっそり決めていた。

ワラビにもためらう素振りが見えたけど、結局彼女はその手を自分の顔の横に据えた。そしてひらひらと振った。

「じゃ、また」

「……うん」

わたしは車を降りた。

ジープはすぐにUターンし、走り去っていった。

入場口へ近づいていく。アーチのそばには高級そうなバンが一台だけ停まっていた。その車の前で、四人の男女がわたしを待っていた。

「はじめまして」電動車椅子に乗ったアングロサクソンの老人が、歓迎するように両手を広げた。「ダグラス・セルゲートだ」

「鈴白芹です」

「〈辻褄(つじつま)商会〉の殺し屋だそうだね？　君の組織の創作物にはとても世話になっているよ。パナマ文書のときもおかげで乗りきれた」

「どうも」

素性調べてんのかよ。

「今日は同行してくれるんだって？　光栄だよ。私は恋澤姉妹にもっと素敵な場所で暮らしてほしくてね、〈箱庭〉に招待するつもりなんだ。できれば生きたままがいいが、そうでない状態でもかまわない。エンバーミングの専門家も用意しているからね」

セルゲートは高揚している。遊園地に来た子どもみたいに。

「過去に二度物量戦を仕掛けたが、あれは失敗だった。戦塵に紛れて隙を突かれるだけだ。狙撃も神経ガスもドローン爆撃も彼女たちには通じなかった。そこで今回は、少数精鋭だ。私のとっておきを投入する」セルゲートは背後の三人を振り返る。「紹介しよう。彼はディグ。私の右腕だ」

でしょうね、と内心でつぶやく。売れない路上シンガーめいた野暮ったい目の男は、三人の中では一番普通で、一番覇気がなく、ゆえに一番やり手だとわかる。彼は無言で会釈した。

「カリーナ。銃器のエキスパートだ」

スポーツバッグを背負った黒人の美女がわたしをにらんだ。服はバーバリーのスーツ。除夜子が見たら舌を出すだろう。

「ウジン先生。私設部隊の格技教官を二十年務めてもらってる。今回どうしても参加したいとせがまれてね」

「妹はわしがやる」

ジャージ姿でストレッチしていた壮年の韓国人が、ぶっきらぼうに言った。「楽しいツアーになりそう」とわたしは返した。皮肉のつもりだったけど、セルゲートは本当にそう思っているようだった。待ちきれない顔で、わたしに腕時計型の端末を渡してくる。

「これをつけてくれ。互いの位置が確認できる。脈拍とも同期していて、死ねば反応が消える。君はディグと組むといい。彼の戦術（スタイル）は君と似ているから、合わせやすいと思う。さあ諸君、準備はいいかな？　それでは行ってきてくれ！　いい知らせを待っ……」

わたしの頬を何かがかすめた。

気づいたときには、白く細長い矢のようなものが老人の胸に突き刺さっている。モールのほうを振り返ると、積み木の屋根のひとつに長髪の女が立っていて、揺らめくようにすぐに消えるのが見えた。車椅子ごと地面に倒れたセルゲートは口をぱくぱくさせながら、驚愕（きょうがく）に顔を染めていた。

「見たか？　見たか、ディグ。吐息だ。屋上にいた」

「ですね」

「すごいぞ！　なんて幸運だ！　彼女をこの目で見たぞ！　彼女が私のために動い

た！〈観測者〉たちに自慢、できる――」

歓喜に涙をにじませたままセルゲートは動かなくなった。彼の〝とっておき〟たちは誰も騒がなかった。ウジンが彼の胸から矢を引き抜き、材質を確認する。

「ガラス片じゃな。投げたと思うか？」

「さすがに無理では」と、カリーナ。「射出したのかと。パチンコのようなもので。どうしますディグ」

「血潮は確認できなかった。二人がバラけてるならチャンスだ」

カリーナはバッグからフィンランドの軍用銃、ＲＫ－95を出す。ウジンは首の骨を鳴らし、わたしは靴べらをホルダーから抜いた。ディグも足元に置いていた武器を手に取った。

長い柄のついたシャベルと、園芸用のスコップ。

自然体で左右に大小を構えたその姿は、古の剣豪を思わせた。

「わたしはこのまま行くけど、あなたたちは？　行く理由はなくなったんじゃないの」

「この馬鹿のせいで組織はガタガタだ」ディグはセルゲートの頭を蹴った。「立て直すには信用がいる。恋澤の首を持ち帰れば、みんな俺らの言うことを聞く。――それに、理由がなくたって行くさ」

わたしたちはゆっくりと歩きだし、

「なんたって、恋澤だぜ」

境界線を踏み越えた。

彼女たちを〝観測〟するために。


誰もが彼女たちに惹かれる。

その絆に。その強さに。その過去に。その美しさに。その気高さに。その尊さに。その生き様に。その関係性に惹かれる。わたしたちは彼女たちの人生をそっと覗き込み、物語を切り取り、語り合い、感じ入り、味わい、思いを馳せ、夢想に耽る。

彼女たちはきっと、それを望んでいないのに。

美しいものや優れたものを前にしたとき、魅了されるのは当然かもしれない。しかし彼女たちは物言わぬ花ではない。わたしたちがやっていることは愚かで醜くて矛盾に満ちていて、だからわたしは、いまのこの状況が理不尽だとは思っていない。わたしたちの抱く興味が正当なように、彼女たちの抱く殺意も正当なものだ。観測には代償と、覚悟がいる。彼女たちと殺し合う覚悟が。

靴べらを握る手は汗ばんでいない。

カリーナが先頭を行き、ディグとウジンは横に並び、わたしは末尾に位置取る。きっちりした陣形はあえて組まず、適度に距離をあけている。互いの間合いを意識しながら、下校する中学生みたいにモール内を進む。

砕けたショーウィンドー。傾いたディスプレイ。剝がれた壁。裸のマネキン。シリアルの空箱。割れたベンチ。倒れたアイスクリーム自販機。赤茶けた何かの染み。無数の弾痕。無数の瓦礫。当たり前だけど、荒れ果てている。彼女たちが住み着く前からこうだったのか、彼女たちが住み着いたからこうなったのか。屋根はなく、頭上に空が見える。砂混じりの黄色っぽい空。いくつかの区画を過ぎる。景色は変わらない。物音ひとつしない。

除夜子もここを歩いたのだろうか。

気を抜けば死ぬかもしれない状況で、それでも考えるのは除夜子のことだった。新たな区画に入るたび、店舗の前を通るたび、除夜子の姿を求めてしまう。この場所でなら幽霊にだって会える気がした。あの後ろ姿と緑色のエプロンに、もう一度——

視界に緑が開けた。

吹き抜けの大きなホールの中央に、庭園が作られていた。砂漠に突如現れた人工のオアシスだった。ちょろちょろと流れる水の音が聞こえる。刈り込んだ植木と多様な花が居心地のいい喫茶店のように配置され、白テーブルと椅子が置かれている。椅子の数は、二つ。庭園の横には一台の電車の車両があった。レプリカじゃなく本物だった。オレンジ色のラインが入った古い車両。線路は通ってないから、ディスプレイ用にもともと飾られていたものなのかもしれない。

住人の姿はない。でも、テリトリーに入ったという確信があった。ゆるい陣形を維持したまま庭園へ近づいてゆく。ディグが左手でスコップを回し、ウジンがジャージの袖をまくる。

なんの音も気配もなく。

ショートヘアの小柄な女が、ウジンの横に現れていた。

「――――ッ」

いくつかのことが同時に起きた。

カリーナは素早く振り向き、ウジンはテコンドーの後ろ回し蹴り（ティットラチャギ）を放った。血潮はウジンの回転に合わせるように舞い、いとも簡単にそれをかわした。膝裏でウジンの首を挟み込み、空中で身をひねる。

わたしが取った行動は〝横に飛びのく〟だった。カリーナの射線に入らないためだ。ＲＫ－95の銃声が鳴る。薬莢（やっきょう）が銃の斜め上へ排出される。弾は外れた。血潮は旋回の最中で、近距離でも正確に狙えなかった。ごぎゅ、という音とともにウジンの首がねじれ、彼の体が宙に浮く。わたしはカリーナの横にもうひとりの女が現れていることに気づく。

――吐息。

薬莢が落下を始める。

ディグはすでに動いていた。吐息の喉めがけシャベルを振り抜こうとする。だが真横から、上下逆さになった男がぶつかってきて、シャベルの軌道を阻害する。血潮に投げられたウジンの死体だ。ディグと死体に遮られ、わたしの目に映るカリーナの姿が一瞬だけ隠れる。

どっ、どどどど。

鈍い音が連なった。

次にカリーナが見えたとき、彼女はまどろむ幼児のような目をし、首や胸に穴をあけている。吐息の両手にはどこにでも売っていそうな、銀色のボールペンが握られている。

薬莢がタイル床の上で跳ね、コーン——という音が反響する。

カリーナは銃を構えたまま崩れ落ちた。ウジンの死体も床に転がった。血潮が着地するザッという音が耳に届いた。

最後に薬莢の反響が消え、ホールに静寂が戻った。

「マジか」抑揚のない声でディグがつぶやいた。「靴べら、生きてるか」

「……うん」

「妹をやれ」

「わかった」

同時に駆けだす。ディグは吐息へ。わたしは血潮へ。

血潮は予備動作なしでふわりと跳び、縦に回転する。

格闘者がわたしと戦う場合、最初に狙う場所は決まっていた。わたしがかけているこれは実用だけど、後の先を取るための撒き餌でもあった。

読めてるぞ、馬鹿。

眼鏡を狙ってくる足を捕らえようと、左手を構えて――

後頭部で衝撃が爆(は)ぜた。

どうやって蹴られたのかまるでわからなかった。マジか。ディグと同じことを思いながら床に倒れ込む。火花が散ったわたしの視界に、ディグと吐息が映った。

ディグの動きはすさまじかった。武器を繰る指先は精緻な楽器の奏者に似ていた。スコップとシャベルは剣になり、ナイフになり、トンファになり、バールになり、絶え間なく用途を変え続け、全方位から獲物を狙う。その戦闘の練度は、わたしがいままで見てきた人間の中で二番目に高い。

一番は？

恋澤吐息だ。

吐息はディグの猛攻をすべて受け流していた。武器も盾も使わず、素手のまま。寝る前のスキンケアめいた、やり飽きたテンションで。わたしの位置から彼女の顔は見えないけれど、眉ひとつ動かしてないことを直感できる、そんな動きで。

ディグが左手のスコップで突き込んだとき、吐息はその初動を抑え、彼の肘にトン、と手を当てた。スコップの切っ先は軌道を変えられ、ディグ自身の喉にぶつかった。

一瞬。幾手もの攻防の中の、ほんの一瞬の出来事。

最初から段取っていたかのように、血潮は回転を始めている。ナイキのスニーカーがディグの後頭部を蹴り抜いた。男の喉にスコップが根元までめりこんだ。金属製の柄を赤い雫が伝った。かくかくと二、三度震えてから、彼は崩れ落ちた。

目眩がおさまるのを待ってから、わたしはセルゲートにもらった端末を捨てた。もう持っている意味はない。

静かに身を起こし、眼鏡をかけ直す。

そして恋澤姉妹と向き合った。

セルジュが見つけた画家の記憶は本物だったようだ。彼女たちの姿はあの絵画そのままで、今日の服装もそんなに変わっていない。吐息と血潮はじっとわたしを見つめている。その目は怒りに燃えるようでも冷たく刺すようでもなく、ただ、戸惑いと警戒をまとっていた。突然話しかけてきた知らない人に向ける目。イルミネーションの下でわたしたちを見てきた通行人たちに、わたしたちが投げ返した目。

〝やっぱり普通の子たちなんだと思う〟。

そうだ。

全部、普通のことなのだ。

わたしはおもむろに口を開けた。最初に言うべき言葉を探す。血潮に指を向け――

「いいTシャツね」

自分でもなぜかわからないけど、そんなことを言った。血潮はちょっと意外そうな顔で、「ありがと」と返した。彼女のTシャツには極彩色の抽象模様がプリントされて、英語とは異なるアルファベットが書かれていた。

「それ何語？　なんて意味？」

「なんか用？」

吐息が質問をかぶせた。喧嘩腰ではない。声にはなんの感情もない。

「あのさ、音切除夜子っていう女がここに来たよね？」

「来た？」「さあ」

「エプロンつけた人。五ヵ月くらい前」

「来た？」「来たかも」

「何しにきたか言ってなかった？」

二人の反応が消える。見ず知らずの人と交わしていい会話の上限を超えた、とでもいうように。わたしはそれを受け入れる。最初からただで教えてもらえるとは思っていない。

吐息が歩きだし、血潮もそれに続いた。二人が向かったのは、あの古い電車の車両だった。庭をこれ以上汚すのはいやなのかもしれない。わたしもついていった。狭い場所のほうがこっちもやりやすいし、その舞台は彼女たちにもわたしにもふさわしい気がした。時が止まり、レールを外れ、見世物と化した、鉄の塊。

近づいて初めてわかったけど、車両は日本のものだった。〈北陸鉄道〉と書かれている。ドアが一ヵ所だけ開いていた。中はローカルな雰囲気で、ドア横には〈整理券〉と書かれたアルミ製の小箱があった。天井には丸いエアコンの送風口。吊り革が並んでいて、ロングシートの色は深紅。恋澤姉妹は少し間隔をあけて、シートに並んで座っていた。わたしは二人の前に立った。

指の中で靴べらをずらし、握りの位置を微調整する。吐息は髪を耳にかけ、内ポケットから新しいペンを取り出す。血潮は靴紐を結び直してから、自分のTシャツをつまんだ。

「〈Pengawanan siput〉。マレー語で〈ナメクジの交尾〉」

なにそれ。

わたしは笑う。血潮も笑う。つられたように吐息も表情を崩す。

姉妹の身体がシートを離れた。

血潮はシートに片手をつき、両足でわたしを蹴ってくる。靴べらでそれをはたき落とし、そのまま身を屈めるようにして吐息のボールペンをかわす。ガードが開いた吐息の腋下へ靴べらを滑り込ませ、脚をひっかけ、引き倒した。吐息は体勢を崩したが、床に手をついて側転し、向かい側のシートに着地する。

顔のすぐ横に風圧が迫る。血潮の蹴り。またはたき落としたが、血潮は着地せずに網棚をつかみ、別角度から二撃目を放ってくる。胸を蹴られ、体勢が崩れた。合わせたように吐息が襲ってくる。わたしはシートの下に靴べらを差し込み、てこの力で持ち上げた。浮き上がったシートをつかみ、盾のかわりに噛ませる。どどっ。シート越しにあの刺突音が連なった。シートの背を蹴り、吐息の身体を押し戻す。血潮が来る。読めている。すぐに体の向きを戻す。

直後、顔面を蹴り抜かれる。

血潮は床を這うように身を低め、後ろ蹴りを繰り出していた。躰道の海老蹴りに似た技。上からじゃなく、下段から。裏をかかれた。一歩よろける。視界に黒いパンプスが飛び込んだ。吐息の蹴り——

車窓に激突する。

砕けたガラスが車外に舞い、背中が裂けるのがわかった。〝この競技にダブルスがあるなら恋澤姉妹がチャンピオンだ〟。クソ強い。大丈夫、わかってる。想定内。体はまだ動く。痛みや熱さは感じない。血は最初から煮えている。

血潮の追撃を間一髪でかわし、座席から床へと転がる。脛狙いで振った一撃はかわされたが、二人を退がらせることに成功する。けど立ち上がるころには、吐息が間合いに飛び込んでいる。

靴べらで応戦するが、ディグと同じようにさばかれる。速すぎる。対応が間に合わない。ガードの裂け目をペンがすり抜ける。

どっ。腹部を刺された。うめき声は出せなかった。血潮が舞い、わたしの首に脚を絡めたから。——折られる。ウジンの死に方が脳裏をよぎり、とっさに壁を駆け上った。力に逆らわず、自分から投げられにいく。受け身。でもここは狭い車内で、その準備を整えるよりも早く。

ドアに叩きつけられた。

首は無事だった。けれど右膝が、アルミ製の整理券箱に直撃した。骨が砕けた感覚があった。腹部と背中がどくどくと脈打つ。血が煮える温度を超えて痛覚が燃え始める。

恋澤姉妹は汗ひとつかかず、無言でわたしを見下ろしている。

「……なんか、言えよ」

言うことないのかよ。

心のどこかで期待していた。あなた強いね。この前戦ったあいつに似てる。思い出した、音切除夜子。もしかして、芹？　除夜子さんから伝言を預かってるよ——なんかそういう、そういう話を、聞けるんじゃないかって。

甘かった。除夜子もわたしも蝿と同じ。こいつらは本物だ。本当に世界に二人きりなのだ。

ああ。

うらやましい。

わたしたちも、こんなふうになれていたら。

靴べらを床に突き立てる。右脚を殴りつけ、震えながら立つ。

除夜子。

わたし、除夜子と戦うつもりだった。

戦って——除夜子に殺されるつもりだった。

だって、除夜子を殺すなんて、できないよ。できなきゃ誰かに殺されるなら、その相手は除夜子がよかった。除夜子は殺した相手を忘れないよね。だからわたしは、除夜子の中で生き続けることができる。それに本気で戦えば、わたしをちゃんと見てもらえるかもって。後輩でも教え子でもなく、対等に扱ってもらえるかもって。わたしは除夜子とそうなりたくて——悩み抜いて選んだ、それがわたしなりの、答えだったんだ。

なのに、どうして。

どうして、いなくなっちゃったの。

「……あああぁ！」

獣みたいに吠(ほ)えた。思考が消えた。それは初めてのことだった。恋澤姉妹に突進して、無我夢中で靴べらを振るう。突き刺し、薙(な)ぎ払い、打ち込み、切り裂く。動きは体が覚えている。除夜子に教わった動き。

そのすべてを、防がれる。

吐息の両手が踊る。どっ。どっ。どっ。肩に、腿(もも)に、肋骨(ろっこつ)の隙間に、体中に穴があく。血潮が回る。蹴り抜かれる。わたしは床を滑り、刷毛で塗ったように血液が尾を引く。まだ動ける。血反吐を吐く。立つ。吠える。吐息に襲いかかる。刺される。関係ない。動く。動く。血まみれになって暴れ続ける。復讐のため？　生還のため？　何もわからなかった。ただ死ぬまで戦うのが礼儀だと思った。

攻防のさなか、吐息の構えに隙が生じた。

――捉えた。

体全体で靴べらを振り抜く。わたしのクソみたいな人生の集大成だった。技術を過去を感情を、すべてを乗せた渾身の一撃を、彼女の頭蓋へ振り下ろした。

がくん、とその手が止まる。

何が起きたかわからなくて、視線を上げてやっと理解し、わたしの頬が力なく緩んだ。最初から決まっていたかのように、靴べらはそこにはまり込んでいた。

吊り革の輪に。

血潮の蹴りがわたしの右手首を射抜いた。

小枝のように手首が折れ、靴べらが指からこぼれ落ちる。――まだだ。落下する靴べらを左手でつかんだ。でも、吐息のほうが何倍も早い。

どっ。

どどどどど。

機械のように正確に、冷淡に、喉と心臓と肺と肝臓を貫かれる。痛みがふっとやわらぎ、体重と疲労が薄れていく。

赤い花片を眺めながら、すごい、と思った。

もはや未練は消えていた。こんな死に方なら悪くないと、ゲイリーや尾縞と同じ境地に達していた。除夜子だって、最後は幸せだったのかも——

〝除夜子は知ってたよ〟。

止まりかけの脳に電流が走る。

除夜子が死ぬと何が起こるか。わたしは除夜子の足取りを追う。追って恋澤姉妹に会う。そして——恋澤姉妹に殺される。

どうして気づかなかったのだろう。

除夜子の真の目的は、自殺じゃなかった。

心中だ。

わたしの想いに気づいていたのだ。わたしが除夜子に殺されたがっているのを知っていた。だけど師匠が弟子を殺すなんて道義に反する。除夜子はマナー違反を嫌う。

だから恋澤姉妹を利用した。

ごめんね、芹。髪を撫でてくれる手のひらを感じた。除夜子の声が聞こえた。もっと向き合ってやればよかったね。二人で生きようって言ってあげればよかった。でもさ、私もけっこう考えたんだよ。どんな終わらせ方が一番かなって。すごかったでしょ、恋澤。私もびっくりした。いつかまた会えたら、私らももっと自由にさ。こんなふうな、最強の二人に——

　いつしかわたしは床に倒れている。

　かすむ視界、赤い湖の向こうには、吐息と血潮が立っている。傷ひとつなく、汚れひとつなく、息すら上がってない二人が。「ごはんどうする」「んー、照り焼き」「なんの」「鶏の」「昨日食べたし」「いや一昨日じゃん？」あまりにも普通の会話。その普通が、どうしようもなく嬉しくなる。穴のあいたわたしの胸に、言いようのない共感が満ちる。

　恋澤姉妹。

　不可視の怪異。生ける都市伝説。

　わたしたちを置き去りにしてはるか先へ駆けてゆく、最強の姉妹。

「逃げろ」最後の力を振り絞り、喉を血でゴボゴボ鳴らしながら、わたしはエールを送った。「逃げ続けろ。追いつかれるな。邪魔する奴はみんな殺せ。誰にも見せるな。神様にだってマリア様にだって見せてやるな。あんたたちの関係性は、あんたたちだけのものなんだから」

　吐息がボールペンを持ったまま、近づいてくる。

　終わる直前、彼女はわたしに一言だけ返事をしてくれた。それはわたしが聞きたかったとおりの、最高の一言だった。

「見てんじゃねーよ」

［馬鹿者の恋］
武田綾乃

武田綾乃（たけだ・あやの）

1992年京都府生まれ。第8回日本ラブストーリー大賞最終候補作に選ばれた『今日、きみと息をする。』が2013年に出版されデビュー。『響け！ユーフォニアム　北宇治高校吹奏楽部へようこそ』はアニメ化され、人気シリーズに。2021年には『愛されなくても別に』で第42回吉川英治文学新人賞を受賞。他の著作に『君と漕ぐ』シリーズ、『青い春を数えて』『その日、朱音は空を飛んだ』『石黒くんに春は来ない』『嘘つきなふたり』『可哀想な蠅』など。

扉イラスト／けーしん

一

制服のスカートを膝までたくしあげ、１１０デニールのタイツを指で引っ張る。縦に伸びる繊維は、指を離すとすぐに元の形に戻る。デパートで買った黒のスタンドカラーコートも、茶色のローファーも、あの子がお洒落(しゃれ)だと褒めてくれた品だった。

息を吐くと、空気がそっと白く色付く。膝の上に載せたスクールバッグの中では、ハンカチに包んだ包丁が沈んでいた。木製の柄を指で撫(な)で、私は視線を外へ向ける。

クリスマスイブの駅前はイルミネーションで彩られていた。手を繋(つな)いで歩く恋人たちの姿が、今日はやけに目に付く。女が身に纏(まと)う純白のコートは、『私は今日、一緒に過ごす相手がいます』と誇示しているように見える。勿論(もちろん)、それが馬鹿げた妄想だという自覚はある。だが、自覚があるからといってそれがなんだというのだろう。小手先の冷静さアピールは、腹の底に渦巻く嫉妬心に呑(の)み込まれる。

もしもあの子がここに来たら。

繰り返し、同じことを考える。もしもあの子がこの場所に現れたら、私はどうすべきだろうか。スクールバッグの底で包丁を握り締める。周囲にいる人間はきっとこんな場所で私が刃物を握り締めているだなんて想像もしていないのだろう。

私は善良な女子高生だ。恐らく、世界中の誰もがそう思う。スクールバッグを抱き締めるように引き寄せ、軽く背を丸める。今の私は惨めか？　否、そんなはずがない。だって、私は美しい。私は正しい。私は、愛されている。

「……嘘ばっかり」

吐き捨てるようにそう呟き、私は軽く目を伏せた。身体の内側から自身の心臓が拍動するのを感じる。ローファーが地面を擦る度に、靴底が柔らかに削れた。そうやって、私の一秒一秒は失われる。

電車がホームに辿り着いた音がした。改札越しに、私はホームへ繋がる階段を見遣る。

そうして、あの子が降りてくる瞬間を待っている。ずっと、ずっと。

二

あの子は私を愛している。馬鹿だから。

その事実に私が気が付いたのは、小学二年生の夏休みだった。

あの年、宿題が終わらないと嘆く萌（もえ）を家に誘い、そのまま私の自由研究を手伝わせたことがある。チリメンモンスターを探して発見率を割り出すという研究だった。チリメンモンスターとはちりめんじゃこの加工物に混入している他の生物のことで、タコやイカ、アジ、カニなどと意外とバラエティーに富んでいる。

リビングのテーブルにシートを敷き、小袋からちりめんじゃこの中身を取り出す。それを一つ一つピンセットで分類していくというなんとも地味な作業を、小学生の私はやり遂げねばならなかった。チリメンモンスターは見たいが、たくさん分類するのは面倒くさい。しかし研究とはサンプル数の多さが重要となってくる。だからこそ、萌が家に来たのはまさに飛んで火にいる夏の虫というやつだった。

「千晶（ちあき）って、よくこういうこと思いつくよねぇ」

私の隣に座り、萌はじゃこを一つ一つ丁寧にピンセットの先で摘（つ）まんだ。隣に座る友人の横顔を、私はそっと盗み見る。

丸みを帯びた輪郭、ぱっちりとした両目。癖っ毛の髪を二つに束ね、その前髪を苺（いちご）型のヘアクリップで留めている。同じクラスの加恋（かれん）に「萌ってぶりっ子だよね」と言われて以来、彼女はこのヘアクリップを私の前でしかつけなくなった。

あんな台詞（せりふ）、加恋が好きな男子が萌のことを可愛（かわい）いと褒めていたからやっかみで言われただけなのに。萌はそのことに気付かず、自分が悪いと思っている。馬鹿だから。

「萌は自由研究、何にしたの」

「ミニトマトの観察」

「朝顔の観察、宿題に出てたよね？」

「うん。だから、ミニトマトもまとめてやっちゃえば楽チンかなって思って」

ふふ、と萌が笑うと、その吐息でじゃこが吹き飛んだ。「ああ！」と大袈裟に悲鳴を上げ、萌はテーブルの端に落ちたじゃこを指で回収している。指の腹を押し付け、ひっついてくるじゃこを小皿へ戻す。

「ちりめんじゃこがいくつあるか数えるなんて無茶だよ！」

「別に無理なら休んでていいけど」

「ヤダー、千晶の力になりたいもん」

「あっそう。じゃあ頑張って」

鼻の上に乗った眼鏡がズレているのを感じ、私はそっと中指でフレームを押さえる。視力が落ちだしたのはパソコンを使うようになってからだった。コンタクトレンズは高校生になるまでダメと親に言われ、私はずっと黒の眼鏡フレームと共に生活している。

萌と仲良くなったのは、小学一年生の時だ。私達の通う小学校は規模が小さく、全校生徒を合わせても百人ほどしかいない。入学する同じ学年の生徒は大抵顔見知りで、同じ保育園や幼稚園の出身の子が多かった。そんな中、萌は小学校の入学に合わせて私の家の近所に引っ越して来た。意外と人見知りな彼女は人の輪から外れて一人でいることが多く、そんな彼女を見兼ねて私が声を掛けていたらいつのまにか懐かれていた。

「ちゃんと手伝いが終わったら、私のこと、好きって言ってくれる？」

両目をキラキラと輝かせて、萌は真面目に馬鹿なことを言う。好きって言って、というのは彼女の口癖のようなものだった。萌はなんでもかんでも言葉にしたがる。

「はいはい。全部終わったらね」

「ヤッター」

拳を突き上げた拍子に、またしてもちりめんじゃこが散らばる。悲鳴を上げた萌のどんくささを思わず鼻で笑うと、彼女は「笑わないでよ」と口を尖らせた。人よりも少しこぶりな、艶やかな萌の唇。他意はないが、その感触を知りたいと思う衝動に不意に駆られる。本当に、他意なんて一つもないのだけれど。

指を伸ばし、彼女の頬に指を掛ける。「あ」と萌の唇から声が漏れた。それを無視して、私は親指の腹で彼女の唇をそっとなぞる。やっぱり、萌の唇は柔らかくて気持ちがいい。

「なんでそんなことするの」と萌は顔を赤らめた。その表情を見て、私ははたと我に返る。頬に掛かる自身の黒髪を指先に巻き付け、私は澄ました顔で答えた。

「単なる好奇心」

「コーキシン？」

「知りたいって気持ちのこと」

「難しい言葉……。千晶は頭いいなぁ」

「萌が頭悪いだけだよ」

「そんなことないもーん。……あっ」

「今度は何をやらかしたの？」

「ちがうよ、思い付いただけ。さっきのコーキシンってさ、つまり、千晶は私のことをいっぱい知りたいってことだよね！」

　そうやってすぐに自分の都合のいいように解釈するところが馬鹿なのだ。

　……と思ったが、誤解を解くのも面倒だったので、私は何も言わずピンセットを手に取った。白いじゃこを掻き分けていくと、干からびた何かが見える。

「エビだ」

「すごーい！」

　手を叩いて喜ぶ萌を尻目に、私は小皿にエビを載せた。三百六十五分の一。それが、一袋目の研究の成果だった。

三

「つまりね、クリスマスイブっていうのは三百六十五日の内の単なる一日ってワケ。男がいないからって焦って変な奴にがっつくとか、もうそういうことはアタシはしないの」

偉そうに茶髪を指で払い、加恋は脚を組み替える。「はいはい」と私はおざなりに返事をし、コンタクトレンズのせいで乾いた両目に目薬をさした。眼鏡だった頃に比べ、ドライアイに苦しめられる頻度は三倍ほど増えた。だけど告白される回数も増えたから、結果的に高校デビューは成功したと言えるかもしれない。

地元にある公立高校に、小・中学時代を共にした人間の八割が進学した。残り二割は受験を頑張る私立組だ。萌も私も同じ公立高校に入り、同じクラスになった。代り映えの無い人間関係だが、新しく構築する羽目になるよりよっぽど楽だ。

「千晶はなんで彼氏作んないのよ」

弁当箱の隅を突きながら、加恋が小首を傾げる。昼休み時間の二年B組の教室では、皆がそれぞれ机をくっつけて昼食を摂っていた。このクラスでは、女子は三つのグループに分かれる。私や加恋、萌を含めた八人は男子と一番距離が近いグループだ。煌びやかな女子が多く、地味な女子からは少し距離を置かれる。

今日の昼食は私、萌、加恋の三人だった。残り五人は四時間目の実験の後片付けをさせられているため、合流が遅くなるらしい。

「千晶は潔癖なところがあるからなぁ」と隣に座る萌はふくふくと笑った。前髪をクリップで留めなくなった萌は、代わりに眉の下でぱっつんに切り揃えるようになった。加恋と違って物言いが柔らかなおかげか、彼女はクラスのどのグループの女子とも仲が良い。

　弁当箱の上に箸を置き、私は机の上に肘をつく。

「だって男子って汚い人が多いし」

「偏見だ！」

「毛も生えてるし」

「女の子だって生えてるよ！」

「体臭も気になるし」

「汗を掻く機会が多いからだよ！」

「もう、さっきから茶々を入れるのはこの口？」

　萌の頬を引っ張ると、「いひゃーい」と彼女はどこかはしゃいだような声を出した。

加恋が白い目をこちらに向ける。

「相変わらずいちゃついてんねー」

「別にいちゃついてないけど」

「私は千晶のこと大好きだよ」

「あー、はいはい」

抱き着こうとしてくる萌の身体を引き剝がす。彼女の明け透けな振る舞いには、困らされることが多い。学校指定の白いカーディガンの裾を揺らし、萌は拗ねたように唇を突き出す。

「千晶ってば、ちゃんと私のこと好きって言ってくれない……」

「別に好きじゃないし」

「もう、すぐ照れるんだから。そういうところも好きだけど」

「勝手にポジティブに解釈しないで」

これ以上余計なことを言われないよう、私は箸で摑んだ卵焼きを萌の前に突き出した。反射的にぱかりと開いたその口に、卵焼きを放り込む。もぐもぐと咀嚼している間、萌は静かだ。

「アンタらね、そんなことやってるから恋人が出来ないのよ」

加恋が呆れ顔で言う。「そんなことって?」と首を傾げた私に、「そういうとこ!」と加恋は強く机を叩いた。

「千晶と萌は距離が近すぎんのよ。潔癖の千晶はともかく、萌はなんで彼氏作んないのよ」

「ええ?　私は恋人とか必要ないよ。千晶がいるし」

「その発言がそもそもヤバいよ。萌の依存体質、小学生の頃からずっとじゃん」

「私、千晶に依存してるの？」

キョトンと目を丸くする萌に、私は思わず溜息を吐く。

「そりゃそうでしょ。萌、私がいないと何もできないじゃん」

「ええ、そんなことないもん」

「今だって私にご飯食べさせてもらってる」

そう言いながら、私は萌の口の中にウインナーを突っ込む。咀嚼している間は絶対に口を開けないところに萌の育ちの良さが出ている。ごくんと口の中のものを呑み込んでから、萌が反論した。

「千晶が勝手に餌付けしてるだけだもん」

「嬉しい癖に」

「そりゃそうだよ。千晶のこと大好きだもん」

恥ずかしげもなく自身の好意を垂れ流す萌に、私は呆れを隠せない。小学生の頃は幼い子供の戯れで済んでいたが、高校生ともなると距離感にぎょっとされることも多い。萌自身は自覚がないようなので、好きなようにさせているが。

「今年もクリスマスイブはちゃんと空けておいてよね」

こちらのカーディガンの裾を摑み、萌が上目遣いで見てくる。私は大仰に溜息を吐いた。

「別に、萌の為に空けてるわけじゃない」

「えー！　私と一緒に過ごしたいんでしょ？　毎年一緒に遊ぶじゃん」

「一緒に過ごしたいなんて言ったことないでしょ。押し掛けてくるから対応してるだけ」

「そんなこと言ってー。ちゃんと私のことが好きって言葉にしてくれていいんだよ？」

「好きじゃないって」

「千晶は恥ずかしがり屋さんだなぁ」

けらけらと笑いながら、萌はじゃれつくように私の腕に抱き着く。二の腕に当たる柔らかな感触に、コイツまた胸が大きくなったな、と思う。スレンダーな体型の私と違い、萌はどこもかしこも柔らかい。

「加恋はどうすんのよ、今年のクリスマスイブ。いつもは彼氏いたじゃん」

「って言っても、あと一か月しかないし。その為に彼氏作ってハズレだったらイヤでしょ」

「アンタ、悪い男にばっか引っ掛かるもんねぇ」

「彼氏が出来たことない千晶に言われたくないんですけど」

「何言ってんの。だから、私は最初から付き合わないのよ」

「意味わかんない理論の癖に妙な説得感を出してくるわね……。こうなったらアレね、来週の転入生に期待するしかない」

「転入生？」

　私と萌の声が重なった。加恋はフンと得意げに鼻を鳴らす。

「ウチのクラスに来るらしいよ。男か女か知んないけど」

「加恋的には男がいいんだ？」

「当たり前。イケメンだったらクリスマスはソイツと過ごす」

　まだ名前も知らないというのに、加恋は平然とそう言い切った。そうやって顔だけで判断するから毎回痛い目に遭うんじゃないの、とは流石に私も口に出さなかった。

　転入生が美男だろうが美女だろうが、私にはさほど関係がない。腕にしがみつく萌の身体を引き寄せると、彼女はニパッと大きく破顔した。今年のクリスマスイブはどうやって過ごそうか。そんなことを考えた。

四

　噂の転入生は、女だった。しかも美女に分類されるタイプの。

「坂見司です」

　そうハスキーな声で告げる彼女を一目見た瞬間、私は凄いのが来たなと思った。ベリーショートの黒髪、百七十を超える長身、第二ボタンまでシャツを開けただらしのない着こなし。長い脚を包むスラックスは糊がきいていて、彼女の脚の長さを強調していた。

「カッコイイ」と教室内のあちこちで漏れ聞こえたのは女子生徒からのもので、男子生徒は白けた顔をしている。見た目への賞賛に、司は軽く肩を竦めるだけで応じた。女子から好意を持たれることに慣れているのが窺える仕草だった。

斜め後ろの席の加恋が「イケメン女子かよ」と残念そうに歯嚙みしている。宝塚の男役ってこんな感じなのかもな、と私は頰杖を突きながら考えた。清潔感があって、麗しくて、凛々しい。そこら辺の男子と付き合うくらいなら、彼女と交際する方がよっぽどいい。

「じゃあ、坂見さんは野月さんの隣の席にすわってね」

担任が指定したのは、萌の隣の席だった。「よろしくね」といつものように愛嬌をふりまく萌に、司は軽く頭を下げた。二人の席は窓際の、教室の隅だった。

それから二週間も経たずして、私は坂見司について多くの情報を持つようになった。というのも、聞いてもいないのに萌がべらべらと司について話すせいだった。

「司ちゃんね、前まで東京の高校にいたんだって。で、両親が離婚した関係でこっちに転校して来たんだって。離婚ってきっと大変だよね。私、ママもパパも仲がいいから、なんて言ってあげたらいいか分かんなかったんだ」

「ふうん」

「それで、『喋ってくれてありがとう』って言ったら、『萌が可愛いから喋っただけ』って頭を撫でてくれたの。司ちゃん、あんまりクラスには馴染めてないけど優しい子なんだよ。千晶とも加恋ちゃんとも仲良くなって欲しいなぁ」

「向こうがそれを望んでないでしょ」

「そんなことないよ。司ちゃんだってきっと色んな子と仲良くなりたいはずだって」

学校からの帰り道、萌はいつも饒舌だった。勝手に私の手を握り、自分のコートのポケットの中に突っ込んでいる。

十二月になると、日が落ちるのも早い。十七時だというのに外は既に暗く、二人が手を繋いでいることに気付く人間もほとんどいない。ずり落ちそうになるスクールバッグをもう片方の手で肩に掛け直し、私は溜息を吐いた。はぁ、と白い空気の塊が口から漏れる。

「随分と坂見司と仲良くなったね」

「隣の席だからかなぁ。司ちゃん、意外とお喋りなんだよ」

「萌の前ではね」

一匹狼とまではいかないけれど、司はあまり愛想のいい方ではなかった。口数が少なく、大抵は窓際の席で頬杖を突いて音楽を聴いている。話しかけても無視されることが多く、そんな対応にもめげずに熱心に話しかけていた萌にだけ笑顔を見せるようになったのが一週間前。今では萌と司の二人で談笑する光景が教室のちょっとした名物となっている。

『塩対応には慣れてるんでしょ』と含みのある台詞を加恋に言われたことを思い出し、私は眉間に皺を寄せた。これだから萌のことを理解していない奴らは困る。萌の一番が私から変わるわけがない。萌は馬鹿だから、目覚めたばかりの雛鳥と同じ様に私が好きだと本能レベルで刷り込まれている。ぽっと出の奴が登場しようと、それはあくまで友達の一人。私がそれに焦る必要もない。

「今度ね、司ちゃんと一緒に映画に行くことになったんだ」

「ふうん？」

思わず、繋がれた手に力を込める。萌のコートのポケットは小さく、狭い。

「何観に行くの」

「ほら、この前みんなで喋ってたアニメ映画。司ちゃん、意外とアニメも見るんだって」

「別に二人で行かなくてもよくない？」

「千晶も来る？　今から司ちゃんにＬＩＮＥしようか」

「いや、いい。気まずいだろうし」

というか、司のＬＩＮＥを知っているのか。クラスの誰も知らないのに。

萌の交友関係が広がるのは良いことだ。そう思っているはずなのに、口内がやけに苦い。乾燥した唇を舐めると、舌先に乾いた皮膚の感触が纏わりついた。

「あ、舐めちゃだめだって」

見咎めた萌が足を止める。繋がっていた手をあっさりと離し、萌はスクールバッグからリップクリームを取り出した。背伸びをし、彼女はそれを私の唇へと塗りつける。左から右へ。蜂蜜の甘い香りが鼻腔をくすぐる。

「ふふ、私の方が千晶のお世話しちゃったね」

「勝手にやったんでしょ」

「ときめいた?」

「馬鹿じゃないの」

「素直になってもいいのに」

リップクリームをスクールバッグに戻し、萌は今度はスマートフォンを取り出した。手を繋ぐ気がなくなったことを察し、私は自身のコートに両手を突っ込む。

「あ、司ちゃんからLINE来てる」

「なんて?」

「映画の後、何食べたい?　って」

「なんでもいいでしょ」

「確かに。司ちゃんとならなんでもいいよって書いとこ」

萌のこういうところには舌を巻く。根が善良なのか、好意を示すことが上手いのか。

短い前髪の下で、萌の睫毛が静かに上下する。その瞳の色が黒よりもブラウンに近いことをとうの昔に私は知っていた。

五

女子二人で映画を観に行くことをデートと呼ぶのならば、萌と司のお出かけは間違いなくデートと呼ぶべきものだった。映画館に行き、イタリアンのレストランでピザを食べ、イルミネーションで煌びやかに彩られた公園を歩いた。解散は夜の九時。司がわざわざ家まで送ってくれたらしい。

そしてそれを萌から聞かされた私は、一体どんなテンションで相槌を打つべきだったのだろう。新しく出来た友人に、萌は分かりやすく浮き足立っていた。

二人のデートから数日後。今日は私と萌の二人で食堂でお昼を食べる日だったのに、萌は意気揚々と教室の隅で一人黙ってスマートフォンを弄っていた司へと声を掛けた。

「司、一緒にご飯食べよ」

その呼び方から『ちゃん』が無くなっていることに、私はすぐに気が付いた。彼女達の互いの呼称は、あのデートの日以来呼び捨てになっている。

頬杖を突いたまま、司は微かに顎を上げた。切れ長の瞳が挑発的に細められる。

「私がいていいわけ？」

女子にしては低い、どこか艶めいた声だ。細長い指先は白魚のように滑らかで美しい。

「いいに決まってるよ！」

「そりゃ萌はね。そうじゃなくてそっち」

おざなりに顎でしゃくられ、私は自身の頬が強張るのを感じた。後ろで組んだ手を、ぎゅっと強く握り締める。

「別に、構わないけど」

「ならいいよ。私、誰かと昼飯食べるの初めて。柏井さんは何が好きなの」

「何でも好きだけど。出されたら食べるって感じ」

「来るもの拒まず、去るもの追わず。出されたものだけ受け取りますってタイプか」

司の分かったような口振りに、私の眉間にはますます皺が寄る。だが、そんな反応すら彼女は愉しんでいるようだった。喉奥をクックッと鳴らして笑い、彼女は私の肩にそっと手を置く。

「そんなに警戒しないでよ。別に千晶ちゃんを取って食ったりしないって」

「警戒してるつもりはないけど？」

「そうやって虚勢を張るところ、可愛いね。いかにもガキって感じで」

「は？」

これは喧嘩を売られているのだろうか。漏れ出た声は唸りに近く、それを聞いた萌が焦った様子で私のカーディガンの袖を引く。

「まあまあ、二人共仲良くしてよ。ほら、早く食堂に行こ？」

こてんと小首を傾げる萌に、毒気が抜かれた。「はいはい」と頷き、その手を握ってやる。萌はすぐに道に迷うから、私が手を引いてやらないと逸れてしまうのだ。

教室の扉を出て、廊下を歩く。私と萌が前を歩き、両手をポケットに突っ込んだ司がその後をついて来た。転校生の彼女はちょっとした有名人だから、周囲の目をやけに引いた。

「過保護」

後ろを歩く司がフハッと笑いの溶けた息を吐き出す。

「過保護じゃなくて、これが当たり前なの」

「萌も大変だね」

「全然大変じゃないよ、千晶はいつも私に優しくしてくれるから。私、千晶のこと大好きなの」

「私は別に好きじゃないけど」

「ひどーい」

唇を尖らせる萌の髪を、不意に誰かの手が掻き回した。それが司のものであると、数拍遅れて理解する。

「私は萌のこと好きだけどね」

　さらりと告げられた台詞に、萌の動きが止まった。まん丸な瞳は限界まで見開かれ、今にもこぼれ落ちそうになっている。紅潮する頬を隠すように、萌は私の背中にしがみついた。

「司のそういうとこ、私ほんとにダメなんだって」

「アハハ、照れてて可愛い」

「照れるよそりゃあ」

　むくれる萌の頬を、追い打ちのように司が突く。恥ずかしさを誤魔化(ごまか)すように萌が司の背中をぽこぽこと叩いた。戯れの強さだ。痛みのない、甘さだけが残るコミュニケーション。

　ずん、と不意に胃の底が重くなったような気がして、私は制服の腹部を擦(さす)った。不快だった。だが、それを口に出すほどガキじゃなかった。

　いつの間にか二人並んで歩き出した萌と司の背を、私は黙って追いかける。窓から這(は)い寄る冷気が私の首筋を舐めた。ぞくりとした。だけど気にするほどでもなかったから、私は無視した。それが強がりだったと気付いたのはもっと後になってのことだった。

六

「クリスマスイブね、司と一緒に過ごすことにしたの」

　そう萌に告げられた時の衝動を、なんと言葉にしていいか分からない。クリスマスイブの二日前の出来事だった。

　私と萌はいつものように、二人で手を繋いで通学路を歩いていた。いつものように日は既に沈み、いつものように私は車道側を歩いていた。いつものように私の手と萌の手は繋がれた状態で彼女のポケットに収まっており、なのに萌はいつもとは違う台詞を言った。

「そうなんだ」

　乾いた自身の唇が、他人事（ひとごと）のように相槌を打つ。萌は私の手を握る力を強めると、「うん」と短く頷いた。

「一緒にプラネタリウムを見に行こうって話してたの。それで、その後ご飯食べようかって話になって。司がケーキの美味（おい）しいお店を探してくれたの」

　なんで？　怒りを帯びた疑問が喉元まで差し迫っている。毎年クリスマスイブは一緒に過ごすのが恒例だったのに。萌は私を最優先させるのが当然なのに。

　萌は馬鹿だから、分からなくなってしまっているのだ。自分が一緒にいたいと心から願っているのは誰なのかを。

「坂見司から誘って来たの？　クリスマスイブを一緒に過ごそうって」

ポケットの中で絡まった指先を、私は一本ずつ解いていく。それとなくポケットから手を抜き取り、首に巻いたマフラーを整えるフリをする。萌は一瞬だけ切なそうに目を細めたが、それでも何事も無かったかのように両手で私の腕に抱き着いた。

「二人で喋ってて、なんとなくそういう話になったの。それに、千晶のところに押し掛けるのって本当は迷惑なのかなって思ってたから」

「は？」

「だって千晶、モテるじゃん。男の子から告白もされてるし、それでも断ってるのは私に気を遣ってなのかなって。千晶は優しいから私のワガママに付き合ってくれてるんでしょ？」

「別に、ワガママだなんて言ってない」

「でも千晶は私のこと、好きって言ってくれたことないじゃん」

街灯の光を浴びて、萌の双眸が静かに揺らめく。つるりとした瞳の表面に涙の膜が張っている。冬の外気に触れているせいか、その頬は紅潮していた。指でなぞると、表面は冷たいのに皮膚の下がやけに熱い。

「私が萌のことを好きなんじゃなくて、萌が私のことを好きなんでしょ。それじゃダメなの」

「ダメじゃないけど、ヤだ」

「なんで」

「分かんないの？」

乾きを知らない萌の唇が、小さくへの字に曲がった。小柄な彼女の体躯を包む真っ白なダッフルコートが夜の闇に浮き上がる。柔らかな素材は、触れたらきっと心地よいのだろう。

こめかみ、頬、顎。顔の輪郭を人差し指で辿っていると、萌の手がそれを摑んで止めた。

「何が」

「千晶はずるいよ」

「そうやって、一方的に私のことをめちゃくちゃにする」

「してないじゃん」

「してる」

萌は右手で私の手を摑んだまま、左手で自身のコートの第二ボタンだけを開けた。出来た隙間に、彼女は私の手を押し込む。コートの内側は温かく、萌の体温を直で感じる。

「心臓、バクバクしてるでしょ」

ブラジャーのワイヤーの感触が指に食い込む。刺繡の施されたカップ越しに、ドクンドクンと力強い鼓動を感じた。指を動かすと、柔らかな肉がその上にのしかかってくる。

「私、千晶と一緒にいるとずっとこうなんだよ」

「こうって？」

問う声が掠れる。すぐそばを走り抜ける車のヘッドライトが二人の身体を一瞬だけ照らし出した。

「ドキドキして疲れるの」

「それの何が悪いの。私のことが好きってことでしょう？」

「千晶はその好きを何の好きだと思ってるの。友達の好き？　それとも、恋愛の好き？」

「どっちでも同じだよ」

「同じじゃないよ！」

声を荒らげ、萌は頭を左右に振った。感情を露わにする萌を見るのは随分と久しぶりで、私は反射的にコートから手を引き抜いた。乱れたコートを整えることもせず、萌は私を睨めつけた。

「司が言ってたもん。種類の違う好きを相手に求めることは酷だって」

「あの子の言ってることを真に受け過ぎだよ。萌は馬鹿なんだから余計なこと考えなくていいんだって」

「余計なことじゃない。司は私のこと大事にしてくれるって言ったた！　私を愛してるって」

「そんな口先だけの台詞を信じたワケ？」

「口先ですら言ってくれない千晶には言われたくない」

見開かれた両目がぐらりと揺れる。そこから零れた涙が、萌の頬を伝い落ちた。ぎくりと心臓が跳ねたのは、後ろめたさのせいだったかもしれない。

咄嗟に伸ばした手が、萌によって撥ね除けられる。乾いた音が夜の道路に響き渡った。

「千晶はずるいよ」

先ほど聞いたのと全く同じ台詞を、萌はもう一度繰り返した。乱れたコートのボタンを留め、彼女は私に背を向ける。

「先に帰るね」

「同じ方向なのに？」

「走って帰る。そういう気分だから」

そう言い捨て、こちらの返事も聞かずに萌は駆け出した。彼女の足は遅いから本気で追えば簡単に捕まえることができることは分かっていた。それでも私がその背を追いかけなかったのは、それが私の役目だと到底思えなかったからだ。

尽くすのは萌がやるべきことで、私がやるべきことじゃない。私は別に、萌のことを特別好きってワケじゃない。ただ、萌が私を好きだと言うから、それに応じてあげていただけなのだ。

街灯が生み出す影は、ひとりぼっちで車道を歩いている。延々と続く白線を踏みつけながら、私は先ほどの会話を何度も脳内で反芻する。手の平にはいまだに彼女の胸の柔らかな感触が残っていた。私と同じ、女の身体だった。だけどやっぱり、萌の身体の方が私よりも柔らかい。

別に、萌がちゃんと頼み込んできたのなら、私はキスだってセックスだってしてやれるのに。萌は可愛いし、いい匂いだし、抵抗は特にない。恋人の称号だって与えてやれる。なのに、萌はそれをちっとも分かっていない。

愛の言葉を強請るなら、他の女の名前を出すな。

一人分の足音が、夜の道に反響する。空は澄んでいて、微かに光る星がいくつも見えた。明日は雨が降らないだろうと思った。

きっと、明後日のクリスマスイブも。

七

赤い箸先が茹でたブロッコリーを摘まみ上げる。小さな緑の塊を、加恋は口の中へ運んだ。カラーコンタクトで大きくした瞳をこちらに向け、彼女は呆れと哀れみが入り混じった笑みを浮かべた。

「だから言ったのに」

「何が」

「萌は依存体質だって」

そう言って、加恋はちらりと教室の隅を見遣る。クリーム色のカーテンから覗く、二人分の足元。一体何を隠すことがあるのか、萌と司はカーテンの向こう側で机をくっつけて食事を摂っている。「バカップルだってあそこまでしないよね」と加恋が肩を竦めた。

「依存体質と今の状況とに何の関係が？」

「意地っ張り」

「喧嘩売ってる？」

「売られてる自覚があるくせにノーダメージのフリをしてるのがダサイよ」

挑発をばっさりと切り捨てられ、私は押し黙った。コンビニで買ったサンドイッチの包装を剝がすことに集中しているフリをする。テープを剝がす拍子に、卵サンドのソースが指に付いた。黄身とマヨネーズが混ざったそれを、私はウェットシートに押し付ける。

「千晶は気付いてなかったかもしれないけど、萌は依存先が一つあればそれでいいタイプだよ。小学生の頃、男子へのぶりっ子ひどかったじゃん。千晶と友達になってから収まったけど」

「萌をぶりっ子だと思ってたのは加恋だけだよ」

「皆思ってたって。ただ、媚びる矛先が千晶になったから何も言わなくなっただけ。男相手じゃなきゃ競合しないから」

「競合ねぇ」

クリスマスイブの日の教室は普段通り騒がしかった。嘲笑を交えた千晶の台詞は、喧騒の中にすぐ呑み込まれる。

ミートボールを箸の先端で突き刺し、加恋は口端を吊り上げた。

「女相手に媚びる女のことは可愛いって思えるよ、アタシはね」

「男相手だったら嫌なワケ？」

「獲物を奪われるのは不愉快でしょ」

「……今日、加恋はどうすんの」

「家族で過ごす。クリスマスなんて単なる三百六十五日の内の一日だし」

トップコートでコーティングされた加恋の爪は美しい。健康的な薄桃色が、透明なフィルターに透けている。肩に乗った長い髪を払い、加恋は急に表情を引き締めた。

「千晶」

「何」

「もしアンタがやってたことを恋人にやられたら、アタシでも別の奴に乗り換えるよ」

「萌は恋人じゃない」

「だからじゃん」

綺麗(きれい)な爪先で、加恋は机の表面を叩いた。コツン、と乾いた音が転がり落ちる。

「恋人じゃないからこそ、言葉にしなきゃ繋ぎ止められないよ」

「私に好きって言えって？　馬鹿みたいに？」

「萌はずっとアンタに伝えてたでしょ」

「それは萌だからじゃん。私はそういうキャラじゃない」

「そんなだから坂見さんに掻(か)っ攫(さら)われるのよ。アタシだって追うより追われたいもん。愛するよりも愛されたいし」

恋愛体質の加恋らしい台詞だ。こんな女と付き合う男の気が知れない。

うっとりと自身の頬に手を添える加恋を無視し、私は教室の隅へと目を動かす。換気の為に半端に開けっ放しにされている窓から、冷たい風が吹き込んだ。カーテンが膨らみ、翻(ひるがえ)る。

萌の後頭部が見えた。セットが甘い、少し寝ぐせの残った髪。そこに添えられた司の指の白は、髪に絡まってすぐに隠れた。司が口を開ける。唇から覗く艶やかな赤い舌。その中央に、私は光るものを見付ける。ピアスだ、とすぐに気付いた。銀色のピアスが、彼女の舌には存在した。

司の顔が萌に近付く。唇が獲物に食らいつくところを見届けるよりも先に、カーテンが二人の姿を再び隠した。クリーム色の薄っぺらい壁が二人と世界を遮断する。あ、と思わず声が漏れた。箸先からミニトマトが転がり落ちる。それを指で拾い上げ、加恋は私の口の中へと押し込んだ。

「慰めてあげよっか」と目撃者は私に笑い掛ける。奥歯でミニトマトを嚙み潰すと、薄皮が弾けて中から酸味がどっと溢れた。

「いらない」

「そう？　千晶ってばたまに突拍子のないことするから心配だわ」

「突拍子のないことって何」

「包丁持って相手のところ突撃したりさ。アタシ、元カレの浮気相手にやられたことあるよ。死ぬかと思った」

ケラケラと笑いながら、加恋は脚を組み直した。恋愛経験が豊富なことをアピールするエピソードは、いつもながら刺激が強い。「包丁ね」と呟き、私はまだ中身の残る弁当箱の蓋を閉めた。

「もう食べないの？」

「食欲が失せたから」

「可哀想な千晶に優しいアタシがクリスマスプレゼントをあげる。ほら、手を出して」

　言葉通りに手を差し出すと、加恋が強引に何かを握らせてきた。手を開いて見てみると、チロルチョコレートだった。しかも、コーヒーヌガーだ。

「私、この味好きじゃないんだけど」

「好きじゃないもんもたまには食べてみなさいよ」

　そう言って、加恋が私の肩を叩く。受け取ったそれを、私はカーディガンのポケットに忍ばせた。食べる気なんて無かった。だけど、どうしても捨てる気にはなれなかった。

八

　本当は、そのまま家でクリスマスイブを過ごすつもりだったのだ。

　一人で帰宅して早々、私は制服のままソファーに寝そべる。コートを脱ぐことすら億劫で、床に放り投げたスクールバッグは横に倒れたままだった。

　両親は仕事で、十九時を過ぎるまで帰らない。「今年は萌ちゃんは家に来るの？」と母親に尋ねられた時、私は笑いながら「来ないよ」と答えた。「いつまでも子供じゃないし」と。

　二十四日に萌が私の家に泊まりに来るのは、小学生時代からの恒例行事だった。両親はともに料理が下手だから、毎年デリバリーのピザを頼む。付け合わせのチキンナゲットと、駅前のケーキ屋さんで買ったブッシュドノエル。それらを平らげ、私と萌は同じベッドで眠った。

萌は眠る時、いつも私の手を握りたがった。指と指を絡め、それを自身の額に押し付ける。まるで何かに祈っているみたいだ、と私は寝顔を眺めながらぼんやりと思っていた。あの頃、萌は何を祈っていたのだろう。それを聞く術は、今の私にはない。今、萌は司と一緒にいるのだろうか。二人が行くプラネタリウムは駅の近くにあるから、駅で見張っていたら必ず遭遇するはずだ。

見に行くか？

脳裏に過ったのは、間違いなくただの思い付きだった。何故自分がそんなことを考えたのかも分からない。ただ、幸せそうに笑う萌と司の姿を想像すると、その全てを無茶苦茶にぶち壊してやりたくなった。

立ち上がり、台所へと移動する。流し台の下は棚になっており、そこには使用感のほとんどない包丁が何本か収納されていた。どうせ今日はピザだ。包丁が一本無くなったって、誰も気付きやしない。

ステンレス製のそれを一本抜き取り、刃の部分をハンカチで包む。心臓がドキドキした。私は今、いけないことをしている。

スクールバッグから教科書を全て取り出し、代わりに包丁を入れる。加恋の元カレの浮気相手は、どんなつもりで包丁を手にしたのだろう。自分の怒りを相手に見せつけてやりたかったのだろうか。それとも邪魔な女をこの世から消し去りたかったのだろうか。

　じゃあ、私はどうしたいのだろう。軽くなったスクールバッグを肩に掛ける。全身鏡で自分の見た目を観察しても、先程となんら変わらなかった。ただ、包丁を隠し持っているだけ。

　マンションのエントランスから外に出ると、冷えた外気が首筋をなぞった。肌を這う寒気に、思わずぶるりと身震いする。

「寒い」と小さく呟く。誰にも聞こえない、届かせる気すらない声で。

九

　そして、私は駅の改札外に設置されたベンチで一人座っている。

　人々は忙(せわ)しなく行き交い、ベンチの反対側に座る人間は何度も別人に代わった。待ち合わせをしている人間は分かりやすい。ホームに繋がる階段から人が降りてくると、彼らは背筋を伸ばしてじっと人の群れを観察する。そしてお目当ての相手を見つけ、ぱっと表情を輝かせるのだ。

　萌が来たらどうしよう。そればかりを考えた。誰にも悟られぬよう、スクールバッグの中で包丁の柄を握り締める。本当に刺すのか？　まさか、私は萌を傷付けたくない。萌に優しくしたい。甘やかしたい。その一方、心のどこかで確かにこう思っている。

　誰かのものになるくらいなら、私は萌を傷付けたい。怯(おび)えでもいい。嫌悪でもいい。ただ、私の存在を無視されたくない。萌にとって私は必要ないというなら、その柔らかな心に決定的な傷をつけたい。

　ホームに電車が着く音が頭上から聞こえてくる。十五分に一本の各駅停車は、時間帯もあってか大勢の人間を乗せている。下車した人々が階段から降りてくるのを、私は息を殺して見つめた。知らず知らずのうちに、指に力が入る。手の内側がぬるついていることに気付き、私は刃を包むハンカチに汗を擦りつけた。

「……いた」

　口内で呟いた声が、頭蓋骨の中でぐわんと響いた。会社員や学生に混じり、萌と司は歩いていた。二人は手を繋いでいた。コートのポケットに繋いだ手を隠すこともしない。堂々と、指を絡ませた手を晒(さら)している。

　私は立ち上がった。無意識だった。談笑している二人はこちらの存在に気付いていない。改札を抜け、真っ直(ます)ぐに出口を目指している。二人のお目当てのプラネタリウムは出口を抜けた先にあるのだから当然の行動だった。なのに、私はそれにショックを受けた。どうして気付かないんだと、理不尽な言葉を叫びそうになった。

「萌」

遠ざかる背中に、私は声を掛けた。二人はまだ気付かない。もつれそうになる脚をなんとか動かし、私はその背中に駆け寄る。コートに包まれた小さな背に、私は手を伸ばす。

「萌！」

指が触れた瞬間、萌が弾かれたように振り返った。隣にいる司の足も一緒に止まる。司は黒色のダウンジャケットを制服の上に羽織っていた。細身のシルエットに似合う、スマートな着こなしだった。

「何？　千晶ちゃんも混ざりに来たの？」

揶揄(からか)うような口調だった。切れ長の両目を細め、司は余裕そうに唇を歪(ゆが)ませる。

「どうしたの」

そう尋ねる萌の表情は、司とは対照的に硬かった。極限まで見開かれた両目が彼女の驚愕(きょうがく)を伝えている。

「あ、いや……」

こちらから呼び止めたというのに、何を言うべきかが分からない。伸ばした手を引っ込め、私はスクールバッグの持ち手を握った。喉が渇いていた。緊張していた。

「その、萌の顔が見たくて」

「そうなんだ」

「うん」

唇を噛み、私は俯く。視界に映るローファーは磨き抜かれ、汚れ一つない。萌はじっとこちらを見ている。私の言葉の続きを、辛抱強く待っている。

バッグの中にある包丁の存在なんて、頭からすぐに吹き飛んだ。萌を直接傷付けることなんて私に出来るはずがなかった。強がりから生まれた破壊願望は、当人を見るなり萎れてしまう。怖気づいたのだ。嫌われることが、急に怖くなってしまった。

「今からプラネタリウムに行くの？」

「そうだよ。もうチケットも買ってあるんだ」

「楽しそうだね」

「うん、楽しみだよ」

「夜は何食べるの」

「ピザを食べるつもりだよ。ほら、クリスマスイブにはピザって感じがするでしょう？」

へにゃりと相好を崩す萌に、私は唾を呑んだ。そう萌が思うのは、毎年私の家でクリスマスイブを過ごしていたせいだ。

無意識の趣向にすら、私の痕跡が色濃くある。それなのに、萌は今日、司と二人の夜を過ごす。

「萌」

名を呼ぶと、彼女は「ん？」と小首を傾げた。未だ繋がれたままの二人の手を視界に入れないように、私は彼女の両目を真っ直ぐに見つめる。息が詰まった。こんなこと、本当は口に出したくなかった。だって、カッコ悪いから。

「私、萌のことが好きだ」

必死の思いで絞り出した台詞は、くだらなくて、陳腐で、ありふれていた。私の萌に対する感情は『好き』なんて言葉で収まるものではないのに、それでも口から出てくるのは結局その二文字なのだ。

萌の喉がごくりと上下したのが分かった。その両目が静かに細められる。

「ありがとう」

そう、彼女は言った。雪が積もった夜のような、ひどく静かな声だった。繋がれたままだった司の手を離し、萌は私に歩み寄った。その腕が私の背に回される。ぎゅっと抱きしめられる感覚は、ほんの数日前まで当たり前のものだった。

「私も、友達として千晶が好き」

萌の顔は赤くなかったし、その声は恥じらいも照れも含んでいなかった。そこにあったのは友情としての好意で、それ以外の感情は全て取り去られた後だった。

何もかも、手遅れだったのだ。

抱擁していた腕を離し、萌は再び司の隣へと戻った。「ん」と差し出された司の手を、萌は慣れた手つきで握る。

「今日は寒いから、気を付けて帰ってね」

そう言って、萌はもう片方の手を振った。司は「良いクリスマスイブを」と皮肉めいた挨拶を寄越した。目頭に込み上げる熱に気付かれないように、私は両目に力を込めた。

「そっちこそ、良いクリスマスイブを」

立ち尽くす私とは対照的に、二人は出口へ向かって歩き出した。その後ろ姿が雑踏に消えていくまで、私はただそこで二人の背中を眺めていた。萌は一度たりともこちらを振り返らなかった。

寂しい、なんておこがましい。

包丁の入ったスクールバッグを肩に掛け直し、私はそっと自嘲した。冷えた指先を誤魔化すようにポケットに手を突っ込むと、指先にコツンと何かがぶつかった。取り出すと、加恋から押し付けられたチョコレートだった。

包装を剝ぎ、私はそれを口の中に放り込む。指に付いたチョコレートを見て、ウェットシートを取り出すか一瞬だけ逡巡(しゅんじゅん)した。だが、何もかもが面倒になって、私はそれを舐めとった。

甘さと苦さが混じった、私の嫌いな味だった。

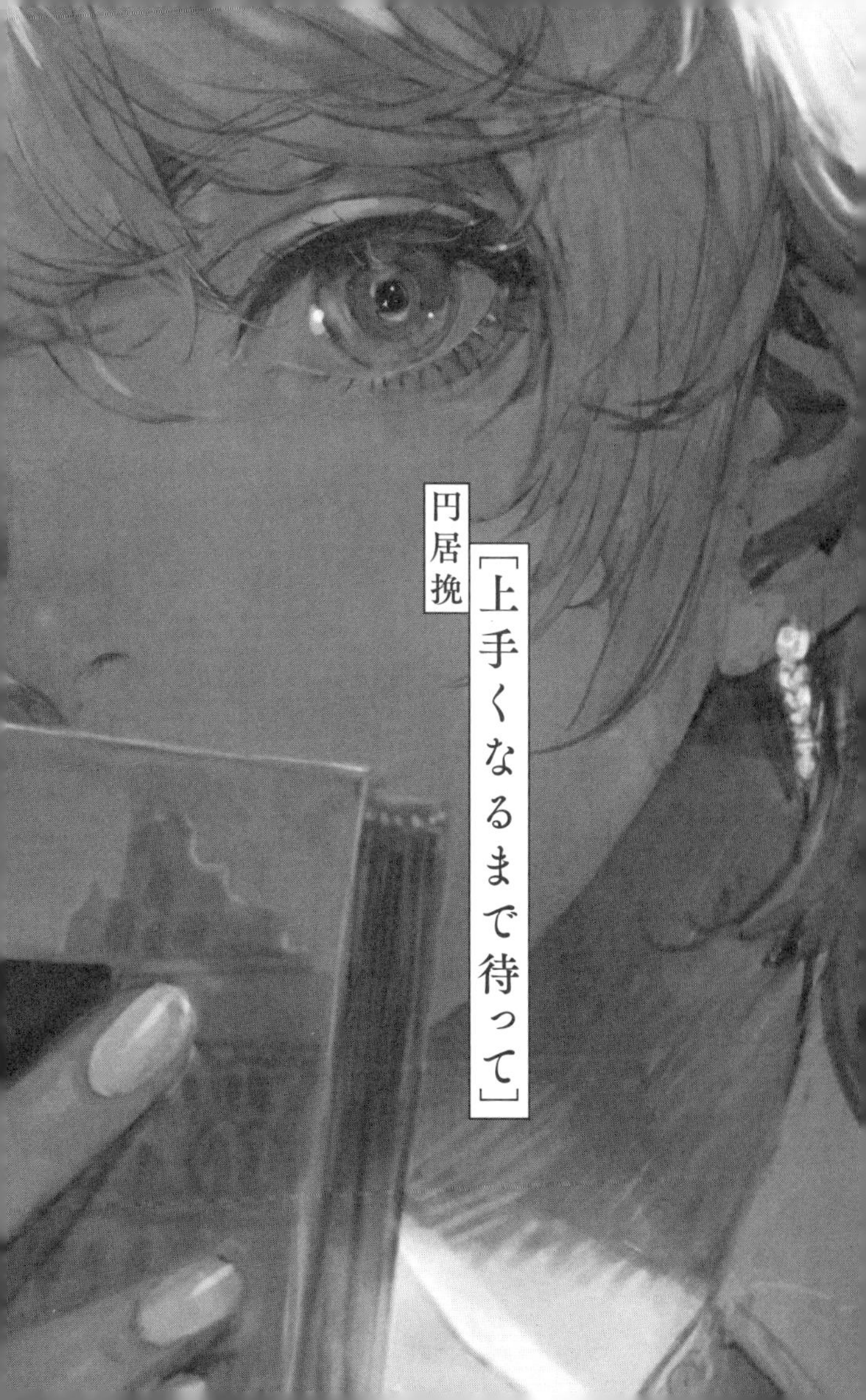
「上手くなるまで待って」
円居挽

円居挽（まどい・ばん）
1983年奈良県生まれ。京都大学推理小説研究会出身。2009年『丸太町ルヴォワール』（講談社BOX）でデビュー。著書に「ルヴォワール」シリーズ、「シャーロック・ノート」シリーズ、「京都なぞとき四季報」シリーズ、「キングレオ」シリーズ、『翻る虚月館の告解　虚月館殺人事件』『惑う鳴鳳荘の考察　鳴鳳荘殺人事件』などがある。

扉イラスト／toi8

「私たちってさ、どうして言葉にしないと解り合えないんだろうね」

繭先輩の言葉のボールが突然飛んでくるのはいつものことだ。私は本を閉じて、繭先輩と目を合わせる。

「いや、私と先輩ってまだ知り合って一年ぐらいじゃないですか」

繭先輩が部室に来るのは暇潰しが目的だ。こうやって唐突なことを言うのもいつものルーティン……そして狭い部室で無軌道に跳ねる言葉を誰よりも上手く受け止められるのが私だった。

「私が先輩に言ってないことなんて沢山あるし……先輩だってそうでしょう？」

繭先輩は鳩が豆鉄砲を食ったような顔をして、すぐに破顔する。

「まあ、そうだけどさ……なぎさって真面目だよね。真剣に受け取りすぎ」

「いや、唐突にあんなこと言われたら誰だってそう受け取りますよ。先輩に気のある男子だったら勘違いしますって」

「あはは、『私たち』って言い回しがよくなかったね。私となぎさって意味じゃなくて、もっと人類一般の話がしたかったんだ」

なんだ、一般論ね。

「人類規模の話なんて最初から私たちの手に余ってるじゃないですか。就活で何か厭（いや）なことでもあったんですか？」

「この頭、就活してるように見える？」

そう言って先輩は自分の金髪を指さして笑う。

繭先輩といえばまず美しくブリーチされた金髪だ。もう一年近い付き合いだが、繭先輩の頭がプリンみたいになっているところを見たことがない。都度自分で染めているのかこまめに美容院に通っているのかは謎だけど、後者ならお金だって馬鹿にならないだろう。

ただ繭先輩の中にははっきりとした美学がいくつもあるのに、それをアイデンティティのように誰かに吹聴したりしない……きっと口にするべきではないと思っているのだろう。そういうところが格好いいのだ。だけどそれは一緒にいる私だから解ることで、繭先輩のことを誤解している人間は多い気がする。

やっぱり私たちは言葉にしないと解り合えないのでは？

「そりゃ髪を黒くして面接でまともなこと言う先輩なんて見たくないのは事実ですけど……大丈夫なんですか？」

「大丈夫大丈夫。いざとなったらプロの小説家になったなぎさの家に転がり込むから。

マネージャーでも何にでもしてね」

「新人賞で落ちたばかりの私に言うことですか？」

「いよっ、万年二次選考止まり！」

「いや、確かに今回も二次落ちでしたけど、なんで傷を抉るんですか？」

「あれ、褒めたつもりだよ？　二次まではいけるなら、実質シード権貰ってるのと同じだもん。まだ二年生になったばかりだし、この調子なら遠からず入賞するよ。そしてその賞金で私にいい思いをさせてほしいな」

「駄目ですよ。貯金するんですから……デビューできたって本が売れるとは限りませんし」

「……夢のない子だねえ。なぎさの大好きな一色虹先生は『どうせ売れるから』って新人賞の賞金を全部海外旅行に使ったっていうじゃない」

「あんな風にはなれないって解ってるからこそ、です」

「そう……」

藺先輩は少し悲しそうな表情で自分の指先に視線を落とす。その綺麗なグラデーションがかかったネイルは藺先輩の十八番だった。

「じゃあ、真面目に就活しようかなあ……」

そう言う藺先輩があまりにかわいそうで……こんな言葉が口をついて出た。

「……上手くなるまで待ってて下さい」

藺先輩は口を開けて、私の顔を見ていた。どうやら驚いているようだが、私は藺先輩をいい意味で驚かせるようなことを口にできたためしがなかった。

「それ、なぎさのオリジナル？」

「何がですか？」

「いや、ヘプバーン主演の有名な映画に『暗くなるまで待って』があるし、筒井先生の戯曲には『若くなるまで待って』があるからさ。どっちか踏まえてるのかなって。ニュアンス的には後者っぽいけど……」

　こんな見た目でも藺先輩は恐ろしい読書家だ。藺先輩に本の知識でマウントを取ろうとして返り討ちにされた男たちは数知れない。藺先輩がファッション雑誌と英米文学書を並べて同じように読むところが私は大好きだった。

「いや、なんとなく出てきたんですよ。どこかでタイトルぐらいは目にしたことがあったかもしれませんけど」

「そうなんだ。でも『上手くなるまで待って』はいいタイトルだと思うよ」

　それにしてもまた話題が跳ね始めた……でもこの楽しさは藺先輩との会話でしか味わえない。

「……文藝（ぶんげい）連合の合同誌って二年生でも掲載されますかね？」

「六曜会（ろくようかい）の枠は一つだけど、誰よりも上手かったら載るよ」

　藺先輩は優しく背中を押してくれた。

「じゃあ、そのタイトルで短編か中編でも書いてみますかね。折角褒められたわけですから……」

「どんな話にするつもり？」

「頭がいいけど何もしていない先輩と、頭はよくないけど何かしようとしている後輩の物語」

「そのまま私たちの話じゃん！」

藺先輩はお腹(なか)を抱えて笑い始めた。

「今の私は下手ですけど、上手くなったら作家になって……いつかは藺先輩を養えるかもしれません」

藺先輩は一瞬呆(ほう)けた顔をしていたけど、すぐにいつものりりしい顔に戻る。

「今日のなぎさは凄(すご)いこと言うね……いや、でもそれも一つの答えか」

そして極上の笑顔でこう結んだ。

「じゃあ、上手くなるまで楽しみにして待ってるから」


「……上手くなるまで待ってられないんだよねえ」

その日、私は隣の部署の日暮志麻子(めぐれしまこ)に誘われて二人きりでランチをしていた。

「どうしたの突然？」

志麻子はフォークとナイフを置いて口を拭くと、そう訊(たず)ねる。志麻子のことは特別好きでも嫌いでもないが、会社でも大学でも同期だし、誘われたら断らないぐらいの距離感だ。世間ではそういう関係も友人と呼ぶのだろうか。

「いや、新人を現場にアサインしてもスキルがないから雑用しか任せられなくてさ。『頑張って上手くなるから仕事を任せて下さい』って言われても、そんな危なっかしい状態のメンバーを客先で作業させるわけにはいかないわけで……」

「……めちゃくちゃ即物的な話題だったわ。何かいいこと言ってくれると思って損した」

志麻子は本当にがっかりした様子でかぶりを振った後、唐突にこんなことを訊ねてきた。

「ねえ、なぎさ。あんたって過去を大事にする方？　それとも忘れていく方？」

「どうだろう。でもまず今の自分が大事じゃない？　少なくとも思い出を抱えながら『あの頃はよかったのに』って思いながら生きていくのだけは厭だな。今の自分を不幸にする過去なら忘れた方がいいよ」

「なるほどねえ……そういうスタンスか。久々にらしい言葉を聞けて満足」

志麻子はいつの間にか頼んでいたグラスワインをグッと呷（あお）ると、おかわりを頼む。

「仕事あるでしょ？」

「ううん。今日は午後休だからセーフ」

「人をランチに誘っといて自分だけ飲むなんて……私、午後一から進捗（しんちょく）会議なんですけど？」

　志麻子はどこ吹く風で空のグラスを脇にのけると、少し真面目な顔になる。

「いや、ちょっと素面じゃ言い辛い話があったから……メインも食べ終わったし、そろそろ話そうかなって」

　お喋りな志麻子がためらうとなると、それなりの内容らしい。私は店員が運んできた食後のコーヒーに口をつけながら志麻子が話を切り出すのを待った。

「二つあるんだけど、どっちから話そうかな……」

「どっちもお酒飲まないと言えない話？」

「ある意味そうかも。だったら言いやすい方からにしよう」

　志麻子は新たに運ばれてきた二杯目のワインで喉を湿らせる。

「私さ……連合にいた時は読み専だったし、当時はあんたとも絡みがなかったじゃない？」

「そうだね」

　実際、志麻子のことをちゃんと認識したのは今の会社に内定した後だった。同じ大学同士ということで話をしていたら、文藝連合に所属していたというのが判明したのだ。同級生同士で絡みがなかったのは文藝連合が学内では大所帯だったのと、私がそこまで社交的ではなかったせいだろう。

「今から恥ずかしいことを言うけどさ……私、学生時代はあんたのファンだったのね」

「初めて聞いた……」

「初めて言ったからね。そんなこと、内定者懇親会の時に言ったら引かれるでしょ？」

今少し引いてるけど……本人の前で言い辛い話だったってのは解る。

「でもさ……応援してるよ。あんたの部署の状況知ってるからあんまり時間取れないのは解ってるし……新作じゃなくても、その気になっただけでも私は嬉しいの」

志麻子の中でボルテージが上がっているのが解る。でも私は置いてけぼりだ。

「何の話？」

「これ、あんたの作品よね？　こういう賞に出すってことはやる気になったってことでしょ？」

志麻子はそう言って自分のスマートフォンを差し出してきた。心当たりはないが、義理として目は通さないといけない。私はスマートフォンを受け取ると、画面を操作する。

『上手くなるまで待って』と題されたその作品はネットの中編コンテストに投稿されたもののようだった。冒頭を読んだだけではピンと来なかったが、流石に場面転換に入るまでには思い出した。

「見覚えある……確かに昔、こんなの書いたかも」

それにしても恥ずかしいタイトルだ。あの頃だからつけられたのだろう。

「でしょ？　っていうかあんたの原稿、まだ家にあるんだから間違う筈ないでしょ」

「けど投稿したのは私じゃないよ」

小説なんて最後に書いたのはいつだったか……大学三年生の夏前に筆を折っているから、もう八年ぐらいはご無沙汰だ。

「本当に？　また作家志望に戻ったと思ったのに……」

「私が書いてるのはお客さんへの提案メールばっかりだよ。まあ、流石に『文章上手いね』って褒められるけど」

「あんたの文才が下らない提案メールで浪費されてると思うと悲しいんだけど！」

会社に利益をもたらしている以上、下らないことはないと思うけど……それはともかく少し気味が悪い事件だ。

「私自身が投稿したわけでもないし、志麻子が犯人だとしてもわざわざ私にそれを教えるメリットはない……だとするとあの当時『上手くなるまで待って』を目にすることができた人間が犯人ってことになるけど」

「学内向けとはいえ、合同誌に載ったから読んでる人間はけっこう多かったと思うよ……」

「そっか、あれは連合向けのやつに発表してたか……」

私たちの大学はかつて文章系のサークルが乱立しすぎたせいで大変なことになり、

最終的に各サークルは文藝連合という組織の内部サークルという形で統治されるようになったらしい。確か志麻子はライト文芸のサークルに所属していた筈。

もっとも末端の構成員でいる内はそんな事情を意識することはないが、他の大学に比べるとサークル間の接点はかなり多い。文藝連合の合同誌なんかもその一つだ。

「つまり、私の作品を勝手にアップした犯人は連合の関係者ってことになるね」

「連合の合同誌なら各会のエース級が書いてたし、みんな一通りは目を通してると思うから……容疑者が多すぎて絞り込めないね」

「でも本気の合同誌ってコミケとかに出すやつでしょ？　あっちには参加したことないから全然だと思うけど」

「あんただっていずれは書いてたよ。途中でやめてなかったらね」

「まあ外部向けの合同誌に書いてたら、犯人特定どころじゃなかったね」

それにしても引っかかる。私は卒業までサークルにいなかった人間だし、そもそも卒業してもう何年も経っている。怨恨による犯行だとして、そこまで誰かに恨まれるようなことをしただろうか……。

もっとも目の前の志麻子みたいに未だにファンだという人間もいるわけだけど。気持ちの悪いファンが他にもいないとも限らない。

「ねえ、なんでやめちゃったの？　六曜会もだけど、書くことまでやめる必要があった？　書き続けてたら、今頃はこんな下らない会社員じゃなくて作家先生だったと思うんだけど……」

　なかなかとんでもないことを言ってくれる。この店は社内の人間も利用するのだ。誰かに聞かれでもしたら面倒ではないか。

「よく思い出せないんだけど……多分、別に書きたいものなんてないって気づいたんたんじゃないかな。月並みな理由でがっかりさせちゃったかもしれないけど」

　何よりプロの作家になるような人間というのは常に書きたいことが一杯で、アウトプットに困らないのではないだろうか。だとしたら私はそういう人種ではない。

「そうなんだ。私には読ませたい人間がいなくなったからに見えたよ」

「え？」

「才谷屋（さいたにや）先輩が卒業してからのあんた、なんか様子がおかしかったから……結局、六曜会だって三年生の夏前にフェードアウトしちゃって。私が読者になってればまた違ったのかなって……」

「なんかごめん」

「いや、謝るようなことではないんだけどさ……当時ね、あんたと仲良くなるチャンスは何度もあった筈なんだけど、その度にあんたの隣の才谷屋先輩を見て、私なんかが邪魔したら悪いって思い直したんだよねえ」

　そう言ってから志麻子は大袈裟にかぶりを振る。

「あー、この流れでもう一つの話を切り出すの厭なんだけど……ちゃんと聞いてね」

「いいけど、その前置きだと文藝連合の話だよね……」

「実は才谷屋先輩から連絡あったんだ。私、個人的に連絡先交換したことがあって」

その言葉を聞いた瞬間、鼓動が早くなった。昔話ではなく、アクセス可能な存在として現れた繭先輩のことを思うと妙な気持ちになる。

目の前にいる志麻子の存在感が急激に褪せていき、繭先輩と出会った時の記憶が甦る。

あれは六曜会の入会面接だった。初めて足を踏み入れた部室の奥に女王が座っていたのだ。彼女は私の面接が始まっても興味なさそうな様子でファッション雑誌を読んでいた。あの時の繭先輩は十八年しか生きていなかった私でも「これからの生涯の中でもベスト」と断言してしまっていいほどの美人だった。

面接の始まりの方の記憶はとうにあやふやだ。繭先輩と遭遇した衝撃が強すぎたのだろう。

思い出せるのは面接で好きな作家を訊かれた場面からだ。

「……それで好きな作家は？」

「色々読みますけど、今は一色虹が一番好きですね」

私の答えに上級生たちが顔を見合わせ、意地の悪い笑いを浮かべる。

「何か変ですか？」

「だって一色虹って逆張りの作家でしょ？」

私は深い落胆に襲われた。文芸活動が活発だからと選んだ大学なのに、そんな一言で一色虹の全てを言い表したと思っているこの先輩にも、それを諫(いさ)めない他の人たちにもがっかりしていた。

後の面接は適当にやりすごしてこのサークルはやめようかなと思っていたら、いつの間にか奥に座っていた筈の繭先輩が私の隣にいた。私が心を閉じかけている間に移動してきたらしい。

私が面食らって何も言えないでいると、繭先輩はつんとした表情で私に話しかけてくれた。

「一色虹好きなんだ。どこが好き？」

そう問いかけられて、私の中でまだふわふわしていたものが急激に言語化されていった。

「……かわいい、いたいけな主人公をとことんいじめ抜くところですかね。読者は甘やかしても主人公は甘やかさない、その匙加減(さじかげん)が絶妙だから面白いし、人気があるんだと思います」

それまではなんとなく売れてるから面白いんだろうなって思いながら読んでいた。

「なるほどねえ……」

突然、繭先輩がとろけるような笑顔を覗(のぞ)かせる。

「よし、君は合格……って言っても合格も不合格もないんだけど。入るも入らないも君次第だからね」

　そして藺先輩は面接官役の人にビシッと指をつきつける。

「カガケン、会員を一人でも多く確保したいって言ってたのに、なんで意地悪するの？」

「意地悪っていうか……」

　カガケンと呼ばれた先輩はしどろもどろになる。

「個人の好き嫌いは尊重するけど、自分の小説観を新入生に押しつけて気持ちよくなったら駄目でしょ？」

「……すいませんでした」

「んー、謝るのは私じゃなくてその子じゃないの？」

　有無を言わせぬガン詰めだった。しかし私に頭を下げているカガケンさんのことはもう意識から消え……その時にはもう藺先輩は私の憧れになっていた。

「ちょっとなぎさ？　何、ぼーっとしてんの？」

　志麻子の言葉で我に返る。

「ああ、ごめん。藺先輩、元気そうだった？」

「うん。相変わらずだったよ。でもあんたの連絡先を教えてくれないかって言われたから、あんたの了承を取ってからという返事はしたけど……先輩と喧嘩別れしたの？」

志麻子の懸念が解った。だから私はそれを否定してやる。

「……ううん。藺先輩が卒業してすぐに携帯電話が壊れて、連絡先が解らなくなって……それっきりになっちゃったんだ。だから私としても藺先輩に連絡先を伝えてくれると嬉しい」

「解った。じゃあ、伝えておく」

志麻子はそれ以上私を問い詰めることなく、納得してくれた。しかし午後一の進捗会議のことはもう頭から飛んでいた。

午後は仕事に身が入らなかったので、早めに帰宅することにした。

電車に乗りながら、私はずっと自分の過去を振り返っていた。なのに奇妙な欠落があって、綺麗に思い出せない。

藺先輩との付き合いは丸二年間、藺先輩に就活をしている気配がなかったので一年ぐらい留年すると安心していたらあっさりと卒業してしまって驚いた記憶がある。進路を訊ねてもはぐらかされ続けたから余計に。

あんなに憧れていた人だったのにどうしてあれきりになったんだったか……携帯電話が壊れたのなんて偶然で、それで縁を切るだけの理由があったということなのかもしれない。いや、自分の話を他人事みたいに考えている時点で変なのだけども。

藺先輩と疎遠になってから程なくして小説家の夢も諦めて……いつの間にか普通に

就活して、今の会社に入っていたのだ。別にこの生活に不満がないわけではないが、夢追い人のその後としては悪くない方だとは思っている。

だが、その割り切り方も自分のことながらどうにも気持ちが悪い。まるで相内なぎさという人間がある日誰かと置き換わったかのような……。

それにしても私はこんなに過去にこだわらない人間だったのか……今思い出しても胸が締め付けられるような日々を過ごしていた筈なのに。

玄関で靴を脱ぐと、まだ十九時前だった。こんな時間に帰宅したのは久しぶりだ。志麻子には藺先輩に連絡先を伝えていいとは言ったが連絡はまだない。

それならそれでやることはある。私はPCを立ち上げると、SNS上で『上手くなるまで待って』がどう受容されているのかを調べることにした。昔書いた拙い中編の感想が気になるわけではなく、純粋に犯人の意図を知りたかったからだ。

しかし作品への言及や感想は全然見つからない。冷静に考えれば中編のコンテストだし、そのまま書籍化するわけでもないのだから、そもそもの注目度が低いのだろう。犯人が私の作品を晒しものにしたくてアップしたというのなら失敗している。

犯人は一体何がしたかったんだろう？

だがSNSで作品への言及を探している内に思わぬ感想を見つけた。

加賀県太郎 @kagakentarou

懐かしいー。この人、また活動してるんだ。当時、デビュー秒読みだった人なんだけど（あっ、Ａさん。もし見てたら連絡くれると嬉しいです）

見てて恥ずかしくなる振る舞いだが、この加賀県太郎氏が文藝連合時代の知り合いなら何か知っているかもしれない。

私は氏にＳＮＳ経由でダイレクトメッセージを送ることにした。

相内です。お伺いしたいことがあります。少しお時間ありますか？

このやりとりは当人同士でしか見えないため私も個人情報を出して相手の反応を窺（うかが）うことができる。

ダイレクトメッセージの送信から程なくして返事があった。

本当に相内さん？　今通話できる？

話の展開が早いのは助かるが電話番号を教えるほど迂闊（うかつ）ではない。幸い、このＳＮＳには通話機能があったので、それを利用することにした。

私は加賀県太郎との通話を開始する。

『久しぶり。相内さん』

　男の声には聴き覚えがあった。

「やっぱりカガケンさんでしたか」

　私が入会する際に面接官役を務めていた先輩会員だ。本名はとっくに忘れたが、加賀出身だからカガケンというあだ名で呼ばれ続けていた。

『懐かしいなあ……ところで僕の bio 欄見た？』

「いえ」

『今さ、漫画原作者ってやつやってんだ。加賀県太郎はペンネーム……そこそこ売れてるんだけど知らないかな？』

　それで思い出した。カガケンというあだ名は藺先輩の命名だったそうだ。おそらく藺先輩にそれなりに気があったカガケンさんはそのあだ名を受け入れ、最終的にはペンネームにまでしてしまった。まったく罪作りな女王様だ。

「ごめんなさい。私、漫画読まないもので……でも、カガケンさんが活躍されていると知って嬉しいです」

『こっちこそ君にお礼が言いたくてさ。今の僕がいるのは相内さんのお陰だよ』

　お礼を言われる理由がさっぱり解らないがカガケンさんは上機嫌だ。これなら望むように話を運べそう。

「あの、まず一つ訂正したいことがあって……あそこに『上手くなるまで待って』を投稿したのは私じゃないんです」

『マジ？　じゃあ、誰かの仕業か……』

「その犯人を探しているところです。何か心当たりはありませんか？」

『心当たり……心当たりねえ……』

カガケンさんの言いよどみ方で、彼が何かを知っていることを確信した。

「どんな些細なことでもいいんです。私は途中でサークルをやめた人間ですから……」

『この流れで説明すると僕も容疑者になっちゃうんだけどね……ほら、当時あんなことがあったじゃない？』

しかし私には心当たりがなかった。

「ごめんなさい、あんなことって？」

『本当に憶えてないの？　相内さん、文藝バトルで僕をボコボコにしたじゃん！』

「あ……」

文藝バトル……言われるまですっかり忘れていた。

文藝バトルとは文藝連合の中で時々行われていたイベントだ。参加者は与えられたテーマに沿って期限内に短中編を書き上げ、その達成度を各サークルから選出された審査員たちが判断する。いつから行われているのかは定かではないが、かつてサークル同士の利権を賭けたバトルの場合は長編での競作になったという話も聞いた。

「言われて思い出しました。そういえばそんなこともありましたね」

『もう済んだことだからいいけどさ。相内さんったら的確に僕の弱点を突いてくるんだもん。視覚的な文を多めに挟んでさ……それがまた上手いんだ。お陰で審査員たちに「情景描写が下手」「シーンが全然浮かんでこない」って酷評されちゃって……』

　私がそんなひどいことをしていたなんて……。

『まあボコられたお陰で、僕が書きたいのはキャラの格好いい台詞や活きた掛け合いってはっきり解ったからね。それで漫画原作者に転向したらドンピシャ。それなりに苦労したけど、今は成功してるから感謝してる』

「……卒業して長いのもあって、すっかり忘れてました」

　本当は全然思い出せないのだが、曖昧な言い方で誤魔化しておく。

『やった方は忘れても、やられた方は憶えてる……そんなもんだよな。僕も後からよく考えて、入会した時に一色虹の話で意地悪したことを思い出せたぐらいだし』

　しかし入会時に繭先輩に怒られてからのカガケンさんはかなり気をつけて私と接していたように思える。当時の私がカガケンさんへ恨みを抱いていた筈がないのだが……。

　そもそも文藝バトルに勝ってもさしてメリットはない。強いて言えば文藝連合内でのカーストが少し上がるぐらいだが、別にそれが直接プロデビューに繋がるわけでもない。

当時、どんな感情で文藝バトルに挑んでいたのか……まったく思い出せない。気持ちが悪いぐらいだ。

「あの……この件について何か解ったらまた連絡してくれますか？」

そう言って通話を打ち切るのがやっとだった。


文藝バトルでの自分の振る舞いを少しずつ思い出してきた。あれは若気の至りと呼ぶにはあまりにも……。

電話の着信で我に戻る。電話帳に入っていない番号……予感があって、私は電話に出るなりこう訊ねた。

「あの、繭先輩ですか？」

「なぎさ、久しぶりだね」

繭先輩の卒業以来だから八年ぶりか。

高揚感。そして動悸（どうき）……なんだろう、あれだけ憧れた人なのに、ストレス反応も出ているような気がする。

「あの、すみません。先輩が卒業したすぐ後に携帯電話が壊れたんです。それで連絡先も全部消えちゃって……」

これは本当だ。ただ、それを言うなら誰かに繭先輩の連絡先を訊けば済んだ話だ。どうして私は繭先輩との関係を切るような真似をしたんだろう。

「別に不義理を怒るために連絡取ったわけじゃないよ。もしかしてこんな時間に電話して、迷惑だったかな？」

「いえ。そんなことないです」

落ち着け……こんなタイミングで繭先輩が何の理由もなく連絡してくる筈がない。おそらくはいい理由だろう。

「それで……もしかして大事な話があったりしますか？」

「……そういう察しはいいんだね」

繭先輩が電話口の向こうで苦笑するのが解った。だが続けて出た言葉は私を驚かせるのに充分だった。

「実は今度結婚するんだ」


私の知る限り、在学中の繭先輩には男の影らしきものがなかった。

いわゆるオタサーの姫的なポジションにあったのは否定できないが、繭先輩はあんな埃（ほこり）っぽい部室棟じゃなくても女王を張れる器だった。ただ、イベサーや運動部の鬱陶しい男たちにナンパされるのが厭で文化系サークルに隠れていたのだと思っていた。

実際、繭先輩は文藝連合でも妖精の女王タイタニアに引っかけて「女王」「サイタニア様」とかあだ名されていた。私は繭先輩の家によく泊まっていたから、彼氏がいたら解った……と思う。

あれは二年生の秋ぐらいのことだったか。繭先輩の部屋に泊まっていてこんな会話を交わしたことがある。

「繭先輩は彼氏とか作らないんですか？」

「うーん、私にとってのオベロンが現れたら考えるけどね……なぎさは彼氏欲しいの？」

改めてそう言われると、そこまで求めているわけではない。

「どうでしょう。興味がないわけじゃないんですけどね。小説執筆より夢中になれる男の人がいるかなって思うと……せめて繭先輩より一緒にいて楽しい人が現れたらいいんですけど」

可愛いこと言うね、と繭先輩は私の肩を小突く。

「どうせ誰であれ、長く一緒に居続ければ多かれ少なかれ幻滅することにはなるんだよ。自分も相手もただの人間だからね」

「私もいつか繭先輩に幻滅しちゃうんでしょうか？」

「まず自分が私を幻滅させることを心配したら？」

繭先輩はニッと笑って、それからフォローするようにこう付け足した。

「でも思い出しただけで眩しくなるような瞬間さえあるなら、幻滅しようが別れようが、それを抱いて生きていけるんじゃないかなとは思ってるよ」

それを耳にした瞬間、私は慌ててカバンから筆記用具を取り出し、今の言葉をミミズののたくったような字でメモした。絶対に忘れたくないと思ったからだ。

「突然どうしたの？　いいアイデアでも思いついた？」

「藺先輩……なんか凄くいいこと言いましたよね。もしかして作家になれるんじゃないですか？」

　このとき藺先輩が一瞬浮かべた、何か苦いものを飲まされたような顔は忘れられない。

「……なんかの受け売りだよ」

　すぐに藺先輩は取り繕ったけど、その表情はなんとも言えずにアンニュイで……私が男だったら一生恋を煩（わずら）うんじゃないかと思った。

　しかし藺先輩はすぐにその表情を引っ込めると、優しくこう言ったのだ。

「まあ、なぎさにその気がないならもっと引っ張り回してよさそうだなって」


『……なぎさ？　聴こえてる？』

　少し昔の記憶に浸りすぎたようだ。

「あ、すみません。ちょっと電波が悪かったみたいです」

『それで私の結婚式、来てくれる？』

「ええ。ただ、少し懸念事項がありまして……」

　自然なタイミングで例の話を切り出すことができた。

『……へえ、なぎさの作品を誰かがネットに転載してると。当時の知り合いに恨まれる心当たり、ある？』

「やっぱり文藝バトル絡みですかね……」

カガケンさんに言われるまで忘れていたが、それ以外に考えられない。

『まあ、それ以外ないよね』

「なんであんなことしちゃったんでしょうね、私」

『それを言うなら私たち、でしょ。隣で焚き付けてたのは私……というか、実質セコンドみたいなもんだったよね』

そうだ。私があんなに文藝バトルにのめり込んだのは藺先輩のせいだった。

「……容疑者は私が二年生の時に倒した三人の誰かですかね」

六曜会在籍中の私の戦績は七戦七勝で、先ほどカガケンさんが話していた三年生時の文藝バトルを除くと、一年生時に三勝、二年生時にも三勝している。

だが私が『上手くなるまで待って』を発表したのは二年生の夏だ。一年生の時の対戦相手は四年生かそれ以上で、みな私に敗れた年に卒業もしくは中退しているから除外してもよいと思う。

『そこまで絞れてるなら、三人にそれぞれ会う約束を取り付けたらいいんじゃない？』

「でも今更私と会ってくれますかね？」

『あからさまに面会を拒否した人間は犯人、それでいいんじゃない？　昔の自分を見つめ直す意味でも悪くないやり方だと思うけど』

結局、私は繭先輩の提案を呑んだ。他にやり方が思いつかなかったのもあるが、自分の記憶の空白を埋める助けにもなると思ったからだ。

繭先輩の結婚相手がどんな人なのかはついに訊けなかった。

翌朝、出社まで時間があったのでネットに投稿されている『上手くなるまで待って』へのコメントでも確認しようとページに更新をかけたら、「投稿者によって削除されました」というメッセージが表示されていた。おまけに投稿者は既に退会していた。

本来の権利者として運営に問い合わせてみようとも思ったが当該作品は削除済みかつ投稿者も退会済み、商業作品でもないから実害を訴えるのも難しそうだ。結局、容疑者たちに直接話を訊いていくしかない。幸いなことに一人目の容疑者と連絡が付き、面会の日程が決まったところだった。

そういえば……どうして私は作家を目指すことをやめてしまったのだろうか。

高三の時、推薦入学で早々に進路を決めた私は授業中に隠れて本を読みつつ、受験勉強に勤しむ同級生を横目に投稿活動をしていたほどには熱心な作家志望者だった筈だ。結局、卒業までに長編を三本書いて、最後に書いたやつではライトノベルの大きな賞で二次選考まで残った。自分が書ける方の人間だという認識はその頃に芽生えていたし、大学の文芸サークルで揉まれたら在学デビューだって夢じゃないと思っていた。

しかし投稿活動をやめるまでずっと三次選考には行けずじまいだった。どこの賞に出しても面白いように二次で落とされるのだ。

してみると在学中の私は書き手として成長しなかったということだ。だがおかしな話だ。私は繭先輩とずっと一緒に過ごしていて、その薫陶を存分に受けていたのに……。

……いや、思い当たる節があった。私はある日の繭先輩との会話を思い出す。

「原稿読んで下さいよ。まだ途中ですけど」

繭先輩は文藝連合内でも作品読解においては明らかに群を抜いていた。特に作品の構造的な欠陥を見つけることにかけては右に出る者がおらず、みな繭先輩の講評を恐れていた。そんな繭先輩だからこそ、新人賞の二次でくすぶっている私の良きアドバイザーになってくれると思ったのだった。

しかし繭先輩は笑いながらかぶりを振った。

「だーめ。途中でも、私が読んで欠陥を指摘したらなぎさは完成させる気なくすでしょ？」

「じゃあ、初稿が完成したら読んでくれます？」

「それもだめ。私が指摘してなぎさがその通りに直したら、私の作品にもなっちゃうでしょ」

「別に合作でもいいんですけど……賞金は山分けにしましょう」

我ながらなんて志の低い返事だ。でも繭先輩とユニットを組むというアイデアに乗り気になっていたのは事実だ。

「プロの作家を目指すならまず作家性を確立しないと」

「作家性……作家性……」

「まあ、なくても作家にはなれるけどね。でもプロになることだけがモチベーションだった作家がデビューして消えていくのは珍しくないよ」

私よりも沢山の本を読んでいる先輩がそう言うと説得力がある。

「先輩、私の作家性ってどこにあるんでしょう」

「……んー、第二講堂あたりにあるんじゃない？」

ちなみに第二講堂はよく文藝バトルの会場になっている場所だ。

「茶化さないで下さいよ」

「いやマジメもマジメ、大マジだよ。文藝バトルで連勝してるんだから、それ自体は立派な才能だと思うんだよね」

「才能あるのに、公募は二次止まりですよ？」

「それ、私の前以外で言わない方がいいよ。連合には万年一次落ちの人も多いから」

「……先輩しかいないから言ってるんですよ」

　繭先輩はしばし自分の指先を眩しそうに眺めた後、こう答えてくれた。

「じゃあ、かわいい後輩のために特別に教えてあげよう。あんたにあるのは対応力。文藝バトルみたいに対戦相手や審査員が決まっている勝負なら相当強いよ」

「言われてみれば……」

「気づいてなかったの？　……で逆に言うと、特定のライバルをマークすることができない新人賞では一番苦労するタイプ」

「だったら対応力って、投稿だと役に立たないじゃないですか！」

「そうかな？　一色虹あたりを仮想敵にしたら案外楽にいけるかもよ」

「いや、だから一色虹って割と王道路線に逆張りする作家じゃないですか……逆張りの逆張りってただの王道路線でしょう」

　その時の繭先輩はなんとも言えない苦い表情を浮かべていた。

「……まあ、そうだね。でもさ、だからこそ王道を書くのが近道かもしれないよ？」

　繭先輩と新人賞の原稿の話をしたのはそれっきりだ。だけど繭先輩が原稿を一度でも見てくれていたら、結果はまた違っていたと思っている。

　作家を目指すことをやめてしまった理由を思い出せないまま、私は一人目の容疑者である和泉完治（いずみかんじ）と面会することになった。

　和泉は「仕事の都合で平日の夕方が嬉しい」と言ってきたので、わざわざ午後休を取った。流石に今何をしているのかまでは訊けなかったが、普通に就職しているわけでも、作家になったわけでもなさそうだ。

思えば作家志望であった和泉を手ひどく打ち負かしたのは私だ。それが彼の人生にどんな悪影響を与えたのか、考えただけで憂鬱になる。

和泉は待ち合わせ場所のコーヒーショップにインクで汚れたトレーナーにジーンズという出で立ちで現れた。

「小汚い格好で悪いな。この後仕事なんで汚れてもいい服にしちゃったんだ」

私は無意識に自分の格好と見比べる。客先からそのままやってきた私はスーツで、端からはネットワークビジネスの勧誘の現場に見えるかもしれない。

「相内は変わったな。ザ・キャリアウーマンって感じだ」

「和泉くん、学生の頃と変わらないから驚いちゃった」

罪悪感を覚えている相手にどうしてこんな厭な言い回しができるのか自分でも解らない。しかし和泉は何も感じなかったのか、「そうか？　俺ってまだ若いんだな」と相好を崩す。

和泉がこういう男なのは承知の上だったが、いざ本人を前にすると全身から湧き出るデリカシーのなさみたいなものに耐えられなくなってくる。三十を前にしてこれなら一生このままだろう。

そういえば和泉と文藝バトルをしたきっかけも嫌悪感からだった。

「和泉君？　ああ、デートに誘われたね」

「あいつが？　繭先輩を？」

　繭先輩の部屋で飲んでいた時、突然そんな話を聞かされて耳を疑った。和泉といえば粗野を絵に描いたような男で、「俺は作家になってビッグになるから」という夢を恥ずかしげもなく公言していた。

「当然断りましたよね？」

「面白かったから行ってもよかったけど、『二郎系ラーメン食べに行きませんか？』って誘われたら、文藝連合の女王様としては首を縦には振れないよね」

　繭先輩はハハハと笑いながらそう言った。今から思うと繭先輩にストレートにアプローチをかけるような思い上がった男は当時の文藝連合にはいなかったので、和泉の誘いを普通に面白がっていたのかもしれない。

　しかしだからって薔薇にゴキブリが寄っていい理由にはならない。

「笑ってる場合じゃありませんよ。あいつ、神経だけは人一倍太そうですから、これからも同じ調子で誘ってきますよ」

「熱心なアプローチは望むところなんだけど、ＰＤＣＡサイクルとかできなさそうだもんね。多分、何回でも二郎系ラーメンに誘ってくる……それは厭だな」

　繭先輩は少し考えるように天井を眺めた後、私にこう提案した。

「なぎさが和泉君を文藝バトルで叩きのめしてくれたら話は早いね」

「え？」

「『なぎさに勝ったらデートしてあげる。だけど負けたら諦めて。私、面白い作品書く人が好きだから』……とでも言っておけば文藝バトルに乗ってくるでしょ」

「それって私が勝つ前提じゃないですか……」

文藝バトルで和泉なんかに後れを取るとは思わないが……。

「無理なの？」

「いや、まあ普通に勝てますけど」

「あら、この子ったらすっかり生意気になって……」

「でも勝ち方が問題になってきますよね。たとえ勝っても和泉に『審査員が悪かった』『運が悪かった』って思われたら、またリベンジに来ますよ」

何より繭先輩へのアタックも諦めないだろう。

「つまり圧倒的に勝たないといけないんですが、どういう切り口で攻めたらいいんでしょうね」

「……和泉君の作品はね、まさに二郎系ラーメンなんだよね」

「私、食べたことないんでピンと来ないんですけど……」

「何軒か食べて回ったけど、とても理にかなったラーメンだと思った。糖質と脂質と塩分を過剰に摂取させたら大抵の人は満腹になるからね」

「なるほど……確かに和泉の作品は過剰ですね。読者には美少女ヒロインと意味ありげな設定を食わせとけば腹一杯になると思ってそう」

だが、あんな舌馬鹿に藺先輩の良さが十全に解るとも思えない。

「さて、なぎさは和泉君の二郎系作品とどう戦う？」

そう問われた時点でもう戦い方は決めていた。和泉の作品は美少女の会話シーンと設定開示のパートが無駄に長い。和泉は長ければ長いほどいいと思っているようだし、作品の評価が単純な加点法で決まるなら決して間違いではない。

だが現実的には公募には枚数制限があるし、文藝バトルでは限られた時間で評価を下さないといけない審査員たちに冗長という印象を抱かれてしまう。和泉の作風はレギュレーションに対応できていない。

私がやったのは逆算だ。和泉の作品に被せるために美少女アンドロイドが自身のアイデンティティに悩むだけの物語のプロットを用意し、短編を成立させるのに必要な設定と最低限の会話シーンをとりわけ丁寧に書いた。そうすることで和泉の作品の拙さも強調できるというわけだ。実際、私は完勝した。私に惨敗して和泉は随分と大人しくなったし、以来藺先輩を狙うそぶりを見せることもなくなった。

しかし改めて思い出してみると自分のやったことに引いてしまう。いくら好きになれない和泉が相手だったとはいえ……私が和泉なら恨むと思うが。

そういえば和泉はあれで筆を折ったりはしなかったのだろうか。

「なあ……」

和泉が少し迷ったような声で話を切り出してきた。

「少し前さ、才谷屋先輩と街でばったり会ったんだ。相変わらず綺麗だったわ。あの頃は眩しい白ギャルだったのに、もう理想の淑女って感じ……いやあ、俺って怖い物知らずだったんだな」

和泉もあれから少しは分別がついたらしい。単なる加齢か、相応に苦労をしてきたせいか。

「まあ、いつまでもギャルではいられないよね」

就職活動があっても己を貫いた藺先輩はどこで妥協したのだろう。それを思うと少し胸が痛んだ。

「相内は書いてないって噂聞いてたけど、本当か？」

「うん。全然。サークルやめてからは何も。和泉くんは？」

「俺はまだ作家目指してる」

その言葉を聞いて罪悪感が少しだけ薄まった。

「割のいい短期バイトとか深夜バイトを渡り歩いて、どうにか生活費を捻出しながら書いてる。でもあんまりハードな仕事入れると疲れて書けなくなるから難しいんだよな。ほら、見ろよ」

和泉が見せてきた手のひらは、切り傷やマメやあかぎれを繰り返し作ってきたことが一目で解るほどボロボロだった。

「そんな手でキーボード叩けるの？」

「怪我と再生を繰り返したから見た目が酷いだけだよ。それより指が太いからキーボードを二つ押したりしちまう方が問題だ。指の肉が削げるぐらいで丁度いいよ」

「昔よりは冗談のセンスがよくなったね」

「おっ、相内に初めて褒められた。文藝バトルでボコられた相手から褒められるなんて、俺も成長したねえ……」

「あの、和泉君。私、あの時のことを謝りたくて……」

だが、そんな私の言葉を和泉は荒れた手で制止した。

「あー、よしてくれ。あの頃の俺が書いたものは単に面白くなかったんだよ。だから負けた。それ以上でも以下でもない。それに……俺はたった今、満足したんだ」

「どういうこと？」

和泉はガリガリと頭を掻く。

「公募で落ちる度にな、なんで俺みたいな才能のない奴が作家を目指してるんだろって思うんだ。けどあの天才の相内が筆を折ったんだから、諦めずにしがみつけるのも才能の内なんじゃないかってな」

そう言う和泉の表情からは私への遺恨のようなものは窺えなかった。

「文藝バトルなんかやってた頃と比べりゃ随分と上手くなったよ。だけど今でもお前の方が上手い気がしてならねえんだ。それより……いや、やめとくわ」

「何か気になることでも？」

　和泉は迷いに迷って、その言葉を口にした。

「……作家目指すのやめたのって、やっぱり才谷屋先輩のせいか？」

「どうしてそう思うの？」

「俺は昔からデリカシーがないって言われてるし、今だってそんなにないからこんな言い方になっちまったんだけど……相内と才谷屋先輩ってさ、仲のいい先輩後輩って面は確かにあったと思うけど……俺の目には相内が才谷屋先輩にオモチャにされてたように見えてたからさ。俺だけじゃない。俺の周りもそう見てた奴が多かったぜ」


　和泉と別れて次の容疑者と会うまでの数日間、私は彼の言葉を何度も反芻していた。

　客観的に判断して、私と藺先輩が外見的に釣り合っていなかったのは事実だろう。藺先輩と一緒にいても端からは美女が猿を連れ回していたように見えていたのかもしれない。

　でもオモチャにする相手を家に何度も泊めたりするだろうか。藺先輩から私への好意なり親愛の情なりは少なからずあったと思うのだ。端からどう見えていたかはともかく。

　おそらく和泉はシロだ。そうなると次に会うべきは三木谷奈津子だろう。

　彼女を最初に意識したのは、中央食堂で先輩と雑談していた時だったと思う。その日は推理小説研究会のメンバーとたまたま同席して、食事の後も駄弁っていた。当然、場の中心は藺先輩だった。

「……向こうが大家だって名乗るから、こっちもマンションの大家さんだと思って話をするわけよ。そしたら全然嚙み合わなくてさ……で結局、大矢って名前の無関係な人だったたって解って爆笑しちゃった」

藺先輩がそう言った瞬間、奈津子は雷に打たれたような顔をしていた。私は理由が解らず、ただ藺先輩に憧れた人間がまた増えたぐらいにしか思っていなかった。

それから少しして、奈津子が六曜会を批判し始めた。やれ歴史が浅いだの、プロが出てないだの、そういう話だったと思う。確かに推理小説研究会は歴史もあったし、プロも輩出しているから、相対的に六曜会がサークルとして貧弱なのは事実だが、別に奈津子に言われる筋合いはない。

何か一言ぐらいイヤミを言ってやろうと思っていたら、藺先輩がこんなことを言い出した。

「じゃあさ、ウチのなぎさと文藝バトルする？　お題はそっちの土俵のミステリでいいよ」

「ちょっと藺先輩⁉」

私が抗議すると、藺先輩は意味深に目配せしてきた。何か考えがあってのことだと解ったので不承不承肯く。

らしい。

「望むところです。ミス研の実力、見せてやりますよ」
奈津子は赤いフレームのメガネを直しながら見得を切る。もう勝ったつもりでいる

「じゃあ勝負は三日後の十八時半ね」
「……ちょっと短くないですか？」
奈津子の懸念は当然だ。私だって短いと感じたぐらいなのに。
「そっちの土俵で戦うんだからいいでしょ？　なぎさはミステリ書いたことないし
……それに三〇枚ぐらい、プロなら一晩あったら書く量だよ」
「そうですね。それじゃあ、三日後に……」
今思うと完全に繭先輩が主導権を握っていた。まず向こうに有利な条件で文藝バト
ルに誘い、参加を承諾させた後で別の条件を付け足す……奈津子がもう少し経験豊富
なら条件面で折り合うまでやりあえたかもしれないがまあ役者が違う。
結果は詳細に思い出すまでもなく私の勝ちだ。しかしどうやって負かしたんだった
か……肝心のそこがぽっかりと抜けている。
気まずかろうが、事態を進展させるためには奈津子から話を聞くしかない。
奈津子が指定してきたのは都心から少し離れた郊外の駅だった。家賃も手頃で、そ
の割に治安がいいところだったと記憶している。
駅の改札を出ると奈津子が待っていた。相変わらず赤いフレームのメガネをかけて

いたからすぐに解った。

「あの……三木谷さん？」

嫌悪感を露わにされるのかと思いきや、奈津子の顔に浮かんだのは照れの表情だった。

「お久しぶりです、相内さん」

こんなに丸い性格だったか？　いや、あれから九年近く経っているから変わっていてもおかしくはないが……。

奈津子は周囲を見回し、すすすと私の近くに寄って来ると、小声で囁いた。

「……相内さんはどこかで書かれてます？」

「いや、私はとっくに創作やめちゃったから。三木谷さんは？」

私がそう訊ねると、奈津子はニヤリと笑った。

「実は……ミステリ作家になりました。デビューしてもう四年ぐらい経ちます」

「凄いじゃない。おめでとう」

憧れたプロの舞台に上がれなかった悔しさは湧かず、ただ昔の知り合いが向こう側に行ったことが喜ばしかった。

「ありがとうございます」

かつて自分に土をつけた相手が創作をやめ、自分はプロ作家になっているという復讐成就のシチュエーションにもかかわらず、奈津子の瞳に暗い喜びの色はなかった……と思う。私の日が曇っているだけか、それとも奈津子が大人になったのか。

　まあいい。それならそれで話がしやすい。私は近くのドーナツ屋に奈津子を誘い、ゆっくり話を聞くことにした。

「ここは私の奢り」と言ったら奈津子は上機嫌でドーナツをいくつもトレーに載せていた。日常的に執筆でカロリーを使う人間はこれだけ沢山食べても平気なのだろうか。支払いよりもそんなことが気になった。

「訳あって昔の文藝バトルのことを調べてるんだけど……私はあなたにどうやって勝ったんだっけ？」

「勝った記憶だけ残ってるってわけですか……」

　口にしてから言い方に問題があったことに気づいた。奢りにしておいて本当によかった。

「あ、ごめんなさい。他意はなくて……本当に思い出せないの」

「怒ってませんし、憶えてないのも当然ですよね……でも相内さんには感謝してます。あの時負けたから今の私があるので」

　またこのパターン……散々に打ち負かした相手に感謝されるなんて、どういう因果なのだろう。

「憶えてます？　あの時、才谷屋さんが大家さんの勘違いネタを披露したこと。私はあれでもっといい勘違いネタを閃いて、文藝バトルでも勝てる気でいたんです。ところが相内さんはストレートに大家さんネタを洗練させたものを提出してきた……」

思い出した。奈津子がどんなネタで勝負してくるかは解ってるから被せてしまおう、と繭先輩が提案してきたんだった。

「冷静に振り返るとネタそのものは私の方が凝っていましたが、料理する腕がなくて中途半端な仕上がりでした。バトル開始ギリギリに書き上げて誤字脱字が目立ったのも審査員たちの印象を悪くしたんでしょう。結果的に同じネタを扱っているのに、シンプルで綺麗で面白い相内さんの圧勝……あれはショックでした」

私はただ繭先輩のアドバイス通りに作品を書き上げただけだが、繭先輩には最初からこうなることが読めていたに違いない。

「けど、いい薬になりました。昔の私は面白いものさえ書けばプロになれるし、面白ければ多少遅れても構わないと思ってました。でもあの戦いで思い直したんですよ。ネタはともかく、〆切に間に合わないならゴミと同じってね。そして私が思いつくようなことなんて、ライバルたちはとっくに思いついている筈だって……だからこそ、思いついたらすぐ形にするってことを心がけるようになったんです。勿論、そんな心がけだけでデビューできるほど甘くはなかったですけど、プロになってからは量産できるようになったんで結果オーライです」

「でもそれは言うは易し、行うは難しでしょ。立派なもんじゃない」

「……業界では『そこそこのクオリティのものを量産してる作家』として見られてる

んで、賞レースには縁遠いんですけどね」

「やっぱりそういう賞って欲しくなるものなの？」

「どうでしょう。でも賞を取れない身体にされたと思うと、これもまた呪いみたいなもんですかね」

奈津子は笑いながらこめかみを掻く。そして何かを思い出すようにこう続ける。

「学生の頃ってどうしてあんなに上手い下手にこだわってたんでしょうね。上手いのと面白いのって全然違うのに」

「読者の立場からすれば……技術的に未熟だと解る作品を好きだって言うと舐められるからかな。若い頃は自分自身に大した価値がないことに目をつぶって、読んでいるものに価値を仮託しちゃうんでしょ。本当はろくに上手い下手の判断もできないのに」

「相内さん、とんでもないこと言いますね。私がＳＮＳで書いたら炎上させられちゃうかも」

奈津子は屈託なく笑う。これは私自身への自戒も含まれた言葉だったが、笑ってもらえたのなら何よりだ。

「まあ、相内さんの言うことも真実かもしれません。でも現実には上手い人からプロになるわけじゃないし、単純な上手い下手を超えたところで戦ってますからね」

奈津子にとっては上手くてもプロになれなかった人の代表が私なのだろう。それで溜飲を下げてくれているのならありがたい。

「でも相内さんも呪いをかけられた内の一人じゃないですか？」

　奈津子の指摘は完全に想定外だった。私はもう創作から完全に降りているのに。

「呪い？　どうして？」

「才谷屋さんが常に隣にいて……思うような形で才能を伸ばせなかったんじゃないですか？」

　ああ、確かに……藺先輩がいなくて、一人で投稿活動をしていたらまた違った今があったのかもしれない。だが藺先輩のお陰で私が上手くなったのもまた事実だ。

「でも藺先輩は私のためにマンツーマンでコーチをしてくれたんけど……」

「それが呪いかもしれないって思ってるんですよ。だって才谷屋さんって一色虹先生だったわけじゃないですか？」

　ちゃんと座っている筈なのに、突然足下が崩れたような気がした。

　そうだ、思い返せば藺先輩は在学中、自分の正体を示すヒントをちりばめてくれていたのだ。

　私は藺先輩のあるアドバイスを思い出していた。あれは大学の近くの居酒屋で二人で飲んでいた時のことだ。

「今書いてる小説、なんか微妙なんですよね」

私がそんな愚痴(ぐち)をこぼすと、藺先輩はジョッキの残りを飲み干しながら事もなげにこう言ったのだ。

「そんなの簡単じゃん」

「本当ですか？」

「そうだね……例えばなぎさが突然カンニングの疑惑をかけられて、今期の単位を全て没収するって大学から言われたらどうする？」

「私、そんなことしないですけど？」

「例えばって言ってるでしょ。真剣に考えて。どうする？」

「そりゃあ……自分に非がないなら断固戦いますよ。カンニングの疑惑をかけられた経緯や理由を洗って、無実を証言してくれそうな人を探したり……」

「なぎさはいい子だからそんなことしないと思うけど、もし実際にカンニングしてたら？」

藺先輩は笑いながら、更に突っ込んでくる。

「……それでも戦います。単位没収は留年と同義、そして留年は破滅と同義ですからね。あらゆるものを巻き込んででもカンニング疑惑を退けると思います」

「ね、そういうことだよ。困難な状況に追い込んでやれば、キャラクターは勝手に助かろうとする……だからこそ主人公を追い込むんだよ」

そう言いながら藺先輩はビールをおかわりする。あまり顔に出ない人だから気づかなかったけど、あの時はかなり酔っ払っていたのかもしれない。

「主人公を追い込む……」

「そう。追い込んで追い込んで、取り返しのつかないことをさせてからが本番だと思うんだよね」

……今から思えば、あれは一色虹なりの創作作法だったのだ。一色虹という正体を隠して六曜会に所属していた彼女の前に私という熱心なファンが現れた。まあ、無視しろと言う方が無理だろう。

そして取り返しのつかないことをさせるといえば、文藝バトルで何人も倒した私もそうだ。セコンドにプロ作家の一色虹がついていたのだから勝って当然ではないか。

蘭先輩、私にあんな取り返しのつかないことをさせて……あなたは私をどうしたかったんですか？

奈津子との面会からしばらく経ち、もう蘭先輩の結婚式当日になってしまった。

蘭先輩に言いたいことが募っていくばかりの日々だったが、その前にどうしても彼女と会っておく必要があった。

最後の面会はこれまでで一番気が進まなかった。これから会う高部紫織は私と蘭先輩の最大の被害者と言ってもいいだろう。

いっそ断ってくれたら良かったのだが、紫織は是非会いたいという。おまけに指定してきたのが藺先輩の結婚式当日……しかし彼女に会ってから結婚式に行けば、藺先輩への報告ができる。すっきりしてハネムーンに旅立っていただけるというものだ。

待ち合わせ場所の喫茶店に現れた紫織は驚くほど変わっていた。私の知っている紫織ならショートヘアになんてしないし、ましてや黒のパンツスーツなんか着ない。それでも目つきの悪さだけはあまり変わってなくて、すぐに本人だと解った。

「……おう」

紫織はそれだけ言うと、私の向かいの席に腰を下ろしてコーヒーを注文した。押し黙っていると今の紫織はいかにも仕事のできる女という雰囲気だ。だが私の知っている紫織は大学キャンパス内をパンク風ファッションで練り歩くような女だった。そうでなくても髪に紫のインナーカラーを入れた顔のいい女が目立たない筈がない。当時の紫織には男女問わずファンがいた。

あの頃、藺先輩は諸々ひっくるめて紫織のことが気に入ったようだ。

「インナーカラーに自分の名前と同じ色を使うなんて、キャラ立てが上手いねえ」

創作指南を受けたこともなく、読書量も大したことなさそうだったが、不思議と紫織の短編は胸を打った。必ず印象に残るフレーズが一つか二つあるせいかもしれない。

「あの子は軽音部でバンドやってて、作詞担当らしいよ」

藺先輩にそう言われて納得したが、藺先輩が妙に紫織を買っているのが面白くなかった。

「先輩……今回だけは負けたくないんです。何かアドバイス貰えませんか？」

「んー、あの子は感じるままに筆を走らせて、足が止まったらちょいとまとめてるっぽいから仕上がりがだいたい竜頭蛇尾（りゅうとうだび）なんだよね。それで読ませるのが凄いんだけど。でもまだ間に合う。現時点ではなぎさの方が上だから、あの子が作詞している曲を聞き込んで、あの子が書きそうな話を、あの子よりも洗練された形で出してあげればいいだけだよ」

「だけどそれって……完全に相手を潰す創作ですよね？」

　これまでの文藝バトルでもそういう手法で戦ってきたが、今度のはよりえげつない。

「でもやれば勝てる。まあ、圧倒的に勝ったら高部さんは筆を折っちゃうだろうね」

「ですけど……」

　ためらう私に、藺先輩は噛んで含めるようにこう言った。

「本当に創作をやる人間なら手ひどい敗北を喫しようが、傷口に自ら塩を塗ってでも己を奮い立たせるもんだよ。だからこんなことぐらいで筆を折るならそれまでの才能だったってことさ」

　私は藺先輩にそう言われて紫織を潰したんだった……。

　コーヒーが運ばれてくるまで私たちは無言だったが、やがて紫織の方から沈黙を破った。

「いやにめかし込んでるな。この後用事あるのか？」

「うん。実は繭先輩の結婚式に呼ばれてて……」

紫織は今にも舌打ちしそうな顔になっていた。

「そうだった。行く奴がいるって聞いてたけど、今日だったか」

繭先輩の名前を出してからしまったと思った。紫織も文藝バトルで私の背後に繭先輩がいたことは承知していた筈だ。紫織の気分を害してしまったかもしれない。

上手く運ばないといけないのに、いきなり失点した気持ちだ。

「……なあ、小説書いてねえのか？」

「書いてないけど……なんで小声？」

面白いことに紫織は奈津子と同じ配慮をしてくれた。

「いや、誰がどこで聞き耳を立ててるか解らねえし……きょう日は覆面作家も多いから。専業で食える人間だってそんなに多くないし、表の仕事しながら小説書いてたら迷惑だったかなって」

ぶっきらぼうな口ぶりに似合わない細やかな気遣いに笑い、そして胸が痛んだ。

「あの……ごめんなさい」

「あ？」

「あなたに謝りたいことがあって」

「……なんか謝られるようなことあったっけ？」

「文藝バトルのこと」

紫織は特に意外そうな表情も浮かべず、ゆるりと肯く。

「ああ……あったな、そんなことも」

「怒ってるでしょう？」

「怒ってたかもしれないけど、もう忘れたよ。あの頃のあたしは軽音部で歌詞書くようになってちやほやされて、調子に乗ってた。でも程なく飽きられ始めてるのが解ってきて、それで誘われたのが小説だったんだよ」

「だけどそれで小説が書けるって凄いことだよ？」

「若い頃は承認に餓えてるからな、なんでも気軽にやっちまうんだ」

私への接し方こそ当時と変わってないが、あの頃にあったギラつきのようなものはもうない。

「そういや、お前があたしを倒した小説な、まだ部屋の手の届くところに置いてあるよ」

「えっ？」

「そりゃ負けたのはショックだった。けどよ、文藝連合で気鋭のエースがあたしのことを強く意識して被せてくれた……これほど嬉しいことがあるか？ どんな批評よりもあたしの心を打ったよ。お陰であたしは創作をすっぱりやめられた」

あの時、私は確かに筆を折らせるつもりで書いた。しかし紫織にとっては良い介錯になっていたらしい。藺先輩がそこまで読んでいたかどうかは解らないけれど。

「承認欲求に動かされて届く限界も見えてたしな。未練はなかったけど、こういう作品が生まれる場所に立ち会いたいって気持ちは消えなくて……それで出版社受けたんだ」

「え、そうなの？」

「だから今は一応、編集者やってる」

　そう言って差し出された名刺には私でも知っている出版社の名前が印刷されていた。

「大手じゃん」

「……会社の大小なんかあんまり関係ねえよ。まあ少しずつ自分が出したい本も出せるようになって、充実してる」

　そう言う紫織からは屈折した感情は窺えない。目の前にいるのは社会人になって、各種スキルを身につけて、やりたいことがやれるようになった大人の女性だ。色々な苦労もあるだろうが、やりたいことを仕事にできた紫織を眩しく思う。

「だから謝ったりしたら怒るからな。あの敗北は完全にあたしだけのもんなんだ。それを勝った方が自分の都合で敗北を剝がすつもりか？」

「そうだね」

　私は深く安堵した。激高した紫織に水をかけられるぐらいのことは覚悟していたのだ。それが思いの他軟着陸できたわけで……。

「いや、やっぱりおかしい」

思い浮かんだ言葉がそのまま出ていた。

「何がおかしいって？」

紫織が怪訝そうな顔でこちらを窺っている。誤魔化すのも変だ。全てぶちまけてしまおう。

「あなたもそうだけど……私が同じようにひどいことをしたカガケンさんも和泉くんも三木谷さんも同じ反応。なんでそんな綺麗事が言えるの？　私に傷を抉られるような真似されて、遺恨が残る方が普通でしょ？」

学生の頃にやった悪事を分別のついた大人の態度で呑み込んでくれた相手にかける言葉ではないことは解っている。だけど、この違和感を見過ごしたままでは真相にはたどり着けない気がしたのだ。何より、この言葉で私も紫織も追い込まれた筈。

紫織はたっぷり迷った後、カバンから取り出した煙草に火を点ける。私が嫌煙家でも、厭なことを言われた以上これぐらいの権利はあってもいいだろうと思ったのだろう。

紫織は煙を吐き出すと、私の求める答えを口にし始めた。

「そりゃ……わだかまりがないって言ったら嘘になるよ。あたしだけじゃなくて、他の連中だって少なからず鬱屈したものはあるだろうさ。だけど当時の文藝連合全体に蔓延してたあの雰囲気、忘れたわけじゃないだろう？」

「あの雰囲気？」

「下手なものを書く奴には価値がない、みたいな雰囲気だよ」

そうだ。一色虹を下手な作家だと馬鹿にしたり、文藝バトルで負けるのは下手な方が悪いというあの感覚を言語化するとまさにそれだ。

「今から思うと、半ば部外者だったあたしでもあの価値観を内面化してた気がする。じゃあ、文藝連合にいた当事者はもっと深刻だろうな。『下手だった奴が悪い』……それで我慢してたんだろうよ。口先だけかもしれないけど誰もお前さんを責めてないってのはそういうことだよ」

「……なんか考えちゃうな。それで我慢できるのは少数の人……自分が上手くなろうと思ってる側の人でしょ」

例えば今の職場で『仕事が下手』という理由で誰かを人間扱いしないのなら、それはハラスメントだ。

「みんなプロ志望だったから、プライドが高い奴が多かったってことかな。あと、お前が作家志望じゃなくなってたのも大きいのかもしれない。ああ、そうだ……」

紫織は煙草を消すと、私を真っ直ぐに見据えてこう訊ねる。

「ただ、これだけは訊く権利があると思う。あたしを潰してまでしがみついた創作ってやつから、どうして足を洗えたんだ？」

埋まらない記憶。紫織だって気にしているし、私には答える義務がある。だけどその答えは未だに空白だった。

「……そこだけ思い出せないの。綺麗さっぱり忘れてしまったみたいで。私もそれが知りたくてみんなに話を聞いているような気がしてきた」

　紫織は苦虫を嚙み潰したような顔で言葉を押し出す。

「今思い返してもお前は文藝連合内でも屈指の筆上手だった。とうに上手かったんだよ。普通にデビューだってできた……何度考えたって筆を折る理由が解らねえ」

　アマチュアながら上手いと思われつつも筆を折った私がいて、一方でプロなのに下手と言われ続けても作家を続けた藺先輩がいた……。

　私はこの対比にある閃きを感じた。

「高部さん、変なこと訊いてもいい?」

「変なことしか訊いてないだろ。今更遠慮するなよ」

「一色虹って大学時代は割と馬鹿にされてた作家だったよね?」

「そうだな。あんな下手な作家の本を喜んで読んでいる奴は程度が低いって言われてたな」

「でも今はそうでもないよね?」

「こういう言い方が適当かどうかは解らんが……上手くはなったな。それも圧倒的にだ。だからもう一流作家だし、かつてのように馬鹿にしてたらそいつが馬鹿にされるほどになった」

　私たちには内緒で作家をやっていた藺先輩は大学を出てからも一人で努力を続け

……そして本当に上手くなってしまったらしい。

「そうなんだ。私は筆を折ってから読んでないから。繭先輩とも連絡取らなくなったし」

「知ってたのか……いや、知らない筈ないか」

私の言い回しから紫織は察してくれたようだ。

「……でもな、一色虹は怪物になっちまったんだよ」

紫織は私の知らない空白を語り始めた。

「今でこそ一色虹は押しも押されもしない人気作家だけど、あたしらが大学に入った頃はまだいつ消えるか解らない程度の存在だった」

それは初耳だった。でも当時の私は書店に新刊が沢山並んでいる時点で売れっ子作家だと思っていた節がある。実際、六曜会の先輩たちの間では不評だったわけで、彼らの中ではその内に消える悪趣味な作家という立ち位置だったのかもしれない。

「そして一色虹の初代担当はかなり癖のある人だったみたいでな。相当きつめに指導してたらしい。そうだな……今SNSに書いたら版元が炎上するぐらいの内容だ。まあ、ハラスメントと愛の鞭（むち）の境界線なんて当人たちにしか解らんだろうけどな」

指導の詳細は解らないが、少なくとも一色虹のファンが美談と思わない内容であることは確かだろう。

「一色虹が化けたのは大学を卒業してからだな。専業作家になって覚悟ができたのもあるだろうけど、鬼の指導が血肉に変わり始めたんだな。やり方はともかく、決して指導内容まで間違っていたわけではなかったらしい」

その頃はもう私は創作をやめていたし、就活だの社会人生活だので本を読む習慣を失っていたから一色虹が次のステージへ進んでいったことにも気づかなかった。

「一色虹は売れっ子作家になり、次第に自分の我儘を通すようになった……始まりは初代担当への意趣返しだ。一色虹の圧力で初代担当は会社にいられなくなった」

「そんな簡単に辞めさせられないでしょ？」

いくら出版社が世間の流れとは違う場所にあるからといって、企業として許されないことはできない筈だ。

「そりゃ会社だって自分とこの社員を簡単にはクビにはできねえ。だけど配置替えぐらいはできる。要領が良ければ新天地で新しい仕事を覚えられるだろうが、いい歳になってこれまでのキャリアを捨てろと言われたら……まあ辞める奴だっているだろ」

確かにウチの職場でも似たような話はある。

「まあ、あたしだって腹に据えかねてる作家はいる。編集長になったら出禁にしてやろうと思っているが……あの人は明らかにやりすぎたんだ。ああいうの、一度やったら歯止めが利かなくなったんだろうな。デビュー当時に一色虹をこき下ろしていたベテラン書評家はささいなきっかけで炎上させられた。最近はＳＮＳでアンチ数人を晒し者にした。一色虹の作品の悪口を先に書き込んだ分、アンチたちに分が悪いのは確かだがあれはやりすぎだ。相手は素人なんだぞ」

　紫織にそう聞かされても私の知っている繭先輩と怪物になってしまった一色虹がイコールで結びつかない。

「最近だと……結婚相手だな。相手の人は業界では有名な男前の編集者だが、あの人には婚約者がいたんだ。実際に何があったのかは解らないけど、あの人は婚約者と別れ、一色虹の配偶者になることを選んだ。当人たちが決めたことだから野次を飛ばす気にはなれんが、心の底から祝福できる感じでもないんだ」

　吐き気がした。私の知っている繭先輩がもうどこにもいなくなってしまったみたいで。

「『面白いもの、金にならないものを生み出せないなら存在する価値がない』……そういう意識で必死で生き抜いてきた人気作家が『自分に価値がある以上何をしても許される』って反転しちまうのはある意味で当然だ。景気も悪いしな。一色虹を降ろしたところで簡単に代わりの売れっ子が見つかるわけでもない」

「つまり誰もあの人を止められないってこと？」

「そうだ……と言いたいところだが、冷静に考えるとそうでもないな」

「だったら」

　繭先輩を止めてよ。と続けようとしたら紫織が私を指さしていることに気づいて、言葉が止まった。

「お前だよ」

「どうして？　私はただの後輩だし、長いこと没交渉だったんだよ」

「一色虹の経歴に汚点があるとしたら、お前への一連の仕打ちがそうなんじゃないのか？」

「え？」

「業界に入って、一色虹のそういう事情を知ってみれば……あの人は自分が担当編集から受けた仕打ちを、そっくりそのままお前にやってたんじゃないのかって気がするんだ」

　そう言われてみると思い当たる節しかない。

「……私がプロ作家になってたら美談になってたかもしれないね。一色虹先輩に鍛えられたお陰でデビューできました、って」

　紫織は苦笑いする。

「最近はどなたさんも昔のヤンチャで社会的地位を失いなさってる……あの人は多分、そういうところ敏感だから、お前を上手いこと丸め込もうとしてるんじゃねえかな」

　私の知っている繭先輩はそこまで打算的な人間ではないが、しかし一色虹はどうだか解らない。

「高部さん、さっき私に『どうして筆を折ったのか？』って訊いたよね。直接その答えになるかどうか解らないけど、それらしい仮説なら見えたよ」

「自分のことなのに仮説ってなあ……いや、続けてくれ」

「当時の私は鈍感だったから、藺先輩にマンツーマンで指導を受けているって喜んでいた。でも、もしかしたら藺先輩との時間が強烈なストレスだったのかも。三年生になった頃は藺先輩が卒業しても投稿を続けるつもりだったけど、本当は藺先輩から解放された喜びが勝ってて……カガケンさんとの文藝バトルでそれに気づいて絶筆、というのが話の筋としては綺麗かな」

しかし自分で話していてまだ違和感がある。ハマらないパズルのピースを無理矢理嵌めた感触というか……一面の真実ではあるが、私にとっての真相ではないというところだろうか。

「話の筋ね……他人事っぽく話す割には上手くまとまってやがる。お前、やっぱり根っからの作家なんじゃねえの?」

「昔の私が聞いたら喜びそうな言葉だね」

小説に未練がなさそうな私を紫織は残念そうな顔で見つめる。

「まあ、なんだ。あの人に丸め込まれるのも逆らうのもお前の自由だけどさ……これからどんな顔して会うつもりなんだ?」

紫織の言葉は式場への移動中、私の中でずっと響き続けた。

紫織と別れたその足で披露宴の式場にやってきた。その迎賓館は古い建物だったが、

隅々までよく手入れが行き届いており、藺先輩がこの式に相当なお金を使ったという
ことが窺えた。
「そう、三人とも違ったんだ」
　披露宴が始まるまで小一時間、そんな差し迫った状況でも藺先輩は私のためにわざ
わざ時間を取ってくれた。藺先輩……一色虹に挨拶したい人間は沢山いるだろうに。
「はい。直接問いただしても意味はないと思って訊きませんでしたが、感触的にそう
かなって」
「じゃあ、犯人は解らずじまい？」
「いや、そうでもないんですよ」
　私の言葉に藺先輩は少しだけ口角を上げた。
「高部さんとの面会で気づいたことがあるんです。漫画原作者のカガケンさんも、作
家志望の和泉くんも、プロ作家の三木谷さんも、文芸編集者である高部さんも『下手
な作品を書く人間には価値がない』という価値観に支配されていました。あの頃の文
藝連合ってそんな雰囲気ありましたよね？」
「……あったあった。懐かしいね」
　藺先輩は静かに笑う。だが少しも懐かしんでいるようには見えない。それどころか、
忌々（いまいま）しいと思っているようにさえ見える。
「そして何より、あの価値観に支配されていたのは彼らだけではなく、私もそうでし

た……だからあんなひどいことができたんだと思います。私は相手より少しだけ上手いのをいいことに一方的に殴ってましたから」

「だけど、あの頃のなぎさが対戦相手たちよりも上手かったのは事実でしょ？　そんなに気に病む必要はないよ」

そうだ、その言葉こそ聞きたかった。

「でもよくよく考えると、私以上にその価値観に強く支配されている人間がいました」

「へえ。誰？」

私はゆっくりと繭先輩を指さした。

「繭先輩……あなたが犯人だったんですね」

「やっと気づいてくれた……」

繭先輩は大して悪びれた様子もなく肩をすくめる。

「なぎさは鈍いから、これぐらいしないといけないと思って。学生時代だってあれだけヒントを出してたのに……」

「繭先輩が一色虹だってことぐらい、本当は気づいてましたよ」

私がそう言った瞬間、空気が粘つき始めたような気がした。何より繭先輩の視線をこんなに痛いと感じたことはない。

「そう？　じゃあ、どうして指摘してくれなかったの？」

ここで曖昧にはぐらかしたら、きっと繭先輩は信じてくれない。

「だって大好きな作家と大好きな先輩が同一人物……そんな都合のよすぎる話、本当だったとしても信じるわけにはいかないじゃないですか」

「……まあ、いいよ。そういうことにしておこう。だったら私がわざわざあんなことをした理由も解った？」

「私に犯人探しをさせること自体が目的だったんですね。それで真相に気づけばこうやって話し合いの機会を設けるし、気づかなければ鈍感な後輩として放っておく……違いますか？」

先日の久しぶりの電話の際、本来ならタイミングを見計らって『上手くなるまで待って』の転載の話をしようとしていたのだろう。だが既に私に届いていたことを確認できたから消したというわけだ。

「なぎさも随分成長したもんだね」

「そしてこんな場を設けた理由もわかりましたよ。私からの告発が怖かったんですね」

繭先輩が少しまなじりを下げた。落胆したような……そんな感じだ。

「……そういうところ、変わってないね。絶妙に私の期待を裏切るんだから」

私は何を間違ったんだろう？　そもそも繭先輩の期待とは何だろう……。

「昔、なぎさは主人公を追い詰める私の作風を褒めてくれたでしょ？　でもあれは作風とかじゃなくて……私は自分を追い詰めないとどこにも行けない人間だったから、ああいうやり方でしか自分も物語も前に進められなかったの」

その自白が正しければ、繭先輩が六曜会に所属しながら一切の創作を発表しなかった理由にも説明がつけられる。作風を変えることが困難である以上、何を発表しようがただの一色虹フォロワーとしか見られないだろうし、私のようなファンが読めば一色虹の作品と解ってしまっただろう。

「上手くならないと価値がないと信じて、追い立てられ続けて……お陰で私はずっと上手くなった。もう誰も私を馬鹿にしたりできない」

でも名実ともに一流作家になったところで、作家への悪口が消えないことぐらいは学生時代で充分解っている筈だ。そうでなくたって読者は好き勝手言うものだ。

「もしかして私のことも追い立ててたんですか？」

「あの頃は人間って負荷を与えれば育つと本気で思ってたんだ。それでなぎさには随分と無茶をやらせちゃった。でも私はなぎさがプロの作家になることを信じてたんだよ？」

「だからって……プロの現役作家が間接的にでも素人をなぶりものにしていいわけがないでしょう？」

繭先輩は白い歯を覗かせて苦笑する。

「まあ、憂さ晴らしをしてた部分があったのは否定しないよ。初代の担当からは来る日も来る日も下手下手って言われ続けてね。かろうじて作品分析はできるようになったけど、自作には全然活かせなくって……でも文藝バトルで勝てるアドバイスぐらいはできたんだ」

「私は自分の罪を自覚してますけど……私に手を汚させる必要なんてありましたか？」

「あったよ。私が丸二年間つきっきりで鍛えたんだから。お陰でなぎさはもうあの大学では誰よりも上手くなってた。私が卒業しても後は勝手にデビューできるところまで」

藺先輩の勝手な言い草に腹が立ったが、一方でその思いの重さに何も言えなくなる。どうあれ、私が藺先輩の期待を裏切ったのは確かだからだ。

「たまに夢を見るんだ。私が新人賞のパーティーに出たら、受賞者のなぎさが私の顔を見てびっくりするやつ。あるいはデビューが決まって、私に電話をかけてくるやつ……私にとってはそれぐらい確実な未来だったんだよ」

ここまで言われてもまだ自分が筆を折った理由を思い出せない。もしかすると紫織に語った通り、藺先輩の歪な感情を本能的に理解して逃げたのかもしれない。

「私はただ休まず前に進んでいた。なぎさは勝手に足を止めて、私を一人にした」

「そんな……」

私はそう言い返しながらも深い無力感を覚えていた。藺先輩の中では私が悪者になっている。だがそれはつまり一色虹が書いたストーリーなわけで、私なんかが書き換えるのは容易なことではない。

「なぎさが私の後をついてきてくれたらそれでよかったのに……」

「……藺先輩が怪物になったのは私のせいだって言うんですか？」

「そう。私を止められたのはなぎさだけだった。でもそうはならなかったでしょ？　あなたは私から逃げて、楽しそうに生きてる」

それこそ私は普通に就活して、普通に働いていただけ……ただ歩いていただけだ。その姿が逃げて楽しそうに見えるのなら、藺先輩が一人孤独に全力疾走し続けていたからだろう。確かに過去の私には藺先輩についていくか、藺先輩の足を止めさせるかの選択肢があったのかもしれない。それを見逃したことが罪というならあまりにも厳しいが……実際あんなに優しかった先輩を怪物にしてしまったのは私だ。

「なぎさ……どうして私が上手くなるまで待てなかったの？　作家の道を諦めて就職なんてしなくたって、私が面倒見てあげられたんだよ？　そうでなくても色んな可能性があったのに、一番つまらない道を選んで……」

確かに残業は多いし、その割には給料だって安い。実際つまらない道かもしれないが、今の藺先輩が全然羨（うらや）ましくならない。

勿論（もちろん）、それをそのまま口にするほど子供でもない。しかしあの頃誰よりも大人に見えた繭先輩が子供に見えるのはどういうことだろう。

そうだ。あの頃、私たちは子供だった。上手くなりさえすれば目の前の問題が全て解決すると思って……。

私は過去を全部置いてきた。しかし繭先輩だけがまだ過去に生きている。

「だったら……上手くなってよかったことなんて本当にありましたか？」

「そりゃ……沢山あるよ。成功して何でも思い通りになったから。例えば……そうだね。今の年収の二倍……いや、三倍出すから私の助手やってくれない、って勧誘だってできるよ」

それはとても魅力的な提案だ。繭先輩が怪物に成り果てていさえしなければ。

「嬉しい申し出ですけど、今の繭先輩のことは色々聞きましたからね……今の繭先輩は大して欲しいものもないのに、自分の成功を確認するようにみんなから奪っているんじゃないですか？」

「外野は好きなことを言うからね。人の苦しみも知らないで」

「ですけど、大学でみんなから下手な作家って言われてた頃の一色虹……繭先輩の方がずっと幸せそうでしたよ」

苦し紛れもいいところの反論だった。だがそれは繭先輩の心の芯をかすったようだ。

繭先輩の表情が揺れている。私は繭先輩のこんな顔を一度だって目にしたことはなかった。

「……認める。どんなに上手くなっても思い通りにできないことってあるんだね」

藺先輩は立ち上がる。ウェディングドレスをまとった藺先輩の立ち姿は美しかった。

「なぎさに会いたかったのは本当。でも告発とかどうでもいいんだ。こんな成功、別に消えたって構わないから。なぎさが台無しにしてくれるなら、それはそれで美しい筋書きだよね」

どこまで本気か解らないその言葉に私は固唾を呑んでしまった。

「そうだ。なぎさの最新作、見せてよ」

「え？」

「スピーチ原稿。折角当日まで目を通さなかったんだから」

私は藺先輩に披露宴でのスピーチを頼まれており、読み上げ用の原稿も清書してきた。私は仕方なく藺先輩に原稿を渡す。

しかし藺先輩は原稿を一読して、深いため息を吐いた。

「ただの思い出話と通り一遍の感謝の言葉の羅列。全然私の胸を打たない……ビジネス文書ばかり書いて腕がなまったの？」

藺先輩の駄目出しはこれまでのどんな失注よりも胸が痛んだ。長いこと会っていなくても、私の中で藺先輩というのは大きな存在だったのだ。

「こんななぎさを見るぐらいだったら、あの時引導を渡しておいた方がよかったんだね」

そう言って繭先輩はスピーチ原稿を破り捨てる。私はそれを呆然と眺めていた。

「これは没」

「だったら、これから私は何を喋ればいいんですか？」

「さあ？　私が期待してたなぎさなら……少しはマシなこと喋れるかもね」

何か訊ねようとした私に繭先輩は無慈悲に「時間だよ」と告げた。

私をここまで追い込んで、あなたはどうしたいんですか？

披露宴の開始まで、私は必死にスピーチの内容を練った。しかし上手くまとまらない。

これまでの人生で追われたどんな〆切よりも切実で重かった。

スピーチ原稿の草稿はクラウドに保存してあるので破り捨てられたこと自体には問題がないのだが、繭先輩が没にしたスピーチを読み上げるわけにもいくまい。これは私と繭先輩の最後の勝負なのだ。ただつつがなく披露宴のスピーチを終えることには何の意味もない。

繭先輩が本物の怪物に成り果てたのなら、せめて殺してあげるのがかつての後輩でありファンの務めかもしれない。スピーチの場を利用して、私がかつて繭先輩から受けた仕打ちを迫真の演技でぶちまければ様々なものを台無しにできる。紫織の言う通り、一色虹が多方面から恨みを買っているというのなら過去のハラスメント行為は格好のスキャンダルになる……。

結婚式のスピーチがきっかけで作家を引退……これもまた一つの終わりとしては悪くないのかもしれない。これまでの印税もあるだろうし、別に生活に困りはしないだろう。

……いや、あまりにも凡庸だ。一色虹のファンがそんな安易な幕引きを描いていい筈がない。何より破滅なんて現実的じゃない。若き一色虹のパワハラ疑惑は一時だけ界隈を賑わせて、それきりになる。どうせ後から初代担当編集の横暴がどこかからかリークされて、「一色虹もまた被害者だった」で禊ぎだ。

要するに藺先輩は私を舐めているのだ。ぬるい思い出話もとってつけたような恨み節もあの人の筋書きを乱すことはできない。私が何をしようが、どうにでもなると踏んでいるのだろう。

創作から身を引いた私にこんなことを願う資格なんてないかもしれないけど……この一瞬だけでいい。あの一色虹を超えたい……。

そう思った瞬間、あの時の会話が甦った。

あれはそう、確か文藝連合の会誌のために『上手くなるまで待って』を執筆している時の話だ。藺先輩の部屋に泊まって、お酒を飲みながら愚痴ったんだった。

「上手く仕上がらないんですよう」

「なんだね突然。甘えた声を出して」

「ですから……最初は面白くなりそうだって思って書き始めたのに、書けば書くほど違うって気持ちになってきて」

「よくあることじゃない？　とりあえず書き上げてくれたら何か言えるけど」

「『上手くなるまで待って』ってタイトルで中身が下手だったら洒落にならないでしょう？」

「なぎさ、ここ一年で一番面白いこと言った！」

　繭先輩は楽しそうに笑うが、私は二重三重に傷ついていた。大して面白いこと言ったつもりでもないのにそこまでウケられると、普段はつまらないことしか言えない人間みたいではないか。いや事実かもしれないけど……だから書いている小説だってつまらない。

「ははは、ごめんごめん。そんなに凹まないでよ」

　今から思えば、繭先輩も担当編集から日常的にひどいことを言われて凹んでいた筈だ。そんな状況で私を励ましてくれた優しさだけは本物だと思っている。

「じゃあ、私からとってもシンプルなアドバイスをしてあげる。私にとっての読書の楽しみってなんだと思う？」

「アドバイスって言いながら質問しないで下さいよ。私、繭先輩みたいに気の利いたこと言えるような人間じゃないんですから……」

「あー、意地悪な質問だったね。じゃあもう答えを言うよ。なぎさは小説の最初の数ページを読んで『多分こんな話だろうな』って先読みしちゃうことってない？」

「あります。それなりに本を読むようになると、新作読んでも大体パターンが見えちゃうというか……」

「どんな物語も始まったら、もう予定調和の結末に収束しちゃうのは仕方ないと思ってる。だからこそ、こちらの先読みをいい意味で裏切ってくれると私は痺れちゃうんだ」

「……ちなみに今書いているのは最初は面白いのに終わり方が凡庸なんです」

「なぎさは書き出す時に結末まで決めて書くタイプだよね？　多分それがよくないんじゃないかな。悪い意味で小さくまとまってしまうというか……だから殻が破れない。そうだね、なぎさが面白いって思うところまで巻き戻して、それ以降はまっさらな気持ちで向き合うってのはどうかな？」

　藺先輩の提案は一見正しいように見えるが、それでも私は半信半疑だった。

「でも結末を決めないで書くって……難しくないですか？」

「人生だってそうじゃない。偉人の伝記をひもとけば、何事も全身全霊で挑んだら予定調和以外のラストだってあるって教えてくれる」

「偉人の影に数百数千のなりそこないがいると思うんですけど……」

「そんなに思い詰めないの。たかが小説なんだから」

まるで酔っ払いの戯言だったが、その直後繭先輩は素面に戻ったようにこう続けた。

「でもさ……自分で書いててつまらない奴だと思ってたキャラクターが思わぬ急成長を遂げたら凄く気持ちいいと思わない？　自分から生まれたものが自分の手を離れて一人歩きする感覚というか……」

「それはそうですね」

「私が思うに……作り手自身の予想を裏切って面白くなるキャラや物語との出会いこそ創造行為の醍醐味なんだよ」

「それって……どれだけ上手くなればその境地に至れるんでしょうかね？」

「さあ……私だって知りたいよ」

そう言うと繭先輩は床に横になってしまった。

「ちょっと、行儀悪いですよ！」

抱き起こそうとすると、繭先輩はもうまどろんでいた。酒がかなり回っていたらしい。

「だから……なぎさも早く上手くなってよ」

この後私はなんとか繭先輩をベッドに寝かせると、繭先輩の部屋で『上手くなるまで待って』の執筆を再開した。アドバイス通り、自分が面白いと感じるところから書き直す形で。酒が入っていたせいだけじゃないと思う。正体不明の興奮が私を駆り立て、明け方には完成した。最後は想定していなかったところに着地したけれど、本当にやりきった気持ちがあった。

私が本当に創作行為の喜びに触れたと感じた瞬間はあの時だけだ。

時計を見ると披露宴まであと一〇分だった。だが、私は答えを得ていた。


藺先輩の披露宴はつつがなく始まった。

「それでは新婦の後輩である相内なぎささんのスピーチです」

私は空手で壇上に上がり、スピーチを始めた。序盤は破り捨てられたスピーチ原稿を短く再構成した思い出話。藺先輩の表情は退屈で曇っている。状況が許せばあくびだってしかねない。

だから、ここでギアを上げる。

「藺先輩は昔、こんなことを教えてくれました。『作り手自身の予想を裏切って面白くなるキャラや物語との出会いこそ創造行為の醍醐味なんだ』と」

藺先輩の表情が揺れる。

「この場にいる皆さんにはご存じないことかもしれませんが、私は藺先輩に丸二年もつきっきりで鍛えてもらいました。自分ではそれなりに書けるようになっていたと思っていましたが、当時の知り合いに話を聞いてみると学内ではライバルがいないほどだったそうです」

みなが笑っていいところなのか迷っているのが解ったが、構わず続ける。

「ですがただの後輩にそこまでするわけはないと思います。そういう意味では薊先輩にとって私は後輩じゃなくて……キャラであり、作品だったんだと思います。しかし私はどれだけ手をかけても花開かない、つまらない人間でした……結局作家になっていないという現実が答えです」

もしもそんな私が薊先輩の予想を裏切ったら……それは最高の意趣返しではないのか？

「私は薊先輩を尊敬しています。厳しい道から降りることなく、張り詰め続けて……ついには一流作家に上り詰めたんですから。ねえ、薊先輩？」

スピーチ中に新婦に話しかけるだなんて反則だろう。だが一色虹ならキャラを追い込むために手段は選ばない。これは私なりの私淑（リスペクト）だ。

司会が困ったような表情で薊先輩のところまでマイクを持っていく。薊先輩は少し険しい顔をしていたが、やがて作り笑顔で私の言葉に応じる。

「なぎさは自分のことを謙遜しすぎだと思うよ。作家になるための技術は申し分なかったし……ただ、作家になるというのはゴールではなくスタート、厳しい道を歩くのだって簡単じゃないし、脱落した人も一杯知っている。なぎさは賢いよ。降りるなんて、私にはできなかったことなんだから」

薊先輩の言葉を聞いて、司会がマイクを引こうとした。だが薊先輩は司会からマイクをもぎ取り、こう続けた。

「だから教えて。私が誰よりも期待していたあなたが、どうして筆を折ったのか？」

解らない、思い出せないという答えは許されない問い。だがこうやって自分で自分を追い込み、そして繭先輩に追い込まれた結果……自分でも思わぬ言葉が出てきた。

「私は繭先輩がいなくなっても、あとは一人でやれると思っていました。だけど一人になって書いた投稿長編は落ちて、成し遂げられたことといえば文藝バトルでの圧勝……」

あの時、私は間違いなくカガケンさんを潰すつもりで作品を書いていた。まるで落選の憂さを晴らすように。

「でもようやく気づいたんです。私ができるようになったのはただの弱い者いじめだけだったということに……読者の心を強く揺さぶれるわけでもなく、ただ目の前の相手を叩きのめすしか能がない書き手に成り果ててました」

成り果てる。自分で口にしてしっくり来た。

「もしかするとあのまま投稿活動を続けていれば作家になれたかもしれません。だけどそれはきっと繭先輩と一緒に笑いあってた頃になりたかったものではなくて……」

今の一色虹へ皮肉を込めたわけではない。でも自分で敷いた理想のレールからズレてしまったと感じた時、走るのをやめてしまう人間だっているのだ。

「あれだけ手厚く育ててもらったのに、その力を弱い者いじめにしか使えない自分が情けなくなったんです……だから筆を折りました」

藺先輩が雷に打たれたように瞠目(どうもく)した。私の言葉が何かしらの形で刺さったのなら、あの二年間も報われたということだ。

「なぎさ、だったらあなたは……私への遠慮で自分の夢を諦めたっていうの？」

「あの頃、私には藺先輩が全てだったんです。思い出しただけで眩しくなるようなあの時間があったから、今つまらない生活を送ってても平気なんですよ。だからこそ、あの時間を汚すようなことはできませんでした」

「そんな……私は……」

その表情には強い後悔の色が浮かんでいた。藺先輩を……一色虹を私の言葉で絶句させることができた。私はもうそれだけで心が一杯だ。

「私はこの今に満足していますが、それでも藺先輩を失望させたことはこの場を借りて謝らせて下さい。ふがいない後輩で申し訳ありませんでした」

そう言い終えると、スピーチを打ち切るつもりで深々と頭を下げた。しかし拍手はない。不安になって頭を上げると、藺先輩の目には涙が浮かんでいた。

「私を泣かせるなんて……上手くなったじゃない、なぎさ」

そして涙を拭くと、こう言葉を結んだ。

「上手くなるまで待てなかったのは私の方だったんだね」

遅れて、万雷の拍手が鳴り響いた。

「……なんともまあ、綺麗なタイトル回収ねえ」

私は志麻子と一緒にランチを食べながら、事件の一部始終を語って聞かせた。

「あんたが私を誘うなんて珍しいって思いながら聞いてたけど、来てよかった。怪物に成り果てていた才谷屋先輩は自分の過去に刺されたってわけね。とっても綺麗な結末だ」

私としてはもっと時系列を整理して話したかったのだが、不満の残る語りでもこんなに反応がいいと嬉しくなる。

「……で、それから才谷屋先輩はどうなったの？」

じれたように志麻子が訊ねる。ここで気の利いた後日談でも話してあげれば、おひねり代わりにここを奢りにしてくれる気がするけど、流石にそれはやりすぎだ。

だから私は率直な思いを口にした。

「どうなったんだろうね」

「はあ？」

志麻子はナイフとフォークを音を立てて置いた。予想外の言葉だったらしく凄い形相でこちらを睨んでいる。せめてフォローしないと、ナイフとフォークが凶器になりかねない。

「美しい奇跡が起きました、彼女は改心しました、めでたしめでたし……ってなればいいけど、現実はお話とは違うんだからさ。人間がそんなスパッと変わるもんじゃないでしょ。それに一色虹がやってきた暴虐の数々がなかったことになるわけでなし」

何より披露宴からまだ一週間も経ってない。

「それもそうか。俗に言うハッピーエンドなんて、ただ幸せの絶頂で話をちょん切ったにすぎないもんね」

「そうそう。私と繭先輩の話だって悪いところを切って捨てれば綺麗な思い出だしね」

不思議なことに繭先輩が私に今後どう接してくるのか、全然想像がつかない。でも互いの言葉の裏の裏まで疑い、時には過去を伏線に利用して話し合うような間柄になってしまった以上、学生時代のように戻れるかどうかは解らない。私だってあの頃のように屈託のない人間ではないし。

「でも私の力業を褒めてほしいんだよね。繭先輩が一色虹だって解ってたことにしたんだから」

私の言葉に志麻子は持ったばかりのフォークを取り落とす。

「ちょっと待って……あんた解ってたんじゃないの？」

「いや、三木谷さんの口から聞いて初めて知ったの」

「じゃあ、全部嘘じゃん！」

嘘とは心外な。ちゃんとギリギリラインのフェアプレイをやりきったんだから。

「ハッタリと呼んでほしいな」

藺先輩はよく私の作品に「頭でハッタリをかませ」と言っていた。それを今になってようやく実践できただけの話だ。

「面白いことに、話している内に辻褄が合ってきたのも事実なんだ。最後の最後で、私が筆を折った理由が口から自然と出てきた時には、自分自身で『そうだったんだ』って思っちゃった」

恐ろしいものであの一件で私の中の空白は綺麗に塗りつぶされ、私が筆を折った理由は完全にそういうことになってしまった。

「というか、なんで私にはネタばらしをしたの？」

志麻子は複雑そうな表情で私を見つめている。

「この嘘はさ、藺先輩にしか価値がないんだよ。だから志麻子には真相を話してもいいって判断」

「なんか複雑な気持ち。引退した推し作家の最新作をこんな形で摂取することになるなんてね。ああ、でも今のあんた、少し才谷屋先輩みたい」

「そう？　あんなに美人じゃないけど」

上手くなるのは本来何かの手段であって、目的じゃない。それを取り違えた悲しい作家の物語はこれで終わりだ。

私はグラスワインを注文した。

「あれ、仕事は？」

「午後休取ったんだ。前、グラスワインを飲まれたのが悔しくてさ」

「まさかそのためだけに午後休を？」

「そう。だから帰ってもやることなくて。小説でも書こうかな。久しぶりだからちゃんと書けないかもしれないけど」

「マジ？　復帰するの？」

志麻子の驚いた顔ったらない。こんな顔をこれからも見られるなら小説ぐらい書いてあげてもいいかもしれない。

「まあ、上手くなるまで待っててよ」

［百合である値打ちもない］
斜線堂有紀

斜線堂有紀（しゃせんどう・ゆうき）

1993年秋田県生まれ。上智大学卒業。2016年、『キネマ探偵カレイドミステリー』で第23回電撃小説大賞メディアワークス文庫賞を受賞してデビュー。2020年、『楽園とは探偵の不在なり』が第21回本格ミステリ大賞（小説部門）の候補となる。主な著書に『私が大好きな小説家を殺すまで』『コールミー・バイ・ノーネーム』『恋に至る病』『廃遊園地の殺人』『愛じゃないならこれは何』『回樹』『本の背骨が最後に残る』など。

扉イラスト／たいぼく

耳前部を切開し、頬骨弓起始部を切除。上顎口腔粘膜を切開し骨膜下を剝離して頬骨体を露出させ、頬骨弓から頬骨体にかけてL字型に切除。分離骨部分を前内方へ移動して固定。固定部上方と耳前部に生じた段差をなだらかにし、切開創を縫合する。

　これで頬骨形成手術は終わり。顔はすっかり小さくなり、切開と縫合で作られたことなど分からないくらいになるようだ。

　脳は一番大切な場所で、頭蓋骨はそれを守ってくれているものである。それを無遠慮に壊していいものなのか、と私は思う。自分の魂は身体に宿っているものではなく、この固い骨の中に収まっていることを、もう知ってしまった。反射神経や動体視力が売り物になっているこの業界で、私は脳と両手の、およそ身体の中の三十パーセント程度しかない部分に全てが詰まっていることを理解してしまった。

　私が乃枝の隣にいられるのもその三十パーセントのお陰だ。もし頭蓋骨を弄ることで、この価値が失われてしまったらどうしよう。けれど、私のスマートフォンの待ち受けに設定されている乃枝の画像を見る度に、遅かれ早かれ私はこの『特権』を享受することが出来なくなるのだと察してしまう。

　私は鏡を見る。やや目つきの悪い、白目を赤く充血させた女がこちらを見ている。冴えない顔だ。肌の色もあまり明るくなくて、どれだけ保湿してもひび割れが治らない。こんな顔で、よく乃枝の隣にいられるものだ、と自分でも思ってしまう。乃枝のことがこんなにも好きなのに、乃枝の傍にいると緊張して上手く息が出来なくなる。今すぐみんなの視線から逃れて、化粧を直しに行きたくなる。

　私は醜い人間だ。美優島乃枝の恋人である資格がない。

　今の私は百合である値打ちもない。


『今期のママノエについて語るスレ』

＞やっぱり度重なるナーフでもあえてＡＫ使うこだわりのところが推せる。運営はナーフコールに対して過敏に反応しすぎだし、散々売り切った後で半年後にナーフしますっていうのが多すぎるから。その点でママユはちゃんとＡＫ使うところで抗議してるじゃん。ノエの方がもうスパイダー軸に入ってるから、どう考えてもママユのが好感持てる。
＞この間の配信のノエかわいいすぎ
＞ノエ今度公式大会のパーソナリティーやるんでしょ？絶対見るわ

＞ママノエのノエの方だけ出過ぎじゃね
＞だってノエじゃないと映えないでしょ。ていうか画面内ならいいけど実写でママノエ出すのかわいそすぎ
＞ママユは抜けない
＞ノエってそんな上手いか？どう考えてもママユにキャリーしてもらってるじゃん。
＞ノエがいなかったらそもそもママユが公式呼ばれるわけないじゃん
＞運営のエアプの犠牲になったノエ

美優島乃枝は、この世の大半の人間に比べて美しかった。

それが過大評価ではないことは、彼女に向けられる視線と言葉が証明してくれる。

誰かの言葉だけで判断することに抵抗があるなら、乃枝のことを実際に見てみるといい。乃枝の画像はインターネット上にいくらでも上がっているし、動画だって毎日のようにアップロードされる。というか、している。それに、彼女は人気ＦＰＳゲーム『ガンズヘイル』の公式プロモーターだ。ガンズヘイルの大会を見れば、乃枝が優雅に手を振っているところが見られるだろう。運がよければ、彼女と握手する権利も与えられる（ガンズヘイルのアマチュア大会の成績上位者に、乃枝が直々に握手とアドバイスを送るという企画があったのだ。彼女の握手には価値がある）。

美しさというものに余分な賞賛は要らない。たとえば、実際にナイアガラの滝を見

せれば、その迫力なんか言葉を尽くさなくても構わないように。

その目で確認すれば、それが抗いがたいくらいの力強さを持っていること、人間がどれだけ立ち向かおうとしても無駄なほど雄大であること、そして、落ちたら絶対に助からないことが理解出来る。

美優島乃枝と会うということは、そういうことだ。

彼女の前では美しさを讃える全ての言葉が無駄になる。

かくいう私も、初めて乃枝と出会った時は何も言えなくなった。

乃枝は女性にしては背が高く、一六五センチほどあった。それなのに、大柄であるとか無骨である印象は与えない。むしろ逆だった。肉は女性らしくしっかりと付いているのに、こちらに与えてくる印象だけがどこまでも華奢なのだ。ワンピースから出ている部分の肌は陶器のように白く、顔は私の半分程度しかないように見えた。その小さな顔を大きな目が引き立たせており、何故か彼女の目はいつでも微かに潤んでいた。

優雅に伸ばされた髪は、出会った時は腰の辺りまであった。これだけ長いのに、傷んでいるところが少しもない。綺麗な茶色い髪が地毛であるとは後から知った。つくづく恵まれていて、恐ろしい。

大きく作られた完璧なお人形さん、というのが私の抱いた陳腐な第一印象だった。

「あの……」

私が情けなく呆けていたからだろう。人形の方が先に口を開いた。とても聞き取りやすくはっきりしているのに、どこか甘やかな声だ。VCで散々聞いていたから、これだけは覚悟していた。

『ノエ』の声は可愛い。そんなことはとっくに知っていた。けれど、その声がこんなに美しい外見の女から発せられている、というのがどうにも現実味が無い。だって可愛い声の持ち主がそのまま可愛いだなんて、ちょっとお伽噺染みている。ガラスの靴と美しい外見がセットになっていいのは、お話の中だけじゃなかっただろうか。

「えっと、マユさんですよね？　私……ノエです」

「あ、はい。ノエさん……私……も、マユです」

「私もマユ？」

それがとびきり冴えたジョークであるかのように、ノエはくすくすと笑った。それは失敗をあげつらうものではなく、大好きな相手に向ける親愛の情の滲んだ笑い方だった。こちらの体温を少しだけ上げる声だ。彼女ほど美しい相手なら、あらゆる誤解を防げるのだ、と私は思う。ノエの上げる動画のコメント欄が、登録者数にしては不自然なほど荒れていないことを思い出した。

「えっ、あ、すいません。変な言い方でしたね。私がマユです」

「ふふ、マユさん。マユさんの声だぁ。私、VCで何度も聞いてるから、すぐに分かりました。喋ってないけど、なんかマユさんっぽいなあって。あ、遅くなってごめんなさい。会えて嬉しいです。その……私、マユさんの、ファンです」

「そんなファンって言われるほどのものじゃないです」

「でも、私はマユさんの動画を観てソウルケイジの使い方を覚えましたし……いっつも立ち回り参考にしてます。私はまだまだチェイスとかも下手なので。いつも教えてくださってありがとうございます」

「いやいや……ていうか、エイムズハルトならまだしも、MUMCの方は私がキャリーしてもらう側だから」

「そう！　いっつも遊んでくれてありがとうございます！　朝まで付き合わせちゃってすいません！」

くるくると話題が飛んで、彼女の表情も変わっていく。どこまでも魅力的な子だ、と思った。不意に、ノエが私の手を摑んだ。細くて白い指が、花束でも纏めるかのように私の指を包みこむ。

「でも、ほんっ……とうに、嬉しいです。私、マユさんに会えるのが楽しみで、昨日眠れないくらいで」

「あー、だからsteamのログイン時間があんなことになってたんだ。三時間前とか出ててビビったもん。寝てないの？　って。そんなんなら、今日キツくない？」

摑まれた指がじんじんと痺れる。彼女の発する空気に当てられて、何故か後頭部の方がじわりと熱くなる感覚があった。

「全然！　今日はいっぱい付き合ってもらいますから！　あ、そうだ！　私、ノエこと……美優島乃枝です。よろしくお願いします！」

「あ、うん。……吉川真々柚です。よろしく」

　インターネットで知り合った相手に本名を教えるなんて馬鹿げていると思うし、私はそんなことをするような人間じゃなかった。なのに、私はマユではなく真々柚と名乗り、出会って三分で彼女の目の虜になった。私は何も考えずに、どこまでもありふれた言葉を告げる。

「お人形さんみたいだね」

　果たして乃枝は、笑顔で言った。

「よく言われます」


『ノエ』と出会ったのは、ワーウォントナイツという一人称視点の――FPSゲームの中でだった。私は当時ワーウォンにハマり、ランクを上げる為に必死になっていた。自分のplayを客観的に見る為、後は同じワーウォンプレイヤーからのアドバイスを貰う為、私は毎週のように実況と解説動画を上げていた。ワーウォンのプレイヤー人口は当時そこまで多くなく、しかも私が使用しているキャラクターでランクマに潜っている人は少なかった。

　そんな中で、私と同じキャラを使った実況動画を上げていたのがノエだった。

当時のノエは顔出しをしておらず、音声とゲーム画面のみで配信を行っていた。だからだろう。そこまで動画自体も伸びていなかった。声の美しさとプレイスキルの高さだけではなかなかバズることの少ない実況動画界隈で、私はノエを最初期から知っていた。そして、そのプレイスキルに心底惚れ込んでいた。

ノエは実直にスキルを上げるタイプのプレイヤーで、毎日何時間もワーウォンに取り組んでいた。ただただ強くなりたいという姿勢が、声の可愛さに似合わないストイックさを感じさせて好きだった。

直接話したことはないけれど、自分とノエはきっと気が合うだろう。もしかしたら誰より仲良くなれるかもしれない。そう思うような相手だった。まだ話したこともない、恋に落ちるどころか仲良くなるきっかけもないままで、私はそう思った。

ノエと仲良くなりたい。そして友達になってみたい。

そう思っていた時に、ノエが動画の概要欄にこんなことを書いたのだ。

ノエ『大会練習したいんですけど、同じくらいのPSの方申請してもらえませんか？』

同じくらいのプレイヤースキル。同じくらいの腕前。

これを逃したら、もう自分とノエの人生は交わらないだろう。私にはその確信があった。

マユ『よければ通してもらえると嬉しいです。マユっていいます』

だから、一生分の勇気を振り絞った。

そうして、初めてＶＣを繋いだ時のことをよく覚えている。

『あー、あー……聞こえますか？　ノエです』

「聞こえてます。マユです」

『あ、マユさんだぁ。なんかディスコからマユさんの声が聴けるのって不思議な感じ』

耳をマユの声がくすぐる。人なつっこさを前面に出した声に、なんとも言えない気分になった。

「実は、こうしてＶＣ繋ぐの初めてなんですよね。界隈の人とはあんまりＶＣでデュオやらないから」

『え、そうなんだ。だとしたら、ノエ嬉しいかも……。あのね、こういうこと言ったらストーカーみたいに思われちゃうかもだけど、ノエ、ずっとマユさんのこと知ってて』

「え？」

『ほら、ワーウォンのランクマに、マユさんずっといたから。ノエ、どんな人だろーって』

二人きりの時でさえ、乃枝は人前に出る時と同じようなふわふわとした喋り方を崩さない。四六時中完璧に作っているのでなければ、これが素であるということだろう。

こんな子と自分が合うとは思えなかったのに、プレイヤーとしてのスタンスも合っていたからか、私達はすぐに意気投合し、果てはリアルで会うようにすらなった。

ここまで私が乃枝に入れ込むことになったのは、やはり彼女が並外れて美しかったからなのだろうか？　と時々考える。結局、見た目が好きで、だから乃枝に惹かれただけなんじゃないかと。

けれど、好きになる理由に外見を挙げても許される程度には、乃枝は化物染みた可愛さをしていた。

こうして意気投合した私達は〝ママノエ〟というチームを組むことにした。ソロで大会に出るのもいいが、ペアの選択肢があれば出られる大会の幅は広がる。

乃枝は前々から使っていたノエという名前をそのまま使うのを決めた。そして私は乃枝に合わせる形で本名の真々柚をカタカナでプレイヤーネームにした。

「ゲームする時はずっとマユって呼んでたから変な感じ」

「そうだね。慣れるまで逆に間違えそう」

「あ、でも最近は真々柚って呼ばないように気を付けてたくらいだから、こっちの方が乃枝は嬉しいかも」

　乃枝が指先を擦り合わせながら、照れくさそうに言う。乃枝が生配信の時にうっかり真々柚と呼んでしまったのが二回あった。配信じゃなく動画を撮る時は更にミスが増え、その部分をお蔵入りにしなければならなかった。マユからママユに変えれば、そのミスは全部カバー出来る。

「これはもう開き直りだよ。昔から見てる人は私の本名なんかとっくに承知してるだろうし」

「これからは気兼ねなく真々柚って呼べるなぁ。真々柚、真々柚ー。普段は真々柚って呼んでるから、慣れっこで嬉しいー」

　乃枝が嬉しそうに言う。乃枝の呼び間違えをフォローするという名目で決めたプレイヤーネームだったけれど、本当のところは本名と同じ音で呼ばれたいだけだったのかもしれない。緊張感のある場面だからこそ、真々柚とあの声で導いてほしい。

「乃枝ね、真々柚とゲームするのが一番好きだよ。世界で一番、好き」

　乃枝が愛おしげに目を細めながら言う。カフェに美しく降り注ぐ光の束が、彼女を柔らかく照らし出していた。ほんの一瞬だけ、私はこの日の為に今までゲームをしてきたんじゃないかと思ってしまった。

「大会頑張ろうね」

乃枝の言葉に、私は頷く。

乃枝が私を選んでくれたのだから、彼女を最高の舞台に連れて行きたい。これから先もずっと、乃枝の一番でいたい。その気持ちが特別であることには、私はまだ気がついていなかった。


ママノエの軌跡は輝かしく、翳ることを知らなかった。

「ガンズヘイルのプロプレイヤーに、してもらえる……」

その話を聞いた時の乃枝は呆けていて、何を言われているのか分からないようだった。私だって、最初に連絡を貰った時は状況が飲み込めず、相手に何度も同じ話をさせてしまった。乃枝がぱちぱちとまばたきをして、長い睫毛を揺らす。私は、真面目な顔をして頷いた。

「そう。正確に言うならSTILLGAMESに所属しないかって話。ママノエで」

「乃枝も一緒？　真々柚と二人？」

「……私達はデュオでやってるから、とりあえず二人で。ガンズヘイルだけじゃなくて、出来れば他にデュオやってるプレイヤーと組んで、四人でノマオンとかもやってほしいとか」

ママノエを組んで以来、私達は様々なゲームの大会で結果を出し続けた。成績上位に名前を連ねられたのは三度ほどだったが、スカウトを狙うには十分だった。女性二人のデュオチームがきちんと強いことも目立っていたのだろう。

「えっと……その、すごいね。こんなことになるなんて、乃枝思ってなかった」

「でもプロとして通用するくらい頑張ろうとは言ったよね。夢が叶うよ。こうしてSTILLGAMES側が声を掛けてくれることなんてなかなか無いだろうし」

プロチームとしてスカウトされることは目指していたゴールの一つだったけれど、予想よりも数段早い。この業界では早く声を掛けられれば掛けられるほど、一線で活躍出来る期間は長い。そもそも、相手方がどんな基準でスカウトをしてくるかも分からないのだ。これを逃したら次が来るのがいつになるだろうか。

けれど、乃枝は不安そうに眉を寄せていた。

「プロになれるのは嬉しいけど、乃枝……ちゃんと出来るか分かんない。配信のお仕事もあるし」

この頃の私達は自分達でチャンネルを作り、動画を収益化することで生活していた。贅沢をしなければ週に一度のバイトでも悠々暮らしていける額、と言えば、その人気の度合いが測れると思う。

人気の要因は乃枝でもあった。

ママノエとして活動していくことを決めてから、私も乃枝も顔出しで配信を行うようになった。すると、乃枝のことが各所で取り上げられるようになったのだ。

この令和の時代でも『美しすぎる配信者』の称号が生きているとは思わなかったけ

れど、その化石を頭に戴いて、ノエは有名になり始めていた。配信者としては、かなり盤石であったと言っていい。

　だからこそ、乃枝の目は「このままでいいんじゃないの？」と言っていた。

　でも、私はそうじゃなかった。乃枝と一緒に手に入れられるものなら、全部手に入れてやりたかった。尻込みする乃枝を引っ張り上げるように、私は言う。

「大丈夫だよ。相手はママノエの実力を認めてくれてる」

「だって、乃枝は真々柚ほどはゲーム上手じゃないし。足を引っ張っちゃうかもしれない。そうしたら真々柚に迷惑掛けちゃう」

「そんなことない。私は乃枝と一緒だからやりたいと思ったんだよ。それに、相手はママユじゃなくてママノエを求めてるんだから、私だけだと門前払いでしょ」

「そっか……」

　乃枝が所在無げに視線を彷徨わせた後、不意に花の咲くような笑顔を見せた。

「じゃあ、乃枝もやる。真々柚と一緒にママノエでプロデビューする」

「そうだよ。大変なことも多いだろうけど、きっと楽しいよ」

　言いながら、私は深く安心していた。今更乃枝以外と組んでゲームをすることなんか考えられなかった。私は確かに結果を出しているけれど、それらは全て乃枝のサポートが無ければ成し遂げられなかったことだ。

　それに、ママノエがスカウトされたのは純粋なプレイヤースキルだけが理由じゃない。実力があるのは本当だけれど、それだけで求められるような世界でもない。

スポンサーはノエではなく乃枝に価値を見出したのに違いなかった。美しすぎる配信者が美しすぎるプロゲーマーに羽化するところを見たいのだ。それを理解しているから、私は乃枝を絶対に口説かなければならなかった。

ホッとする反面、じくりと胸が疼いた。ママユだけでは絶対に来ないオファーを、ノエは手に入れられる。同じママノエの中でも、私達には違いがある。目の前の美優島乃枝は、光の差す場所にいないのが憚られるほどに、愛らしかった。


それが起こったのは、乃枝と私がプロゲーマーになってから二週間ほど経った頃のことだ。

私達はＳＴＩＬＬＧＡＭＥＳに所属し、ガンズヘイルのプロプレイヤーとして毎夜のように大会練習を行うようになっていた。

ＶＣを繋ぎ、連携をよくする為に何度も話し合いを重ねる。乃枝は近距離武器を選択しているので、私は遠距離武器を担当した。野良でやる時とは違い、乃枝がいることを前提にプレイをするのは新鮮だった。これからも契約が切れない限り、私達はママノエとして活動していくことになる。スポーツ選手と同じ実力の世界で戦っていく。

プロプレイヤーという立場の重みはあったけれど、乃枝と一緒にプレイ出来る喜びがそれを打ち消してくれた。乃枝も乃枝で、雑談を交えつつも真剣にスキルとコンビネーションを研ぎ澄ませていった。

「乃枝、いい感じじゃん。すごいよ」

『本当に？　真々柚に褒められて嬉しい。乃枝ね、プロになってよかった』

「え、ほんと？　やっぱりよかったよね」

『だって、真々柚とこうしてずっと一緒にゲーム出来るんだもん』

乃枝が心底嬉しそうに言うので、私も自尊心がくすぐられた。みんなの大好きな可愛い乃枝が、自分のことを信頼してくれている。それだけで、私はどんなに大変な練習でも超えられるような気がしていた。乃枝もきっと同じ気持ちだろうと、無邪気に思っていたのだ。本当は、そうじゃなかったのに。

気持ちにズレがあると知らしめられるような出来事が、この時にあった。


その日の乃枝はいつもより口数が少なかった。プレイをする時に必要な最低限の言葉しか発さず、それすらどこか上の空だった。

キャラの動きに支障が出ていないのは、それが身に染みついた動きだからだろう。その点は好感が持てる。

けれど、率直に言って私はイラついていた。折角プロになれたのに、初の公式試合で醜態を晒したら契約を切られてしまうかもしれない。私は乃枝と一緒にこの舞台に立てたのが嬉しかったし、これから現役を引退するまでずっと一緒にいたかった。それなのに、練習に身が入らないなんて困る。

もしかして、デビューしてからアイドル染みた扱いをされ過ぎて、そちらの方に意識が向いてしまっているのだろうか。心の中に澱が溜まる。この二週間で、どれだけ乃枝の外見を褒めそやす言葉を聞いただろう。褒め言葉どころか、単純な私への反応すら乃枝の十分の一にも満たなかった。ママノエは乃枝のチームだった。私がどう足掻いたとしても。

その特権に乃枝が気がついて、私のことを下に見るようになったのだとしたら。

乃枝がそんな人間だとは思っていない。こんなものはただの被害妄想だ。だが、妄想だからこそ歯止めが利かない。

「どうしたの？　乃枝なんかあった？」

濁った内心を押し隠して、遠く離れた乃枝に尋ねる。その間も、フィールドから拾った武器の入れ替えはスムーズに行う。マウスとキーボードをしゃかしゃかと動かしながら、お喋りであるはずの乃枝が何かを言うのを待った。

『何かあったわけじゃないんだけどね』

「でも、明らかにおかしいよ。乃枝いつも喋るじゃん。嫌なことあった？　何か困ってる？　私達は一応二人チームなんだからさ、何かあったら言わないとプレイにも影響が出るでしょ」

『そう……だと思う。ごめんね。乃枝、真々柚を怒らせるつもりじゃなくて』

「いや、怒ってはないよ。心配してはいるけど」

『真々柚は優しいね』

いつものように鼓膜を揺らす、可愛らしくて甘やかな乃枝の声。私はその声を聴いていると、何でも許せそうな気持ちになってしまう。私達が隣りあって立っているのは仮想空間上の戦場なのに、まるですぐ傍に乃枝がいてくれるような気分になる。

さっきまでささくれ立っていた気持ちが、優しく解(ほぐ)されていく。まるで魔法だ。私は、この乃枝の声を権能だと思っていた。聴く人を魅了し、心を開かせる特別な才能の一種。乃枝の得意な振り向きざまのフェイントと同じプレイスキルの一種だと考えていた。それを惜しげもなく私にまで発揮するのは、ちょっとやり過ぎていると思っていた。

『あのね、真々柚』

「どうしたの」

『……あの、乃枝ね』

「うん」

『乃枝、真々柚が初めて声を掛けてくれた時、嬉しかった。乃枝も真々柚のこと見てたから、運命かなって思ったし。……乃枝ね、真々柚の朝まで一緒に遊んでくれるところも、乃枝が不安な時はまっすぐ話を聞いてくれるところも好き。乃枝あんまり決断とか得意じゃないんだけど、真々柚は乃枝の気持ちを聞いた上で手を引いてくれるよね。真々柚がいなかったら、乃枝どこにも行けなかったよ』

「そんな、私は――」

『乃枝、真々柚のことが好きなの』

だから、まさか彼女がここで権能を使った理由が、ただ単に好きな人に好かれたいからだったなんて想像もしなかった。

「……え？」

私の手は脳よりもスムーズに動く。だから、告白を受けながらも、ノエに迫っている敵を綺麗に撃ち抜くことが出来た。ノエの方も相手の背後に回り込み、空中回避を決めながらダウンを取っている。けれど、彼女の声が揺れているのは明らかで、ゲームのやりすぎで潤んだ目がじっとこちらを――仮想上の私を見つめているのが想像出来た。

『急にこんなこと言っても困ると思うんだけど、本気なの。乃枝、真々柚が好き。こうしてプロになってから言うのもよくないと思ったんだけど、このまま黙ってる方が影響が出そうだから、本当にごめんね。言っちゃった』

「ちょ、ちょっと待って、本気なの？」

『本気。本当にごめん。こうして仕事として二人でやってるのに、好きになっちゃうのとか駄目だよね。でも、考えれば考えるほど、乃枝はこのままだと嫌だなって
……』

「仕事としてやってるからとかじゃなくて、だって、ほら、乃枝も私も女同士でしょ？　あんまり、そういうの……なんか、」

『乃枝はそういうの関係ないと思う。乃枝は真々柚が好きだし、真々柚が乃枝と付き合えないって言うんなら、振ってくれて構わない。乃枝、ちゃんと割り切れるようにするし、大会でも結果を出せるようにするから。そこは気にしないで。……でも、ここで、ちゃんとしたい』

どうして、と私は思う。

どうしても何も無いのかもしれない。

同性同士だから油断していたけれど、私と乃枝はあまりにも一緒にいすぎたのだ。毎日連絡を取り合い、毎晩のように一緒にゲームをした。彼女の声をこの数年でどれだけ聴いただろう。二人でしか話せないことをどれだけ夜の肴にしただろうか。私は乃枝のことを知りすぎてしまったし、その逆も然りだ。

それに、今の私達は運命共同体だ。E-Sports の世界を二人で生き抜いていく為に、支え合おうとした関係だ。何かが芽生えたって、多分おかしくない。

これだけ長く一緒に何かをしていれば、相手が唯一無二の相手だと思い込んでしまうことも、それが真実の愛になってしまうことも不思議じゃない。だって、結局のところ人を好きになること、恋の始まりなんてそんなものだろうし。

プロになるかどうかを決める時、不安そうにしていた乃枝のことを思い出す。

それでも彼女が契約をしたのは、もしかするとこの感情があったからなのか。好きな相手と運命を共に出来るならと、乃枝は決断してくれたのかもしれない。私の背を冷たい汗が流れる。相変わらず、戦況はびっくりするほど優勢だった。私達の息の合い方は完璧だった。

なんだか涙が出そうになった。私達は息が合っている。だって、私は、美優島乃枝に告白されて、嬉しい。

『……ごめんなさい。真々柚を困らせるつもりじゃなかったの』

「いや、困ってない！　困ってないけど！　その、びっくりして……。あのね、乃枝。私も乃枝のことが好きだよ」

一瞬、沈黙があった。

『本当に？』

「うん、本当に……。その、乃枝と付き合うとか、全然考えてなかったけど、……私も乃枝のこと好きだよ」

『信じていい？』

「信じていいっていうか……うん。信じていいよ」

『じゃあ、真々柚も、ちゃんと言ってくれる？』

「え？」

『好きって』

　そう言う乃枝の声は弾んでいて悪戯（いたずら）っぽくて、私の好意を芯（しん）から疑っていなかった。好き、と言わせたいが為に不安な振りをしてみせる乃枝の顔が浮かぶ。両思いであることを確かめあって幾分も無いのに、もう既に掌（てのひら）で転がされている。それが少しも嫌じゃない。

　リザルトが表示される。私の動かしているキャラクターと乃枝の動かしているキャラクターが誇らしげにピースをしている。何度も見た、これからも見たい勝利モーションがそこにある。私はゲームの中の歓声に紛れ込ませるように、小さく囁（ささや）いた。

「……好きだよ、乃枝。ずっと好きだった」

　嬉しい、と乃枝が言う。その声が鼓膜を揺らした瞬間、何故か私はママノエのデビュー時に撮られた写真のことを思い出した。私の手を取り幸せそうに微笑（ほほえ）む乃枝。その横で引き攣（つ）った顔を晒す私。あの時、カメラのフラッシュは凶器だった。

　私でいいの？　と、心の奥底に溜まった澱が叫んでいる。さっきまでアイドル扱いをされていた乃枝に暗い感情を向けていた私でも？　それでも、私が乃枝を好きなのも本当だった。

　私が憎いのは、乃枝とは明らかに釣り合わない外見をした自分だった。澱を掬（すく）って見てみると、そこに映っているのは醜く歪（ゆが）んだ顔をした私だ。

　乃枝と付き合うのだから、こんなものを持っていてはいけない。やめよう、と私は手を離す。乃枝と自分の違いに目を向けて、傷ついてやるのをやめよう。

そして私は意図的にそういった澱を封じ込めてやることにした。そんなものは乃枝との交際には必要が無いことだからだ。

皮膚を切開して眼窩隔膜を確認し、眼窩隔膜を切開する。眼窩隔膜の端を皮膚の裏側に縫い付けた後に縫合。術後は腫れがあり、暗紫色の内出血が見られる。一ヶ月から三ヶ月で傷跡が目立たなくなり、手術をしたことが分からないくらい自然な二重瞼を実現することが出来る。

可愛すぎるプロゲーマー兼美しすぎるプロゲーマー兼美人過ぎるプロゲーマー兼お人形さんそっくりのプロゲーマーであるノエちゃん、こと美優島乃枝は、配信者であった時とは比べものにならないくらい注目を浴びていた。

可愛いのにプレイヤースキルがある。美人なのにちゃんと上手い。どうして逆接で繋げられるのか分からない言葉を受け流しながら、乃枝は求められる役割をこなし続けた。

ママノエが大会で勝ち上がる度に、私達は並んでコメントをした。その際にマイクを向けられるのは九対一でノエの方だった。

そのことには何も文句はなかった。この不公平で私が傷ついていると思われやしないかだけ気になったけれど、乃枝がいる場で私に言葉を求める方がセンスが無い。

マイクを向けられたノエは、いつもの乃枝らしいマイペースなコメントをした。楽しいとか嬉しいとか悔しかったとか、そういう率直な言葉を衒（てら）いなく言う様は、横で聞いている私をも魅了した。

「でも、一番嬉しいのは、やっぱりママユと一緒に出来ることです」

一段弾んだ声で乃枝が答える。不意に、乃枝の目が悪戯っぽい光を宿した。何をするつもり、と言うより早く、乃枝が私に抱きついてくる。

「うわっ！」

「ママユ、いつもありがとう！　ノエ、ママユがいなかったらこんなに頑張れなかったよ。私を楽しい場所に連れてきてくれてありがとう。これからも、今までも、乃枝は真々柚がずっと大好きだよ」

「分かった、分かったって……！」

「真々柚も言ってよ！　折角取材されてるんだよ？　乃枝のこと好きって言って！」

「わかった、わかったって！　私も乃枝のこと大好きだよ！」

私を抱きしめる乃枝の力が、一層強くなった。私を離すまいとしているのが伝わってくる。乃枝の顔が微かに赤らんでいる。こんなに他愛のない言葉だったのに。いつも言っているのに。それでも、乃枝は新鮮に喜んでいる。

『ママノエ、リアル百合チーム』『頼むからママノエ結婚しろ』『ママノエはチーム名が既にカップリング名っていう強すぎるチームだから』『ママノエよすぎる』『ああいう見え透いた百合営業されると萎える』『こういうあからさまなオタク媚びに踊らされる皆さんお疲れ様です』『ノエちゃんのママユ見る時の目が好き』『ママノエ最高』

先日のインタビューが効いたのか、インターネットがそんな感じで沸き立っていた。多くは私達の関係を冗談半分で消費しようというコメントばかりだったけれど、複雑な優越感も覚えた。

周りが付き合っているんじゃないかと想像している裏に、本物の感情が根を張っている。荒唐無稽な話でもなんでもなく、みんなの考えていることは正しい。

こうして騒がれると、まるで私と乃枝が色々な人にお似合いだと認められ、祝福されているような気分にもなった。私達が恋人でいるのを、みんながちゃんと認めてくれている。

「なーに見てるの？　あ、コメントだ」

同棲にもすっかり慣れた様子の乃枝がパソコンをひょっこりと覗き込んでくる。そして、素直に驚いた顔をした。

「え、乃枝と真々柚が付き合ってること、どこからバレたのかなぁ。乃枝、誰にも言ってないのに」

「違う違う、これはそういう文化っていうか……女の子同士が仲良くしてると、はしゃぐようになってるんだよ。付き合ってるかどうかは別として、付き合ってたらいいなーで」

「ふうん……乃枝にはよくわかんないけど」

そう言いながら、乃枝がゆっくりと私の身体に腕を絡めてきた。釣られて彼女の方を向いた私に、乃枝が啄(ついば)むようなキスをする。ちゅ、という出来すぎた音が二人の間で鳴った。

「……こういうことみんなの前でしたら、みんな大喜びかな？」

「……大喜びは……どうだろう……物凄(ものすご)くびっくりはすると思うけど」

「ふふー、乃枝たちって尊いんだってー。みんな、なんにも知らないのによく分かってる」

乃枝が私からマウスを奪い、ホイールをくるくると操作してコメントを繰っていく。私もさっきのキスの感触を思い出しながら、ぼんやりと彼らを眺めていた。ママノエが好きで、私達のキスで本当に喜んでくれるかもしれない人達。

その時、不意に乃枝がウインドウを閉じた。突然の行動に驚いて振り向くと、乃枝は眉をぎゅっと寄せて「飽きちゃった」と言った。

「真々柚ももうパソコンやめよ？　ご飯食べてゲームしようよ」

「急にどうしたの」

「インターネットのコメントなんて見ない方がいいって、前に真々柚が言ってたー」

「それは確かに言ったけど……」

乃枝の顔は明らかに引き攣っていた。隠しごとが出来ない人間だ。彼女が感じた動揺や怒り、そして悲しみが如実に伝わってきて苦しくなる。

乃枝がウインドウを閉じる直前に表示されていたコメントを反芻する。

＞ノエの隣にいるとママユのブスさが際立って悲惨
＞顔でかすぎ。ノエとどんだけ違うの
＞ノエとママユがえっちしてても全然絵にならんのよ

原因は明らかだった。

乃枝は優しいな、と一瞬思い、優しさなのかな？　とも数瞬思う。

動物が叩かれているのを見て耐えきれず目を逸らすのを、優しさと呼んではいけないような気もする。ただでさえ色の白い乃枝の顔が真っ白になっていた。

こんなものは傷ついてやる価値もないようなありふれた誹謗中傷だ。乃枝の隣で顔出しをし始めた頃から、何度も言われていたことだ。

不快ではあるけれど、いちいち目くじらを立てても仕方がないくらいの言葉だ。それよりもママノエで喜んでいる人の方が圧倒的に多いし、気にしても無駄だ。

乃枝はこういう悪口に耐性が無いから、ここまで心を動かされているのだろう。試合中の煽りには冷静な乃枝なのに、たかだか私がブス呼ばわりされただけでこうなるのか、と思うと面白くもあった。

「……乃枝、大丈夫だから」

「何が？　乃枝も大丈夫だよ」

「みんな何も考えず言ってるだけなんだって。ママノエ尊いも、それ以外も。ね？」

そう言って、今度は私からキスをした。恥ずかしいし上手くやれている気がしないので、自分からは滅多にしないキスだ。だから、私からすると、乃枝はころっと機嫌を直してくれる。

あるいは、ころっと機嫌を直してくれる振りをする。

自分達の全てが消費されていくこの業界で、乃枝は折り合いを付ける術を何個か持っている。辛くて苦しくて納得がいかなくても、私からキスをされたらやるせなさを流す。強くて優しくて美しい美優島乃枝。

みんな、私達がキスをしているところを見たってそんなに喜ばないかもしれない。だって、私と乃枝は釣り合っていないから。私と乃枝では絵にならない。

少しでも小さくならないかと、頬骨や輪郭を押してみる。けれど、どう骨が動いたところで、私の顔が乃枝と同じ大きさになるとは思えなかった。

プロゲーマーになって二年が経つ頃には、乃枝は俄に忙しくなった。本業であるゲームの他に、プロモーターとしての役割も担うようになったからだ。地上波のテレビに出演すると、乃枝はあの笑顔でゲームの宣伝をしていた。乃枝の美しさはそういった場でも十分過ぎるほど通用するもので、周りを震わせた。

　私は生放送に呼ばれた乃枝を、画面越しに見つめることが多くなっていた。私達はデュオチームではあるが、仕事の割り振りが平等にあるわけじゃなかった。私はあくまでプロゲーマーであり、乃枝にはプラスアルファの価値があるのだ。

　ただそれだけのことだった。

　乃枝がいない家の中で、乃枝を支えられるようにひたすら練習をする。乃枝が弱い部分のカバーが出来るように、フレーム単位でのエイムを磨く。

　乃枝はあれだけの活動をしながらも、プレイスキルが極端に落ちることはなく、私との息も相変わらず完璧だった。尊敬に値する。だったら、私は乃枝を支えられるようなプレイヤーにならなければ。

　一人でランクマに潜っていると、パソコン脇に設置したランプが点灯した。このランプはインターホンと連動していて、ゲームをしている時でも来客に——そして、帰宅してくる乃枝に気づけるような仕組みになっていた。乃枝は家の鍵を開ける前に、必ずインターホンを鳴らして私を呼ぶ。

　私は玄関に向かい、渋い顔で靴を脱いでいる乃枝を迎える。乃枝は明らかに疲れていてよれよれだったけれど、気怠（けだる）い彼女からは普段よりも数段色気が立ち上っていた。

「んあー、疲れたぁ」

「お疲れ。遅かったね」

「音響監督さんが色々話したいとかで……別に大した話じゃなかったけど」

「音響監督？　凄いね。それっぽい」

「色々言われて疲れちゃった」

乃枝は今日、アフレコの仕事だった。

私達がやっているガンズヘイルのスキンに、乃枝をモデルとしたものが実装されることになったのだ。スキンにはキャラクターボイスとして、実際の乃枝の声が付いている。

これで、乃枝にそっくりのキャラクターで、乃枝の声で喋りながら戦場を駆けることが出来る。人気のプロプレイヤーであるとはいえ、漫画やアニメのキャラクターじゃない、現実の人間がスキンとして実装されるのは異例だった。

開発途中のスキンを見せてもらったけれど、力を入れて作っているのか、それは驚くほど乃枝に似ていた。乃枝の外見がゲームの世界観に合っていたからかもしれない。茶色がかった髪も、人よりずっと白い肌も、近未来的な衣装によく似合っている。

この異例の実装も、乃枝はあまり気が進まなそうだった。

「乃枝は真々柚とじゃなきゃやだって言ったのに」

「私はそういうの向いてないから」

「だって、乃枝と真々柚がいたらママノエが再現出来るんだよ？　乃枝だけがいても意味ない」

　私を無理に実装しても、世界観に合わなくて浮いてしまうだろう。あるいは、魔改造されるだけされて、原型を留めない形で実装されるかのどちらかだ。私を模したママユスキンが誰にも使われないところを想像すると、流石にこたえる。

「今日スキンの進捗見せてもらったけど、やっぱりなんか怖かったよ。乃枝に似てて」

　洗面所に、手を洗う乃枝の不服そうな声が反響している。私は何故かそちらの方を見ないようにしながら応答した。

「乃枝くらい可愛いと3Dモデルで再現しやすいんだろうね」

「なんか、運営側からのお願いだし、結局断れなかったけど、乃枝こういうのあんまり好きじゃない。やりすぎ。乃枝は乃枝スキンの敵撃たなきゃだし。撃てるかな」

「撃てるでしょ。私は割り切って撃つし」

「真々柚ってばひどーい。あ、でも負ける方が嫌だから、そっちのがいいかも」

　正直、今回の実装はやりすぎだと私も思う。キャラの口から乃枝の声がすれば、私は動揺してしまう。きっと戦場には乃枝スキンのプレイヤーが大量に現れるから、私は乃枝を撃つことになるのだ。

「でもまあ、お仕事だから」

「ん……そうだけど……」

乃枝が何とも言えない表情になる。

こうして乃枝単独の仕事が増えても、私達は全てのギャラを折半にしていた。そうしなければ受けないと乃枝が頑なに拒否したからだ。私が折れて折半を受け容れると、乃枝はホッとした表情でプロモーターとしての活動を始めた。

「今度、音響監督さんがやってるアニメにゲストで出ないかって言われた。乃枝の声に合ってるキャラがいるからって」

「へえ、いいじゃん。アニメかぁ」

「でもそれって、乃枝の仕事なのかなぁ」

「乃枝の声はすごくいいから、色んなところに使いたくなるのもわかる」

「乃枝は声優じゃないから、演技とかはそんなに上手くないんだけど。他もそうなんだよね。本職じゃないから半端になっちゃう」

「そうかな。そこらの声優よりは魅力的だよ。それに、この間のグラビアもよかった」

この間受けたばかりのモデルの仕事も、連鎖的に思い出した。MMORPGのメインキャラの格好をして、カメラに向かって微笑む乃枝。その写真が、来週発売されるゲーム雑誌の表紙を飾る。きっと話題になるだろう。ゲーム界隈だけじゃなく、世間的にも有名になるはずだ。

乃枝は美しい上に器用だった。

仮にプロゲーマーを引退したって、乃枝には仕事があるだろう。

「真々柚、何考えてるの？」

気づけば、乃枝はアウターを脱いで私の前に立っていた。そのまま、乃枝がじりじりと私をリビングのソファーの方に誘導する。

「何考えてるのって……乃枝の声は本当にいいなって」

「ありがと。でも、一番いい声は真々柚にしか聞かせないよ」

言いながら、乃枝が私のことを優しくソファーに押し倒した。乃枝が手ずから選んだ、大きくて柔らかくて、とってもいいお値段のするソファーだ。「こういうのが選べるなら、私も変な仕事受ける甲斐があるよね」と、乃枝が笑っていたことを思い出す。

乃枝が私の鎖骨を唇で食んだ。オイルティントのべたつきが無い。きっと、手を洗うついでに唇を綺麗に拭ったのだろう。用意周到なことだ。大変可愛い。

「ねえ、真々柚……いい？　乃枝、今日すごい頑張ったから」

「いいけど……うん。いいよ」

「やったぁ」

乃枝が甘えた声を上げて、私が着ていた部屋着をたくし上げる。露わになった下着の金具を舌で突いてから、その下の胸に軽くキスをした。

先にお風呂に入っていてよかった。乃枝がこうして甘えて押し倒してくることを予想して、帰宅に合わせて身体を綺麗にしていたのだ。

乃枝はいつも何故かいい匂いがする。髪はいつもツヤツヤとしている。帰ってきたばかりで、まだお風呂に入っていないのに、どこもかしこもぴかぴかで、まるで光を放っているように見えた。自分と同じ生き物だとは到底思えなかった。

乃枝には分からない。私の気持ちは。出来る限り彼女に近づこうとする私の気持ちは。


セックスをしている時はいつも、朝までゲームをしていた頃のことを思い出す。

私も乃枝も予定が無い休日は、そうして長時間やり続けるのがお決まりだった。ネット上の対戦相手と競い合い続けるオンラインゲームには、明確なクリアが無い。どちらかがやめようと言うまで、自然ともう一戦、もう一戦を積み重ねていく。

お互いに自分から「やめよう」も「終わりにする」も言いたくなくて、言われたくなくて、眠気で口数が少なくなっても無理矢理続けて朝日を見た。

私達が行うセックスも同じように、終わりをはっきり定められない。どちらかがやめようと言うまで、ぬるま湯のような快感に浸り続けるものだった。むずかるように私に唇を寄せ、私の指の動きに合わせて甘い声を上げる乃枝は扇情的だけれど、同時にどこまでも日常の乃枝だった。

終わりたくないし、終わらせたくない。どちらもここを抜け出すきっかけになりたくない。私達はずっと一緒にいたくて、ずっとこうして遊んでいたいのだ。

結局どちらからともなく眠りについてしまうのも同じだった。乃枝が発するやわらかい匂いが、近くにあることだけが違う。


希望の高さに形成したプロテーゼを、鼻の穴の内側を切開して内部に挿入。縫合して固定することで、骨と骨膜の間で安定させる。これで顔全体が立体的になり、鼻筋がスッと通る。


乃枝スキンが実装されてから三ヶ月経ち、複製された乃枝が戦場を縦横無尽に駆け回るのにも慣れた頃、乃枝が突然炎上した。

同じようにガンズヘイルのプロモーターを務めているＶＯＩＤという男性プレイヤーとの熱愛を疑われたからだ。

ＶＯＩＤは女性ファンの多い、言うなれば外見の整ったプレイヤーだった。勿論、乃枝には到底及ばなかったけれど、並ぶとそれなりに絵になった。お似合いだと言っている人もどんどん増えていき、二人が疑似カップルのように扱われることも増えた。

乃枝はあんな性格だから、異性であるＶＯＩＤにも親しげに振る舞い、ボディタッチも多かった。普通なら誤解されそうなことでも平気でしてしまったのは、乃枝側の油断もあるだろう。

乃枝は私と付き合っていることを意識し過ぎていた。私と乃枝以外が恋人に見られることなんて想像もしていなかったのだ。

乃枝はＶＯＩＤともプライベートでマッチしていることを語り、ＶＯＩＤとの仲の良さを微笑ましくアピールした。それに合わせて、ＶＯＩＤの側も乃枝とはただのプロモーター同士ではないと仄(ほの)めかした。

乃枝にその気は無かったけれど、ＶＯＩＤはそうではなかったのだろう。彼は明らかに外堀を埋めようとしていた。自分と乃枝が付き合っていると仄めかすことで、乃枝をその気にさせようとしたのだ。私は週刊誌に熱愛報道を流したのすら、ＶＯＩＤだったのではないかと思っている。

ＶＯＩＤと乃枝の熱愛報道が出ると、乃枝はあからさまに狼狽(ろうばい)した。ＶＯＩＤと共演する生放送でも怒りを露わにし、子供っぽく不貞腐れていた。それが逆効果であるとは分かっていたのに、生放送を観ているだけの私はどうすることも出来なかった。

ＶＯＩＤとの熱愛が晒されてからの乃枝は、今までの行動も含めて糾弾(きゅうだん)されるようになっていた。ああして懐いていたのは、やはり男女の仲になっていたからだったのか。公然と見せつけていたのか。あのボディタッチの量はおかしいと思っていた。そういう具合だ。

自分は昔からそう思っていました、という冷静なコメントを見ると笑ってしまった。

全然本当のことなんか分かっていないじゃないか。

燃え滾る怒りを見せる乃枝に、ＶＯＩＤの方も戦いているようだった。こうなるはずじゃなかった、というような顔だ。周りが騒いでくれたら、乃枝は場を収める為にもそれらしい振る舞いをしてくれるだろう、と。

だが、そうはならなかった。

＞あからさまにノエキレてんのにアレに触れずにいくのかよ
＞説明した方がいんじゃないすかね
＞全員落ち着けよ。あれだけ可愛い子に彼氏いないはずないだろ
＞この二人共演させせんのやめさせた方がいんじゃないすかね
＞生々しい想像しちゃうからマジでやだわ

コメントは荒れに荒れていた。ゲームの新情報や調整についての話よりも、乃枝とＶＯＩＤがどうかという話の方がみんなの関心を集めている。運営もきっと頭を抱えていることだろう。あるいは、普段の数倍の視聴者数を記録しているところにだけ注目して、この炎上を一時の見世物と割り切るだろうか。

その時、締めのコメントを求められた乃枝の瞳が、キッと強い光を宿した。まずい、と私は思う。攻められて反撃に転じる時、勝手なコメントに憤る時、私の容姿を貶す

コメントを見た時、乃枝は同じような目をしていた。

「乃枝は……乃枝はＶＯＩＤさんとはお付き合いしていません」

ゲームの感想も、番組を締める気の利いたコメントも何一つ言わない。隣にいるＶＯＩＤもぎょっとした顔をしていて、それだけはすごく面白かった。コメントが早すぎてよく見えない。この嵐の中で、乃枝ははっきりとカメラを――私を見据えていた。

「こういうことを言われると、迷惑です。不快です。そういう妄想に私が付き合う義理はありません」

乃枝は一礼すると、さっさと画面外に出てしまった。ＶＯＩＤの方も何故か一礼をして出ていき、放送がそのまま終わる。

ガンズヘイルの運営も入っているグループＬＩＮＥに『すいません』とだけ送っておいたが、既読はついたものの返信が無い。これはどういうことになるのだろうか？

焦っても仕方がないので、豚汁を作りながら乃枝を待った。豚汁のように、ひたすら具材を切って煮込むような料理は、心を落ち着かせるのに最適だ。大根を同じ形に切り、大鍋に入れていく。

恋人になり、乃枝と暮らし始めた頃、一番驚いたのはその食生活の荒れ具合だった。あのお人形さんのような見た目をしている女の子は、驚くべきことに一食をスナック菓子で済ませるようなタイプだった。夕食時にいそいそとポテチを取り出す乃枝を見て、かなり驚いたことを思い出す。

「いつもこんな感じなの？」

「余裕がある時は外に食べに行ったりもするけど……なんか、お腹がいっぱいになればいいかなって」

吹き出物一つ無い、つるりとした肌をした乃枝が、しゅんとした顔で呟く。私も他人に胸を張って見せられるようなご立派な食生活をしているわけじゃなかった。けれど、乃枝よりはまだまともに物を食べている。

「わかった。食事は全面的に私が担当する。洗濯とお風呂掃除は乃枝がやってくれる？」

「うん！　ごめん。あ、その……嫌いになった？」

「ならないよ。こんなことじゃ。むしろ、どんなことでも」

「よかったぁ」

乃枝が顔を綻ばせ、頰にキスをしてくる。迂闊なことに、乃枝はグロスをべったりと私の頰に付けることとなった。

「わ、ごめんねごめんね」

乃枝の手が私の頰を雑に拭う。グロスが頰の上で広がって、更に酷いことになっている気もする。乃枝もそのことを理解したのか、じわじわと気まずそうな笑顔が浮かんだ。

「お風呂入ろっか。一緒に」

「……いいよ。ご飯遅くなっちゃうけど」

「そしたら真々柚も今日はポテチで済ませようよ」

「それはやだ。……お風呂上がるのに合わせて出前頼もうか。ピザ食べたい」

「えー、ポテチとピザって同じじゃない？　でも、乃枝もピザ食べたいな」

そうしてピザを注文した後で、二人してお風呂に入った。デリバリーが届くまでの四〇分では全然時間が足りなくて、濡れた髪のまま受け取る羽目になったことを思い出す。

それ以来、私は乃枝の身体を作るものを作り続けている。乃枝は食事に頓着しない生活をしていたけれど、好き嫌いが無くて何でもよく食べた。だから私は、出来る限り野菜を食べさせようとしている。豚汁とか野菜スープがよく出てくるのも、それが理由だ。

鍋いっぱいの豚汁が出来上がった頃、インターホンが鳴った。玄関まで乃枝を迎えに行くと、扉が開くなり乃枝に抱きつかれた。そのまま、二人して玄関に倒れ込む。押し倒されている形になるので、乃枝の顔が見えない。

「放送見てた？」

「見てたよ。……見てた」

「乃枝はああしたかった。あんなこと言われたくなかったから。……ごめんね。真々柚のこと巻き込んで……」

「いいよ。全然大丈夫。むしろ、乃枝が何か言われたんじゃないかって……」

「あの啖呵はすごいとか、あれで全部誤魔化せるよとか、そういうの。……誤魔化しじゃないですとも言ったけど。なんか、腫れ物に触るような感じで」

容易に想像がついた。あそこの運営やスタッフは、乃枝に強く出られない。乃枝はいつでも完璧なプロモーターだったし、単純にみんな乃枝のことが好きだから。どうとでも転べるように曖昧な反応をしたのだろう。

「これ、どうなるのかな。……降板とかになったりして」

「大丈夫だよ。みんな乃枝のこと好きだし」

「まあ、降板してもいいけどねー。乃枝は実力があるから。ゲームで勝てばいいわけだ。真々柚もそう思うよね？」

「それはその通り」

全部を吹き飛ばしてしまうくらいあっけらかんと言う乃枝に、思わず苦笑しながら言ってしまう。

「でも、これからどうしようね」

私はぽつりと呟く。それに合わせて、乃枝も怖々と「どうしよう」と言った。

選択肢は二つ。このまま黙るか、公表してしまうかだ。アンチは相変わらず私達の言葉を信じようとしないだろうが――むしろファンですら強引な火消しだと苦笑するだろうが――真剣に訴えれば信じてくれる人もいるかもしれない。

「乃枝はこのまま、本当のことを言いたい。信じない人もいるかもしれないけど、そんなのは気にしなければいい。だって、乃枝が好きなのは真々柚なんだから。付き合ってること、みんなに言おうよ。だって乃枝達は何も悪いことしてないでしょう？」

「……そう、かもしれないね」

抱きしめられながら、私は思い出す。

豚汁用の野菜を切りながら、よせばいいのに掲示板を見に行った。案の定大荒れなママノエスレを確認し、みんなの反応を窺う。

＞ノエマジギレ？

＞わかるやろ。あれはママユと付き合ってる。リアル百合ですわ

＞あんな可愛い子がレズに走るわけない。目醒ませ。あの顔面で男に相手にされないわけないだろ。

＞あのビッチの逆ギレを無邪気に信じられるオタクは人生楽しそう

＞ノエああいう風に逆ギレするタイプだと思ってなかったから普通にショック

＞やっぱママノエしか勝たん

＞ママユの方はレズでもおかしくない顔してるけど、よりによってノエはな…

＞あれで鎮火出来ると思ってるノエやっぱ頭悪いわ。前から思ってたけど一人称が自分の名前なあたり育ちの悪さ出てるよね

＞もうＶＯＩＤとの交際認めたようなもんだろ

前見た時よりも数段悪辣(あくらつ)なコメントが並んでいる。私達が有名になりすぎたのか、今回ばかりは乃枝の目の付けられ方が悪かったのか。どちらにせよ、ここは私が見て幸せになれるような、ささやかな優越感の供給場所ではなくなっていた。前のように私達をフィクションの一種として、やわらかく消費してくれる人々がもういない。だから私は、言葉に爪を立てられてしまう。

＞仮にノエがレズだったとして付き合ってる相手がママユです～ってこたないだろ。好きになるか？ママユのこと
＞よっぽど誰でもよくなきゃあの顔と付き合おうとは思わない
＞ママユかわいいけどな。ノエの隣にいるからあれなだけで
＞ノエが外見でママユのこと好きになったと思ってる？そもそもノエはそういうので人を好きになる人間じゃない
＞ママユの外見が見れたもんだったら生放送とかでハブられないだろ。人前に出すような顔じゃない

「……や、付き合ってるって言うのは、やめようよ」

私はなるべく平坦に、爪痕が気づかれないように、乃枝に言う。

「これ以上触れなければ、ＶＯＩＤとの件は鎮火するよ。変にそういうこと言わない方がいいと思う。それに、付き合ってるかどうかっていうのはさ、別に誰かに認められる為に言うことじゃないでしょ？」

「それはそうだけど……」

「誰に何を言われても気にしなければいいんだよ。私達がちゃんとしてれば」

嘘だ。これは前向きな振りをしているだけだ。――乃枝が納得しやすい言葉を並べて、この場を収めようとしているだけだ。でも、建前を並べることがやめられない。私達は逃げるのではなく、こちらの方が正しいし毅然としているから、敢えて触れないことを選ぶのだ。そうお互いに納得する為の言葉だ。

「……そうかもしれない。乃枝、少し頭に血が上りすぎてたかも。人の言葉に振り回されて、どうにもならなくなってた」

「そうだよ。……ほら、手洗って。豚汁作ったから。お肉も焼くね」

「……うん。真々柚、ごめんね。ありがとう。好き」

乃枝が私の身体を解放し、耳朶に小さくキスをする。外から見れば、これほど絵になる仕草も無いだろう。

　ぱたぱたと洗面所に消えていく乃枝を見て、私は泣きそうな気分になる。駄目だ。こらえなければ。

本当は言いたかった。何かしらの場を設けて、私と乃枝が本当に付き合っているのだと全世界に主張したかった。乃枝と手を繋いで、まるで結婚会見みたいに微笑み合うところを想像する。

——乃枝。私が乃枝と同じくらい可愛い顔をしていたら。誰からも認められるくらい、外見が整っていたら。せめて乃枝の隣にいても後ろ指を指されないくらいの顔をしていたら。私は乃枝の恋人であると胸を張って言いたかった。

乃枝のスキンと一緒に、私のスキンも実装してくれればよかった。私も乃枝と一緒に、戦場を駆け回りたかったのだ。

生放送でのキレ方に相当なインパクトがあったからか、あるいは脈の無さを完全に察したＶＯＩＤが改めて声明を出し、その後一切交際関連の話題を出さなかったからか、次第に事態は落ち着いていった。乃枝がプロモーターを降板させられることもなかった。残った影響といえば、私達が配信をしている時に、からかい半分でママノエについて触れてくる視聴者が出てくることくらいだった。

ＶＯＩＤとの件にあんなに怒ってたのはママユと付き合ってるからなの？　というコメントが流れてくると、乃枝はにっこりと笑顔で応対した。

「そうだよー。ノエはママユが大好き。ずっと一緒にいるんだ。百合営業？　じゃないよ。本当だもん。ね、ママユもノエのこと好きでしょ？」

「あーうん、好きだよ。ノエのこと本当に好きだし、頼りにしてる」

∨出た！　ママユの塩対応w

∨ノエ報われるように頑張れ～

「報われてるよ！　両思いだから！」

「うんうん。私もノエのこと大好きだよ」

軽口とリップサービスに隠して、私は本当の気持ちを吐露する。誰か、この本物に気がついてほしい。私達のことをちゃんと認めてほしい。お似合いだって、顔出しした後でもちゃんと言って。

私達が世界で一番幸せなカップルだって認めてほしい。

ＶＯＩＤとの一件が鎮火するのと入れ違いに、私は整形について調べ始めた。

鏡に映る自分をじっと眺める。

それほど悪い容姿であるとは思わずに生きてきた。中肉中背でどこにでもいる、普通の女だ。十人並みという言葉がよく似合う。けれど、カメラを通すと、顔は大きく目は小さく、いつでも不満げな表情を浮かべているように映る。乃枝と同じ生き物であるとは到底思えない。髪はごわごわしていて、少し癖っ毛だ。頬骨が出ているし、鼻も乃枝に比べると同じパーツとは思えないほど低い。

　プロゲーマーとして活動するのに容姿なんて関係が無いと思っていたけれど、美優島乃枝の恋人でいる為には、私の外見は全然足りない。

　これではみんなが認めてくれないのも当然だった。

　腫れぼったい一重瞼を指先でなぞり、ここに一つ線があったとしたら、私の運命はどれほど変わっただろうと思う。線が一つ無いだけで、私と乃枝は隔てられている。

　それを踏み越える術が無いわけではないのだ。

　私にはまだ、手立てがある。

　カレンダーを確認した。次の大きな大会は二ヶ月後だ。

　手術の後は一ヶ月は腫れが続くという。術後のクールダウンを踏まえ、仕事に大きな影響が出るのは避けたい。そこから先の大会や親善試合は三週間後だったり一ヶ月後だったりして、影響の出ない施術は現実的ではなかった。このタイミングで、ぽっかりと競技シーンに穴が空いているのは奇跡だった。

　私の決断を更に後押ししたのは、乃枝の不在だった。

　生放送でとんでもない幕引きを行った乃枝はお咎めこそ無かったものの、挽回のチャンスを（半ば強制的に）与えられることとなった。

　行ったことがない地方の大会に乃枝を出張させ、その様子をネットで流すことにしたのだ。

乃枝は今まで、そういった地方への出張を断り続けていた。泊まりがけでどこかに行くことに抵抗があった、というか、私をこの家に一人にしておくのが嫌らしかった。けれど、真々柚も一緒に来ればいいという提案に頷けるはずもない。交通費や滞在費は馬鹿にならないし、それを運営に要求出来るほど面の皮が厚くもなかった。

「……スタッフさんとかみんな、気にしないでって言ってくれたんだけどね。やっぱり乃枝があいうことしたことで困った面もあったと思うんだ」

乃枝を動かすのはギャラの払いでも下手なおだてでもなく、罪悪感だった。私は「乃枝が行ってもいいと思えるなら、行った方がいいと思う」とアドバイスをし、乃枝は目を潤ませながら一週間の留守を受け容れた。

出がけに乃枝は微かに涙を滲ませながら言った。

「真々柚とこんなに離れるなんて初めてだね。寂しい」

「私も寂しいよ。乃枝とずっと一緒にいたもんね」

「ね、毎日電話するからね。ちゃんと出てね。乃枝がいない間に誰かを連れ込む……ようなことは真々柚だから絶対無いんだろうけど、うーん、元気でいて。このまんまの真々柚でいて」

「信頼が眩しいよ」

「真々柚だからね」

私の額にちゅうと唇を付けながら、乃枝が言う。

けれど、私は乃枝の言葉を裏切ることを決めていた。『このまんま』でいるつもりはなかった。

乃枝を送り出してから、私はすぐさま予約していた病院に向かった。骨切りによる輪郭形成術を受ける為だ。

初めての整形で骨切り——骨を削る手術に手を出そうとする私に、医者はあからさまに難色を示した。最初は二重にする手術だとか、ボトックスという注射によって顔の肉を落とす処置だとかの軽いものから試すべきだというのが彼の意見だった。けれど、私は毅然として言った。

「一番大きなところから変えたいんです。腫れが引くまで時間がかかるもの、普段の生活に一番大きな影響が出るところを」

「どうして？」

私は自分がプロゲーマーとして活動していることと、大会までの期間の話をした。すると、医者はますます怪訝な顔をした。

「ゲームの世界の話は私には分からない。けど、アスリートは現役時代にはまず整形しない。トレーニングに明白に影響が出るし、……あなたの場合は、競技中に思い切り顔をぶつけるとかの心配は無いかもしれないけど」

「ええ、そうですね。分かってます。だから、影響を最小限にしたくて」

「プロゲーマーとして活動しているのに、どうして整形を？」

私は答えられなかった。一瞬、今まで自分が受けてきた仕打ちや、乃枝とのことを洗いざらい話そうかと迷う。いや、アスリートの例を出してくるなら分かっているはずじゃないのか。どれだけ結果を出しても、そこには必ず容姿の審判が下される。美しすぎるスポーツ選手の肩書を知らないとは言わせない。

沈黙を長引かせないよう、医者は「いや、理由なんて関係ないですね。申し訳ないです」と言った。整形前のカウンセリングをしっかり行うところもあるようだったが、私が掛かったところはそうではなかった。私の決意が揺るぎないことを知ると、医者は施術の日取りを調整してくれた。

「これ以降も整形を考えていますか？」

「はい。それで多分、いつかは目もお願いすると思います」

「大抵は二重が入口なんだけどね」

「私にとっては目が一番大事だから。最後に」

自分の瞼に触れながら、私は言う。

そして、私は二時間半にわたる手術を受けた。

日帰りも選択出来るというからそうしたのだが、手術が終わった直後から後悔した。全身が妙に重く、意識が朦朧（もうろう）としている中で喉の痛みだけがじくじくと主張していた。これは麻酔の管で喉が傷ついてしまうかららしい。術後すぐの顔は思ったより腫れていなくて、顔を固定するフェイスバンテージを付けられてすぐ帰された。

そこからの三日が地獄だった。

固いものはまともに食べられず、買い置きしていたゼリー飲料だけを飲んで過ごした。痛み止めが切れるとのたうち回るほど痛いが、無闇に乱用するわけにもいかない。こんなに痛いとは思わなかったが、当然だ。私は骨を削ったのだ。

顔は腫れ上がり、ヘッドホンを付けることも出来なかったので、この三日はゲームを起動することもなかった。乃枝と出会ってから初めてのことだった。多少熱が出ていても、三〇分くらいは指を動かしていたのに。

腕がなまらないよう毎日毎日やっていたことを突然奪われた。プロゲーマーとして活動し始めて、誇りであり義務だと思っていたルーティーンなのに。

しかもそれは病気や怪我ではなく、自分の見た目を多少マシにする為の処置によって奪われたのだ。けれど、この整形に踏み込ませたものも、プロゲーマーという職業だ。そう思うと、一体自分がどこにいるのか分からなくなる。正しい方向に、乃枝のいる方向に自分は向かっているのか。

何よりキツかったのは、乃枝との通話に出られなかったことだ。

乃枝は宣言通り毎日私に連絡をくれた。けれど、テキストメッセージはまだしも通話は難しかった。声を出すと痛みに呻（うめ）くことになるのもあったが、乃枝の声を聞いたら弱音を吐いてしまいそうで怖かった。

だから、体調不良ということで押し通して、通話は断固拒絶した。乃枝はあからさまに動揺し、帰ろうかと何度も尋ねてきたが、私が強い文章で拒否すると、切り替えたように仕事に戻った。性根の責任感は強い乃枝だ。割り切ったら早い。

もう二度とFPSなんか出来ないんじゃないかと思ったが、術後四日目になると嘘のように痛みが引いた。顔は相変わらず殴られたように腫れ、内出血の痕がグロテスクに浮いていたが、寝返りを打つ度に叫びながら起きることはなくなった。ちょっともたついているが、ちゃんと喋れる。固い物も徐々に食べられるようになるだろう。

顔の変化はまだ分からなかった。抜糸が終わって腫れが完全に引いたら、そこには違う自分がいるのだろうか。私は単純な連想でみにくいアヒルの子を思い出す。白鳥を目指すにはボロボロな顔を見ると、何だか笑えてきた。

笑わなかったのは帰ってきた乃枝で、各地の美味しいものを目一杯に持って帰ってきた彼女は、腫れ上がった私の顔を見るなりぶわっと泣いた。涙の粒がそれほど大きくなるものなのか、と感心してしまうほどだった。

「骨切り、って何？」

「えー、骨を削って……顔を小さくする」

「痛かった？」

「まあ、そこそこ」

「まだ痛い？」

「いや、もう……痛くないとは言わないけど全然マシ」

「そうなんだ。なら、よかった」

乃枝はそれだけ言うと、すんと鼻を鳴らして涙を止めた。可愛い顔を真っ赤にしながら、ごそごそとお土産を開く。

「乃枝さぁ、真々柚に食べさせようと思ってスルメ買っちゃった。港のスルメは美味しいから」

「ありがとう……タイミング悪かったね」

「あとね、鮭とばも買ったの。真々柚好きだから」

「うん、ありがとう。ほんとに……タイミングだね……」

「言ってよぉ、濡れおかきとかウニの瓶詰めとかあったのにさぁ」

「それについては全面的に私が悪かった。ごめんね」

「ほんとだよ！」

乃枝はそう言いながらも、けたけたと笑った。

「ところで、これってちゅーとかしない方がいいかな？　もしかしてえっちも駄目かな⁉」

「ちゅーは……その、唇にそっとしてくれるのは大丈夫だと思う」

「ほんとに⁉　舌入れていい⁉」

「舌はあと三日待ってほしい」

帰ってきて泣いた乃枝は、一度も整形の理由については尋ねなかった。

痛みが引いてから、私は顔にバンテージを嵌めつつゲームに復帰した。一日休むと三日分下手になる、というピアノでよく用いられる例えが本当だったことを実感したものの、九日分の遅れ自体はゆっくりと挽回すれば問題が無さそうだった。

顔を思い切り振ると痛みがあったが、そんな風にプレイする人間はいない。WSADが叩ければいい。練習時間を短めに抑えて休みを入れつつ、勘を取り戻していく。プレイスキルが戻っていくのと反比例するように、一ヶ月経つと腫れがかなり引いて手術の効果が目に見えるようになった。顔が一回り小さくなり、その分各パーツが大きくなったように見える。術後の経過は良好で、半年後には更に顔が小さくなるようだ。

手術をする前よりは、今の顔の方が乃枝に釣り合っているように見えた。

正解を引き当てた感覚があった。整形をすることで、私と乃枝は少しずつお似合いになっていく。誰からも文句を言われないようになっていく。ならば、私はやり続けるしかなかった。

ダウンタイム中に二重の手術なら出来そうだったので、間にそれも挟んだ。最後にすると言ったのに、効果を目の当たりにした私には——払った対価に対してのリターンの大きさに気づいた私には、躊躇(ためら)いが無かった。

全体の印象を変えたのは骨切りの方だろうが、パッと見ての変化として大きいのは二重の方だった。腫れぼったかった目がぱっちりと開いて、別人のように見える。そして、鼻のプロテーゼ手術を検討している間に大会がやってきた。

大会の結果はさほど悪くなかったように思う。六位という結果は、至らないものの契約解除を申し渡されるようなものではない。それに、私達は前回四位だったのだ。勿論、悔しくはあった。今持てる全力を出したとは思うし、乃枝との連携も上手くいっていた。それでも、優勝にはほど遠い。ただでさえ、乃枝はスキャンダル明け初めての大会だ。華々しい結果を残せたら、外野を一気に黙らせることが出来たかもしれないのに。

記者からのインタビューを待ちながら、一瞬だけ思う。もし自分が整形をしていなかったら。骨切りのダウンタイムで弱っている期間が無ければ、もっと上位に行けたのでは？　自分は乃枝に迷惑を掛けたのでは？　そんな思いがぐるぐると頭を巡る。

すると、隣にいた乃枝がするりと私の手を取った。マウスを握り込んでいた所為でまだ赤みの残る指が、ぎゅっと私の掌に絡む。乃枝は何も言わず、インタビュアーを待っている。

それで、自分でも驚くほど落ち着いた。私も乃枝に倣って、まっすぐに待つ。

「ノエ、すっごい悔しいです！　今回は調整が入って初めての大会だし、ノエはスキャンダル明けでもあるし、勝っていいところ見せたかった！　あ、でもママユは今回も最高で、ますます大好きになりました！」
「……えー、今日は凡ミスが二回もありましたし、エイムの精度もよくなかったと思います。遠射も振るわなかったですね。あ、でもヘッドショットは多かった気もしますし、得られたものが多かったかなと……でも、悔しいです。ノエと一緒に勝ちたいので」

インタビューに答えている間中、私達はずっと手を繋いでいた。

『【リアル百合発覚？】ママノエについて語る48【営業？】』
＞ママユ整形した？あきらか顔違う
＞化粧でしょ。アイプチとメイクであんくらいにはなる
＞ママユ男出来た？
＞ママユはノエと付き合ってる定期
＞出た　百合営業で興奮してる勢は妄想と現実の区別付けて
＞今日も手繋いでたぞ

＞手繋ぐだけで付き合ってると思うやつらどんな人生送ってきてんの
＞あれは整形。ママユ整形に手出したんだ。破滅の一歩だね
＞整形って言い切れるやつ整形してるだろ
＞でも単純にママユめっちゃ可愛くなってた
＞それ
＞典型的整形顔になるよあれ　ノエみたいにはならないから
＞整形でも何でもいい　今のママユのがいい
＞並んでて不快感無くなった
＞なんでプロゲーマーの顔の話ばっかすんのここ
＞おフェミはお帰りください
＞容姿言及しただけで顔真っ赤にするよなフェミ
＞フェミで美人見たことない
＞ママノエ最高

　家に帰った後、乃枝はすぐさま抱きついてきて、切願するような様子で私を求めた。ソファーになだれ込むようにして、寝転がる。乃枝の真剣な眼差(まなざ)しが私のことを射抜いていた。乃枝、と名前を呼ぶと、声を呑(の)もうとしているかのように乃枝が唇を重ねてきた。タイミングが合わなくて、一瞬呼吸が出来なくなる。苦しげな声を上げると、

乃枝がハッとしたように飛び退いた。

「痛い？　どこか痛い？」

「いや、痛くないよ、大丈夫。ちょっと息出来なかっただけ」

乃枝の過剰反応の理由は分かっていた。彼女は未だに、ダウンタイムの腫れが忘れられないのだろう。私の肌の奥に痛みの種がまだあって、それを芽吹かせてしまうんじゃないかと怯えている。大丈夫だよ、と私はもう一度言う。

「手術の跡はもうどこも痛くない。大丈夫。あんまり気にしないでよ」

「……分かってる。ごめん、ごめん」

ごめん、の意味も、その後に乃枝が続けようとしている言葉も何も分からなかった。私はもう一度ソファーに身体を預け、視線で乃枝のことを呼ぶ。乃枝は手負いの熊のような、張り詰めた顔で私の元に戻ってきた。

「次、やるとしたらどこ？」

「……鼻かな。プロテーゼ。生放送前にやりたい」

次の生放送には、乃枝だけじゃなく私も出ることになっていた。長年ママノエとして活動してきたのに、初めてのことだった。私の立ち位置はあくまでゲストであり、ノエのように正式にプロモーターになったわけじゃなかったが、それでも出演者にはなれてしまった。

大会の結果は芳しくなかったのにどうしてだろう？　そんな風に言えるほど、私は愚かではなかった。

「痛かったりする？　また長く腫れる？」

「プロテーゼ自体はそんなに大変じゃないし、多分大丈夫。あんまりゲームプレイにも影響無いし。あと、鼻の穴から切るから傷跡も全然目立たないって」

「乃枝、インフルエンザの検査も苦手だったから、うぐってなるけど」

　やり方が分からないという理由で殆ど化粧をしていない乃枝が、眉を顰める。今日も十全に、そして完璧に可愛い。

「鼻やったら流石に生放送でバレるだろうなー。今、私結構低いから」

　元々、前回の大会の後からも整形したしてないの論争が巻き起こっていたくらいだ。化粧でなんとかしただとか、ダイエットに成功しただとか、映り方の問題だとかが飽きずに語り尽くされているのを、私は逐一見守っていた。

　ゲーマーの容姿がどうであろうと関係が無いというコメントも無くはなかったが、やはり大多数は興味津々だった。貼られていた比較画像は、自分でも別人のように見えた。前の私を見ていた人達があれこれ言いたかった理由も分かる。これが乃枝の隣にいたら言いたくもなってしまう。

「バレると駄目なの？」

「いや。今の時点で整形顔って言ってる人もいるし別に。その整形顔ですら、前よりは全然好意的だよ」

「そうなの？」

「やっぱり目の前に出てくるものが綺麗になってたら、それはそれで嬉しくなるんだと思う。ノエの隣にいるわけだしね」

「ふうん」

乃枝の声が明るいままの部屋に響く。そういえば、こうして身体を重ね合うのに、電気を消すことすら忘れていた。リモコンが近くに無いかと探っていると、乃枝が緩く私の手を留めて「駄目」と囁く。駄目、というのは電気を消すのが駄目ということだろうか。

「見せて。乃枝に全部」

有無を言わせない口調に、息を呑む。冷たい表情をした乃枝には威厳があり、こちらの背が粟立つような色気があった。

ずっと、訊けなかったことがある。

乃枝は、私の顔が変わっていくことをどう思っているんだろうか。私が整形していくのを、乃枝は黙って見ていて何も言わない。そんなことをやめろとも、もっと弄った方がいいとも、何もだ。前の方が良かったとも、今の方が綺麗だとも言わない。不安が段々と大きくなっていく。明るい部屋の中で、乃枝の心だけが見えない。

乃枝が私に顔を寄せ、鼻の先に軽くキスをした。私がこれから変えようと思っている部分。乃枝とは全然違うパーツ。

私の顔は変わってしまった。それでも、乃枝の前で喘ぐ自分が可愛くなっただろうことには、充足を覚えた。

プロテーゼの手術は前よりもずっとスムーズにいった。

そして、鼻を高くすることは、見た目に劇的な変化をもたらした。最後の一パーツが正しい場所に嵌まったみたいに、私の天秤は一気に美人の方に傾いた。

そうして迎えた生放送の日、私にもヘアメイクが付くことになった。他人に化粧をしてもらうのも、たった二時間の為に髪をセットしてもらうのも初めての経験だった。吸い込まれてしまいそうなほど大きな鏡の前で、私は改めて自分の顔を見る。

面影は残っているものの、以前の私とはまるで違う別人がそこにいた。自分が「こうだったらいいな」と思ったことが、少しずつ叶えられているような顔だ。整形は成功していた。

勿論、乃枝には遠く及ばない。気になるところはまだまだあるし、そこを変えていったところで、到達点が奇跡の仕上がりにはならない。けれど、前よりはずっと似合っている。

乃枝とは別の部屋で、私のメイクが始まった。担当してくれたのはショートボブのこざっぱりとした女性で、言ってしまえば地味な風貌をしていた。メイクを仕事にしていても、派手な風貌にはならないようだ。松田です、と挨拶をされ「ママユです」と、返す。

「普段どういうメイクされてますー?」

松田さんが尋ねてくるが、どういうメイクをしているかを具体的に言えるほど、ちゃんとメイクに向き合ったことがない。そういうの詳しくなくて、と言うと、松田さんはにっこりと笑って言った。

「ママユさん、黒目大きいからカラコン無くても映えますね」

「そ、そうですか……?」

「そうですよ。ていうことは、シャドーをがっつり入れずにラメだけでも充分かもしれない」

松田さんと鏡越しに目が合う。私の顔をキャンバスに、楽しそうにメイクの計画を立てていく。

「二重の線に沿って……」

「あ、あの、二重、整形なんですけど……」

慌ててそんなことを言ってから、口元を押さえる。どうしてそんなことを言ったのか、自分でも分からない。松田さんに見透かされる前に暴露してしまった方がいいと思ったのだろうか。下地すら塗っていない肌が赤くなる。

するとと、松田さんはあっけらかんと言った。

「あ、そうなんですね。綺麗に成功してていいと思いますー。埋没ですか？」

「は、はい、そうです」

「可愛いと思いますよー。ノエさんはなんて言ってました？」

「えっと、まあ、いいんじゃない？　って……」

嘘だ。乃枝は私の整形について具体的なことを何も言わない。腫れを心配してくれはするけれど、変わった部分を褒めてはくれない。いや、可愛いとは言ってくれる。けれど、それを言う時の乃枝が相対しているのは、私そのものだ。今の顔が可愛い、というわけじゃない。

世間の目は徐々に変わっている実感があるけれど、元より綺麗な乃枝は、私の変化を他愛の無いものだと思っているのだろうか。

それだけじゃなくて、心の何処かで厭(いと)っているのだろうか。

思わず黙り込んでしまう。私がそれ以上詳しいことを語らなかったからか、松田さんは一つ頷いて下地に手を伸ばした。きっと、私が普段使っているものよりも上等なものだ。

本当はもっと聞きたかった。私の整形はプロから見ても成功しているんですか。私の外見は平均よりも上になれていますか。乃枝の隣にいても、赦(ゆる)される見た目になれていますか。

そんな私の心中を余所(よそ)に、松田さんが「ノエさんの方は本当にそういうところズボラなのでー。ママユさんに影響されてスキンケアとか頑張ってもらえるようになったらこっちとしてはちょっと嬉しいかもなんですがー」と笑う。その後に、元があれだからちょっとのことはチャラなんですけど、という冗談めかした言葉が続く。

伸ばしっぱなしだった髪を緩く巻かれ、派手すぎないメイクを施された私は、いよいよ知らない人間だった。鏡の中の自分がぱちぱちとまばたきを繰り返すのを見て、ようやく『これ』が自分なのだと認識出来た。松田さんも私のことを褒めてくれ、恭しく楽屋に案内してくれた。彼女はこのまま、乃枝の方のヘアメイクに向かうらしい。

手持ち無沙汰なまま鏡を見つめていると、ノックの音がした。

「いやあ、本番前にごめんね。一言挨拶をしておきたくて」

そう言いながら入ってきたのは、番組のディレクターだった。何度か見かけたことがあるけれど、彼と話すのはいつもいつも乃枝の役割で、私に直接というパターンは無かった。

「こんにちは。ママノエのママユです。乃枝がいつもお世話になってます」

「いやいや、ノエちゃんのお陰でこっちも助かってるようなもんだから。も、ぜーんぜんそんなこと言わなくていいよ。ママユちゃんもね、大会であれだけの活躍を見せてくれてるわけで……」

言いながら、ディレクターが私の全身に視線を滑らせる。

「……にしても、ママユちゃん垢抜けたね。びっくりしたよ」

「そうでしょうか？　ありがとうございます」

「や、なんかちょっと見ない間に女性は変わるよねえ」

わざとらしくディレクターが言う。まるで、今日初めて私の顔が変わったことに気がついたみたいだ。でも、そんなことはありえない。こうして生放送に呼んだのも、この変化が理由のはずだ。

でも、私だって敢えてそんなことは言わない。にっこりと笑顔で応じ、軽く会釈をする。

「もしかして、彼氏とか出来た？　そうなってくると、女の子って可愛くなるもんねえ……て、今のご時世だとこんなんでもセクハラになっちゃうか。気をつけよ」

ディレクターはなおも勢いづいて、もう一度笑い声を上げた。心の奥底で、紙屑を踏みつけたような音がする。けれど、体よく無視をする。今までは、こんなテンプレートな発言をされることすらなかった。今の私は、これを言われるくらい、女だ。

空気が変わったのを察したのか、ディレクターが仕切り直すように手を打ち鳴らした。

「でも、ママノエは本当にきてるよ。大会の成績はともかくとして、動きの方のキレが凄まじいから。これはどんどん伸びるなって確信してるんだよ。それこそゲームのプロデューサーなんかも褒めていたくらいで」

前回の大会の動きはそれほど将来性を感じさせるものだっただろうか。ディレクターの言葉が本気なのか、私を喜ばせる為のお世辞なのかは分からなかった。

「ありがとうございます。そう言ってもらえると嬉しいです」

「この感じならママノエの二人に特番を任せてもいいかもしれないって話も出ててね。ママノエのことを求めてる視聴者も大勢いるから」

「だとしたら嬉しいです。……ノエも嬉しいんじゃないかなって思います」

「にしても、本当に綺麗になった。胸を張っていい」

話題が急にまた戻ってしまう。そして、私の反応を窺ってから言葉を続けた。

「こんなに綺麗になっちゃうと、ノエちゃんも嫉妬するかな」

「……え、嫉妬？」

「ほら、ああいう感じだけど、ノエちゃんも女の子だから。今まで自分だけああだったのに、ママユちゃんが急に垢抜けたら焦るんじゃないかな。どう？　最近」

指示語が多いのは、意図的にやっていることなのだろうか。じわじわと私の中に嫌悪感のようなものが芽生えてくる。だが、それが表に出なかったのは、ディレクターの言葉が引っかかったからだ。

乃枝は私が整形したことが気に食わないんだろうか。だから、顔を変えたことに何も言わないんだろうか。そんなはずがない、と、私の心が叫んでいる。けれど、一縷の疑念が私のことを苛んだ。

乃枝が、今の私の外見を好きじゃないんだとしたら。

「まあ、女の子っていうのは対抗心で綺麗を磨き合っていくものだから、ゲームとかもそうだけど、ノエちゃんもこれで一層磨きがかかるんじゃないかな」

その後の私は何と受け答えしたか覚えていない。きっと、適当に流すようなことを言ったはずだ。そうしている内に乃枝のメイクが終わり、私は流されるままにスタジオに向かった。


当てられた照明が熱い。ライトがこんなにも熱を持っていることを普段は意識すらしていなかった。乃枝はいつもこんなものを浴びているのだろうか。

隣の乃枝は今日も光り輝くようで、照明を当てられても平然としている。カメラ用におめかしをした乃枝を、こうして特等席で見る日が来るなんて思ってもいなかった。

私が見つめているのに気がついたのか、乃枝がこちらを向いて笑った。

「髪、可愛いね。巻くの、真々柚に似合ってる」

「そう？　ありがとう」

「いつものまっすぐなのも好きだけどねー」

乃枝が言うと、コメントが沸き立った。今回の生放送では、視聴者のコメントがリアルタイムで流れ、私達がそれを見ることが出来るようになっている。今で言うと『今日もラブラブなところ頂きました』『ママノエちゃん尊い』『出ましたノエの口説き』『カウント1』なんかだ。乃枝はそれに対し「どんどん口説くよー」と朗らかに笑っている。

コメントは一応、どれを拾ってもいいことになっていた。ただし、放送が荒れそうなものや、コメント欄で論争になりそうなものは触れないように。前回のＶＯＩＤ疑惑の時のように、あまり過激なことは言わない。

さっきのコメントはいわばお馴染みのものだから、反応していいと判断したのだろう。私も『ママユちゃんがんばれ』『ママユ初登場嬉しい』などの穏当なコメントに対し「ありがとう」と返す。

流れていくコメントの中には『ママユが整形してくれて見苦しくない』『ママユかわいいじゃん推せる』などの、心が揺れるようなものもあった。それに対する叱責や、苦言を呈するコメントもあるが、どちらも同じように流れ去っていく。

「それじゃあ生放送やっていきまーす。今日は前回の大会のノエ達を振り返りながら、新武器についてコメントしたりします。番組の最後では運営さんから次のアップデートの情報公開もあるそうなので、最後まで見てね」

乃枝がすらすらと決められていた台詞を言う。相変わらず綺麗な声だ。惚れ惚れしてしまうくらいに。

乃枝の言葉と共に、前回の大会の様子が映し出される。自分と乃枝が操作するキャラクターが戦場を駆け巡る様を、私は改めて見た。大会後の反省会で何度も乃枝と確認した映像だ。けれど、この場で見るそれは、まるで違ったものに見えた。

　私のミスが目立つのだ。

　敵の動きに一瞬遅れる。反応出来ていない。乃枝のカバーに入るべきところで入れていない。空振りをしている。ミスでとどめを刺せていない。もう既に自分で振り返っているミスなのに、私の心が新鮮に血を流し始める。

　もし私が手術をしていなかったら、こうしたミスは起こらなかっただろうか。六位ではなく、もっと上位を狙えたのだろうか。息が浅くなりかけて、必死に掌に爪を立てた。落ち着かないと。だって、今は生放送なのだ。

　コメントにもちらほら同じ意見があった。もしママユが万全だったら。こいつが二重なんかにするからだろ。身体大事にしないアスリートはありえない。全くだ。私もそう思う。

　けれど、時間を戻せたって私は同じことをするだろう。この大会では、常にワイプでプレイヤーの姿が映し出されている。そこに映る私が、腫れぼったい一重のままであると想像するだけで恐ろしかった。

　過去の私達が映像の中で跳ね回る。軽やかに、楽しそうに、そして真剣に。どうしてこれだけを求められないのだろう、と心底思った。私が乃枝を好きになってしまったからだろうか。自分の後を懐っこく着いてくる乃枝を愛し、隣にいたいと思ってしまったからだろうか。

その所為で、自分の一番大切な——乃枝と繋がる最初の一歩であったゲームに悪影響を及ぼしているのだろうか。

大会の振り返りが終わり、カメラが現在の私達に戻ってくる。

隣に座る乃枝は笑っていたけれど、どこか本心からの笑みではなかった。司会が乃枝に感想のコメントを求める。

「そうですねー、真々柚はとてもいい動きだったと思います！　乃枝のミスとか、あと攻め時を間違えたなーってところは反省でした」

「いや、明らかに私が悪いところも多かったから……むしろ乃枝は勘も冴えてたしよかったと思うよ」

「そうかな。真々柚は良かったよ」

乃枝の声が微かに強張っているのに気がついて、私は謙遜をやめる。このままだと、乃枝が意固地になって、ヒートアップしそうだと思ったからだ。案の定、喋り足りなさそうな乃枝が不服げに見てくるが、私は構わず試合展開だけに注目したコメントをする。惚気もっと聞きたかったな、というコメントが目の端に映る。言葉の応酬は目まぐるしくて、乃枝はいつもこんなものを捌いていたのか、と思う。

「真々柚、楽しい？」

生放送の最中、乃枝は頻りにそう尋ねてきた。

「うん。楽しいよ」

私は得も言われぬ不安に怯えながらも、そう返した。本当は楽しくなんかなかった。カメラが、その奥にいる視聴者が気になる。自分は、ここで映っていていいんだろうか。

照明に焼かれながら、ママノエを喜んでくれるコメントだけを探す。二人が並んでると眼福。ママノエ結婚して。ママノエかわいいよ。

＞ノエに対抗して整形したんだろうけど、並ぶとやっぱ違うわ
＞天然と養殖の違い
＞養殖のが美味しい魚もいるんですけど⁉
＞ママノエとか言ってるやつはノエに彼氏いるのが認められないだけ
＞見下してたブスが色気出してきたらノエもウザいだろうな
＞ノエがレズは一番無い

そうしているうちに、ようやく番組の終わりが見えてきた。後は総括のコメントをするだけだ。達成感というよりも、安堵感が強かった。自分は、乃枝の隣にいてもよかった。概（おおむ）ね、許されていた。

司会が、まずは私にコメントを求めてくる。息を吐いてから、なるべく笑顔で言った。

「こうして呼んで頂けて楽しかったです。ありがとうございました」

無難なコメントを返した後は、乃枝の番になった。すっと背筋を正して、乃枝が喋り出す。

「乃枝はね、真々柚に支えられてここまでやってこれました。だから、真々柚と一緒に生放送に出られて、本当に嬉しいと思っています」

コメント欄が祝福の言葉で埋まる。それを見ながら、乃枝が続けた。

「真々柚は努力家で、自分が決めたらこうって譲らないところが格好いいです。地道な反復練習を、考えながら出来るところが好きです。あと、乃枝は単純にゲームが上手い人が好きなので、そこも尊敬してます。でも、普段の生活では色々細かいことで悩んじゃったり、こう見えて凝った料理を作るのが好きなところとか、ギャップがあって好きです。真々柚がいると、自分を好きになれる気がします」

「ちょっと、乃枝……褒めすぎだって」

また何か暴走しかけているんだろうか。危ぶんだ私が口を挟み、乃枝の言葉を遮ろうとする。けれど、乃枝はなおも続けた。

「……だから、乃枝は真々柚のことを好きになったし、ずっと一緒にいてほしいと思いました。それで、告白することにしたんです。真々柚は乃枝の恋人であり、大切なチームメイトです。これからも、真々柚に傍にいてほしいです。以上です」

乃枝が頭を下げる。コメント欄は無法地帯になっていた。コメントの数が多すぎて、慣れていない私ではまともに読めないくらいだ。思わず時間を確認してしまう。インターネットでの生配信は、枠の時間がきっちりと決められている。放送がぶっつりと終わるまで、あと三〇秒も無い。いや、乃枝が締めの挨拶はした。ここで終わっても大丈夫だろう。

だが、乃枝はコメントを読みながら、なおも話していた。

「嘘じゃなかったんだって、今更言うんだ。これでも百合営業？　そう思うなら思えばいい。でも、真々柚と乃枝は付き合ってるからね。——美女二人がキスするの見たい？　へえ、どうも。ママユが顔変わってくれたからアリになった。ねえ、アリって——」

ここで放送が終わった。

スタッフさん達が引き攣った顔で寄ってくるのを見て、事の大きさをじわじわと認識する。こんなの、完全に放送事故だ。乃枝がさりげなく私達の交際をバラし、ゲームとはあまり関係の無いところで尺を使った。

ばたばたと構成作家の人も来る。そして、私と目が合うなり、彼が言った。

「すいません！　ママユさんに関する不適切なコメントなんかもいっぱい流れてしまって……それで、ノエさんにもあんなことを言わせてしまって」

一瞬何を言われたのか分からなかった。順を追って、考える。

きっと目の前の構成作家さんは、流れているコメントを私が傷つくようなものと認識したのだろう。それで狼狽したノエが、フォローをする為に変なことを言ってしまったのだ、と。筋道が分かってしまえばなんてことはない話だ。

また、心の奥底がざらつく。哀れまれているのだ、と気付いてまた顔が熱くなった。可哀想なコメントをされた、顔を変えてもまだ表に出すには足りない女。

乃枝が口を開いたのは、その時だった。

「別にフォローのつもりで言ったわけじゃないですよ」

乃枝が笑顔で言う。

「乃枝と真々柚は付き合っているので、それを自慢したかっただけなんです。ほんとうにすいません。ゲームに関係無いことで締めちゃって。でも、乃枝も普段からゲームに関係無いコメントばっかりされてるから、たまにはいいかと思って」

「いや、それは全然構わない……その、さっきのは正直やりすぎだったけど、ある程度状況見てくれるなら……。付き合うとかそういうのは、本気にしちゃう人も出てくるから」

そう言ったのはディレクターだった。薄ら笑いを浮かべ、宥めるように乃枝を見つめる。

すると、不意に乃枝が私の手を引いた。自然と乃枝の方に引き寄せられる。そして、私が何か言うより早く、乃枝が私にキスをした。鼻がぶつかり、頭の奥でこつんという幻聴が鳴る。

一瞬にも数秒にも感じられる間、乃枝の唇がそこに留まり続ける。まるで、今が出来の良い白昼夢であるかのようだった。現実味が無くて、私もいまいち狼狽出来なかった。

「本気です」

乃枝が言う。

「え、何その……え？　まさか、マジで？」

「やっと気づきましたか？　ずっと前から冗談じゃなかったですよ。なんで今気づいちゃうんですか？　真々柚が可愛くなったから？　みんなが分かる程度に可愛くなって、冗談じゃなくてもよくなったから？」

誰も何も言わなかった。冗談にする言葉が飛んでこない。辺りが静まり返っている。

ややあって、ディレクターが言った。

「あー……そう。マジでそうなんだ。あ、なるほど。うん。ノエちゃんがね、こういう形でママユちゃんのことをね。あ、うん。いや、偏見とかはないしむしろ嬉しいんだけどさ。ああ、だから整形……整形したら、イケたっていうのあるよね。うん、まあある。どうせ女同士だとね、子供の顔とか関係ないから」

「嬉しいです。みんなが認めてくれる程度に、真々柚が分かりやすく可愛くなってくれて」

私が口を挟むまでもなかった。そのまま、乃枝が一息で言う。

「それじゃあ、お疲れ様でした。またよろしくお願いします。今度も出来れば真々柚と一緒に」

スタジオを出た乃枝は早足だった。一刻も早くここから離れたいと思っているかのようだ。手をがっちりと繋がれているお陰で、私も転びそうなくらい大股になってしまう。乃枝、と私は言う。乃枝、早いよ。乃枝歩幅大きいんだよ。足長いから。乃枝、乃枝ってば。私はそんなことを言おうとした、はずだ。

その時、ぴたりと乃枝の足が止まった。振り返らずに、乃枝が言う。

「ごめんね、プロテーゼ」

「プロテーゼ？」

「キスする時、ぶつかっちゃった。鼻」

「ああ……もう痛くないから大丈夫。あ、でも衝撃与えちゃ駄目なんだっけ」

「今度からちゃんともっと角度付けるから」

反省するところが少しだけズレているような気がする。でも、乃枝は真剣なようなので何も言えない。これから乃枝はキスをする度にプロテーゼのことを考えさせられるのかと思うと、ちょっと大変なような気がした。何だかとっても、……難儀だ。

「ていうか、生放送もあんなことになっちゃったし、現場の空気も凍っちゃったし、これから呼ばれなくなるかもよ」

「そうかもしれないねー。でも、乃枝達は強いし実力あるから、プロモーターの仕事がなくなってもどうにかなるよ」

「でも、乃枝は折角上手くいってたのに」

「けど、真々柚は生放送もそんなに楽しくなさそうだったし」

見透かされきった言葉に、一瞬息を吞む。

「これからもママノエがセットで出してもらえるかもしれないって言われて、ちょっと揺らいだんだけどね。乃枝と真々柚が並んでるところは凄くいいって。視聴者からもいっぱい意見が来てるって、そう言われて嬉しかったんだけど。でも、真々柚が楽しくないならいいかなーって」

乃枝が一瞬言葉を切る。

「でも、乃枝と真々柚が並んでる画面が映えるって言われた時、嬉しかったな」

乃枝は歩き出さないし、振り返らない。まるで、ここから一歩でも動いたら、全部がおしまいになってしまうとでもいうようだった。だから私は、思わず口にする。

「乃枝、私の整形についてどう思ってる？」

何を聞きたいのかも分からない言葉だ。どう思っている、なんて正解が無さそうなことを、一方的に投げている。それで何が返ってくれれば喜ばしいのだろう？

吐く息の白さだけが沈黙を埋めて、何故か鼻の奥がつんと痛くなった。あと数瞬で涙が落ちそうなところで、乃枝が言った。

「乃枝ねえ、ずっと前から綺麗だったの。生まれてから今まで、ずっとお人形さんみたいだったし、これからもそうだろうなって思う。年を重ねても、相応の美しさを備えて生きていくんじゃないかな」

乃枝の声は、ただ事実を告げていた。今までとこれからをちゃんと備えた声だった。その声で、乃枝が続けた。

「だから、真々柚が整形してくれてよかったと思う」

乃枝の声が震え始めている。

「ごめんね。真々柚が手術で痛そうな感じになるのも、色々気を付けなくちゃいけなくなるのもすごく嫌なのに、それでも整形してくれてよかったと思う。みんなが求める真々柚の顔になってくれてよかったなって。それで、そのお陰で生放送にも真々柚が呼ばれるようになって、二人で一緒にプロモーターの仕事も出来るようになって、いいこと尽くしで」

「……乃枝」

「だって真々柚が整形したら、みんなの言葉が変わったじゃん！　乃枝は真々柚の顔がどんな顔でも好きだし、全然愛は変わんないよ？　だから、……だから、周りが認めてくれる方がいい！　周りがいいカップルだって認めてくれる顔がいい！」

そうして、乃枝が振り向いた。恐ろしいほど整った顔が、子供のようにくしゃくしゃになっている。真っ赤に染まった肌が、雪に焼けたようになっていた。

「可愛くなってくれてありがとう！　ありがとう真々柚！　誰からも後ろ指を指されないようにしてくれるくらい乃枝のこと好きでいてくれてありがとう！」

それを言われた瞬間、耐えきれなくなった私の目にも涙が浮かび始めた。

「でも悔しいよぉ、なんか分かんないけど、すごい悔しいの、真々柚はずっと可愛かったのに、なんでみんな分かんないの？　分かんなくていいけど、でも、乃枝ずーっとやだったの！　真々柚が悪口言われるの、すごく！」

「うん。そうだね。そうなんだよね」

「真々柚のこと好きだよ。ずっと好き。ねえ、誰からも認められなくていいって言えなくてごめん。乃枝と真々柚がお似合いだって、そう言われたくて、だから、整形してくれてありがとうって、言うようになっちゃってごめん」

「そんなことない。私だって同じだ」

私だってそうだ。お似合いだって言われたかったのだ。

恋人だって認められて、この恋を祝福されたかった。

だから私は骨を削ぎ、瞼を糸で留め、鼻にプラスチックを入れたのだ。

「これからも一緒にいる為に可愛くなってくれたんだよね⁉　なら本当にありがとう！　大好きだよ真々柚！　大好き！」

乃枝が泣きながら私のことを抱きしめる。

「幸せなカップルに……なるんだ……」

「分かった。分かったってば乃枝、もう泣かないで……」

「だって、真々柚だって泣いてるじゃん……」

気づけば、周りの通行人がちらちらと私達の方を見ていた。女二人が泣いているのが目立つのだろうか、と鼻を啜りながら思う。その時、乃枝が不意に言った。

「星」

「え？」

「この、足元、星があるの。気づかなかったけど、広場の中心みたい、ここ」

言われるがままに下を見ると、アスファルトに刻まれた大きな星があった。いつの間にか円形の広場の中心に立っている。周りの通行人からすれば、急に真ん中に躍り出てきた二人に見えるだろう。しかも、目の前にいる乃枝は、相変わらず恐ろしいほど美しい顔をしている。もしかすると、何かの撮影だと思われているかもしれない。

何しろ、今の私は前の私よりずっと乃枝に釣り合っている。

乃枝の目がキラキラと輝いている。私はやはり、この顔にはやっぱり敵わないだろうとも思う。それでも、私は大声で叫んだ。

「……私達は、百合でいる値打ちがあるんだ！　ざまーみろだ！　私は、私は乃枝と絵になるんだ！」

「幸せになるんだー！　幸せになるんだ！　幸せになるよ！」

乃枝も合わせて叫ぶ。そしてそのまま、私が何かを言うより先にキスをした。今度は鼻と鼻がぶつからないキスだ。乃枝はまだ私の鼻のプロテーゼに怯えている。恐れと愛が入り混じるそれを、私は甘んじて受ける。

果たして、この光景は周りにどう映っているだろうか？　美しい女の子同士の綺麗な恋愛？　それともまだ足りなくて、片方だけに寄った不格好な天秤？

寄り添う私達に切り取る程度の価値が、あればいいけれど。

「九百十七円は高すぎる」
乾くるみ

乾くるみ（いぬい・くるみ）
1963年静岡県生まれ。静岡大学理学部数学科卒業。98年、『Jの神話』で第4回メフィスト賞を受賞、作家デビュー。『イニシエーション・ラブ』が大ベストセラーに。映画化もされ、注目を集めた。主な著書に『匣の中』『リピート』『カラット探偵事務所の事件簿』（1〜3巻）『セブン』『物件探偵』『ジグソーパズル48』『ハートフル・ラブ』などがある。「市川尚吾」名義で評論活動も行っている。

扉イラスト／郷本

当番の子たちが清掃を終わらせるのを廊下でしばらく待った後、教室に戻ってぼーっとしていると、ほどなく敦美（あつみ）がやって来た。

「杏華（きょうか）、おまたー」

「またんこー」

　そんなに待ってないよ、というニュアンスを込めてテキトーに思い付いた言葉を口にした瞬間、中学のときに「おかえりんこー」でまんまと嵌（は）められた記憶が蘇（よみがえ）った。焦ったけど今回は大丈夫。敦美も「何それ」と言ってケラケラと笑っている。

　私は机の上にお弁当を広げた。午前授業なので放課とともに帰る子が多かったが、午後に部活のある子は私たちみたいに校内で昼食を摂（と）る。といってもウチの高校には学食や購買部といったものがないので、お昼はいつも私みたいに手作りのお弁当を持ってくるか、敦美みたいに近所のコンビニで買ってきたパン等で済ますかのほぼ二択になる。お昼休みの外食が禁止されているからだが、よくよく考えたら土曜日のお昼は放課後の扱いになるのではないか？　いや、午後に部活のある子の場合はならないのかな？

「雨、降りそうだよ」

前の席の椅子を逆向きにして座り、荷物をがさごそさせながら敦美が言った。

「え、マジ？　朝の予報だとたしか三十パーセントって言ってたはずだけど」

「今の空の感じだと六十パーセントくらいありそう。降るなら降ってくればいいのに」

敦美の発言が気になって、いったん席を立ち、窓際まで移動して空を見上げてみた。東の空は明るいのに、上空はたしかに濃い色の雲に覆われていた。

「いっただっきまーす」

その間に敦美はひと足先に、メロンパンに噛り付いていた。

私と工藤敦美はクラスは違うけど、ともにソフトボール部の一年生である。十月二十三日の土曜日。秋の新人戦が間近に迫っており、新チームでは部員全員がベンチ入りを果たしたこともあって、今日も午後一時半から五時半までの四時間、グラウンドを使って本格的なバッティングと守備の練習が行われる予定であった。

好きで選んだ部活だし、東京オリンピックでの日本代表の活躍を見てさらにソフトが好きになりはしたけど、とは言え別に県内で一、二を争う強豪校というわけでもないし――そりゃあ上手にはなりたい気持ちはあるけど、でもガチで強くなりたいかと言われるとそれはちょっと違う感じで――土曜の午後まで部活で潰れるのは、よくよく考えたらどうなんだろうって思わないでもない。

七月までは、前キャプテンの福永さん（大好き！）と過ごす時間がそれだけ多くなるというのが嬉しくて、何の疑問も抱かずに、土曜の午後の練習も嬉々として参加していたんだけど——二学期からはそれも無くなったし。

公立なら土曜日は丸々休みのところを、午前授業に出てるだけでも大違いなのに。今は正直、やりたいことがいろいろと多すぎて、土曜の午後くらいは自由に過ごしたい気持ちのほうが大きい。

今のうちに雨が降ってくれれば、午後の部活が休みになるんだけど……。

お昼を早々に食べ終えて、しばらくの間は二人で雑談をしていたが、敦美が不意に教壇側の壁の時計を見て、

「よしっ。行くか」

私の肩をポンポンと叩いて促すと、先に立って教室を出ていった。一時十五分。着替えの時間も考えれば、そろそろ移動しなければならない時刻であった。結局、雨は降らないままだったか。

校舎の正面玄関口に回り、部室棟に行くためだけにローファーに履き替えて外に出る。重たそうな空の下、すでにランニングを始めている陸上部員たちがいた。

男女共学校ならば校庭は野球部とサッカー部と、陸上部と、あとは何だろう……。いろんな部活が場所の取り合いをして犇めき合っているのだろうが、私立創明高校は

女子校ということもあって野球部とサッカー部が無く、普段からグラウンドを使うのはソフトボール部と陸上部のみで、それぞれが充分なエリアを確保していた。

教室で着替えて部室に荷物だけ置きにきている部員もいたが、私と敦美は制服姿である。食事を終えて寛いでいた先輩たちに挨拶をしてから、ロッカーの前でユニフォームに着替える。

「尾見ちゃんと工藤ちゃん、あの二人、いつも一緒だよね」

「仲いいよねー」

先輩方が私たちのことをそう評しているのが洩れ聞こえてきて、思わず敦美と顔を見合わせた。彼女は「にんまり」という日本語のお手本となるような笑みを浮かべていた。

そうして迎えた午後一時半。いよいよ練習開始だ。時間通りに姿を見せた監督とコーチを囲むように、いつもどおり部員全員で円陣を組んだ。

「それでは本日も気合を入れて頑張りましょう。……降らなきゃいいですけどね」

監督も雨の心配をしていた。敦美の言っていた「六十パーセント」という数字のチョイスは絶妙で、実際、空は今にも降り出しそうに見える一方で、何とか持ちこたえそうな気配も見せていた。

まずはランニングを五周。続いて二人組になって柔軟運動とキャッチボール。

監督は各学年からピッチャーを最低でも一人は出したいと言っていたが、今年の一年生には志望者が一人もいなかった。そのため十月は一年生全員にピッチング練習をさせていた。練習を通じて何とか適性のある一人を選ぶつもりのようで、今日も敦美が二十数球を投げ、続いて「次、尾見っ！」と指名された私が交代でマウンドに上がろうとした――そのときだった。

空全体がパッと光り、続いてゴロゴロと重低音が鳴り響く。誰かが「キャッ」と悲鳴をあげた。監督がすかさず大声で指示を出した。

「二年生、素振りやめっ！　バットはすぐに片付けて」

手の空いていた一年生二人が金属バットの回収に走る。空を見上げたコーチが言う。

「雨、いよいよ降りそうですね」

「降り出したら今日はその時点で練習を終わりにします」

監督がそう言ったのとほぼ同時に、大粒の雨がポツポツと落ち始め、やがて雨滴の量が少しずつ増え始めた。ザーッという雨音が緩やかにボリュームを上げてゆく。

「来たっ」

「じゃあ本日はここまで。その場で解散っ」

監督とコーチは校舎に、道具を持った部員たちは部室棟に向かって走り出した。全員、本降りになる前に屋根の下に駆け込むことができたのは幸いだった。

鞄からケータイを出して確認したところ、時刻はまだ午後二時で、練習開始から三十分しか経っていなかった。

「監督も言われたように、今日はこれで解散にします。おのおの着替えが済んだら順に出て行って」

最後まで残って施錠する役目のあるキャプテンに急かされたが、練習後の着替えは二年生が先で、一年生が後という慣習がある。

「お疲れさまー」

制服姿の上級生たちが次々と戸口で傘を差しては出て行き、ようやく一年生に着替えの順番が回ってきた。私は軽く濡れたユニフォームを脱ぎながら、敦美のほうを盗み見た。彼女もちょうど私のほうに目を向けたところだった。その一瞬の目くばせで、二人の思いが通じ合った。

私と敦美は部活を通して知り合い、クラスが違うのに親友と呼べる関係になった――という部分は、他の部員たちやクラスメイトたちにもオープンにしていて、実際今日も昼食を共に摂ったりしていたのだが、表向きのそういった関係よりも深く、私たちは秘密の領域に足を踏み込んでいた。

といっても、お互いに相手のことが好き、といった単純な関係性ではない。私たちには共通して好きな相手が存在しており、それが二人を結び付けるという、やや捻れた繋がりが二人の間にはあった。

四月にソフトボール部に入部して一ヵ月も経たないうちに、私が心を奪われたその相手こそ、前キャプテンの福永塁(るい)さまだった。

　最初はその美しい顔立ちに惹(ひ)かれた。美形というとほとんどの人は二重瞼(ふたえまぶた)を思い浮かべるだろうが、福永さんは一重の涼やかな目元をしている。といっても欧米の人たちが好むアジア人のタイプとも違っていて、日本人の美意識に合った美しさを備えていた。一七〇センチ近い身長もあって、男性より女性に好かれる外見なのは間違いなく、私も複数のクラスメイトから「キャプテンの福永塁さんってどんな人？」「福永先輩の誕生日ってわかる？」といった質問を受けていた。

　本格的に好きになり始めたのは、ストイックなその性格を知ってからだった。とにかく自分に厳しい。しかし同じ厳しさを他人には強要しない。練習前の円陣でもダメ出しは滅多にしない。前向きな発言で優しく、ときには強く、部員たちにやる気を出させるように語り掛けるのが上手い。自分が誰よりも練習をしているというプライドは当然あっただろうが、二年生のピッチャーが実力をつけてきたときには潔くエースの座を明け渡したフォア・ザ・チームの精神も、できれば見習いたいと思った。

　当然のように、福永キャプテンは他の部員たちから慕われていた。二年生に取り巻きと言って良い信奉者が三人ほどいて、一年生がキャプテンに必要以上に近づかないように常にガードしていた。あと毎年四月から七月まで期間限定で存在する副キャプテンというのがいて、特に何事もなければ新チーム結成時に新キャプテンに昇格するので——つまり現キャプテンが元はそうだったのだが、その副キャプテンが一年生の指導役・相談役として存在している以上、私たちが直接福永キャプテンと個人的な話をする機会はほぼ絶たれていた。私たちは福永さんの頑張りを、常に遠くから、あるいは背後から見ているしかなかった。だからこそ憧れる気持ちはより強く育ったのだと思う。

とにかく一緒に部活をしているだけで魂が浄化されるような、本当に心の底から尊敬できると思えた相手に対し、私の心の中に芽生えた気持ちは、しかし不純なものを含んでいた。

二人きりで秘密の関係を持ちたい。愛されたい。飼われたい。

そして工藤敦美は、そんな私の秘めた気持ちを見抜いたのだった。

「わたしも同類だから」

彼女自身がそういって、自分の秘密を開示してみせたので、私も彼女を信頼することにした。

私たちは自分がどういうことをされたいか、妄想を語り合った。そして、ギブアンドテイクの精神さえあれば、お互いの願望をある程度までなら叶(かな)えることができると、あるとき気づいたのだった。

今日は私が塁さまの役を演じる。だから次の機会にはあなたが塁さまの役を演じてね。

そうして私たちは、クラスを越えた親友という表向きの関係性から、さらに一歩を踏み出してしまったのだ。

五時半までの練習の予定が二時で終わった。余った三時間半をどう過ごすか。順番的には次は敦美が主役の番である。私が塁さまの役になり、相手の願望を叶えるのだ。生理中などの理由があれば別だが、それさえなければ敦美がこの機会を逃すはずはない。

一回目から場所は常に、敦美の自宅マンションの、彼女の私室だった。学校からの移動時間が比較的短く、両親が不在がちで都合が良いのだ。

私たちは二人並んで部室を出た。敦美はビニール傘が部室のロッカーに置いてあったのでそれを差していたが、私は鞄から折り畳み傘を出して差した。雨は降り始めほどの激しさは無かったものの、一定の強さを保っていて、この後もまだまだ降り続くことが予想された。

わが私立創明高校は、標高六十メートルほどの小さな山を北側に仰ぎ、南側を国道と並走する私鉄で区切られた、東西に長い湯崎（ゆざき）という町内に位置している。学校から湯崎駅までは徒歩わずか三分。湯崎駅から西に向かうと市の中心街があり、こちらが「上り」方面になる。終点の地蔵ヶ丘（じぞうおか）駅までは四駅。対して東には住宅街が広がり、終点の新美津（しんみづ）駅まではやや遠くて十駅ある。全長わずか十一キロの私鉄を通学に利用しているのは全校生徒の約半数で、その大半が東の住宅街側から通ってきている。私もそのうちの一人だった。

もちろん上り方面の商業地区にも、マンションや一戸建ては存在していて、実際、私たちが今から向かう敦美の住むマンションは、地蔵ヶ丘駅から徒歩五分という街中物件である。湯崎駅に着いて傘を閉じ、改札を通った私は、今日は敦美の後に続いて上りホームへと向かった。通学定期を使って自動改札を通ったので、地蔵ヶ丘駅に着いたあとに精算をする必要があった。

雨は相変わらず降り続いていた。雨が描く斜線越しに見える向かいの下りホームには、ソフト部員たちの見知った顔がちらほらとあったが、上りホームには私たち以外に創明の制服姿は見られなかった。

折り畳み傘は閉じたときの扱いが難しい。閉じると自然と骨が折り畳まれた状態になり、そのまま開かないように紐(ひも)で束ねるのだが、濡れた部分が畳まれた内側になっていてもさすがに鞄には戻せない。で、手に持ったままにするとなると、柄の部分を縮めるか伸ばしたままにしておくかでいつも悩む。今日は伸ばしたままにした。見た目は少し変になるが、湿気を帯びた部分が地面により近い位置にきて服を濡らすことがないので、実を取るならこっちなのだ。

「今日は何をしてもらおうかな」

敦美が私にしか聞き取れない小さな声でそう言った。頭はすでにマンションに着いた後のことで占められているようだった。

　時刻表によるとこの時間帯、電車は八分おきに発着している。本数が多いので二両編成であっても車両内は基本的に空(す)いていて、通学時などを除くとたいてい座れる。上りが先に来たので乗り込み、空席を見つけて二人並んで着席した。続いて何となく車内を見渡したとき、二両目に見覚えのある顔を見つけた。

「あ。結城(ゆうき)さんが乗ってる」

「結城さん？　あ、ホントだ」

　囁(ささや)き声で敦美とそんな会話をした。入学してまだ半年。同学年ならばともかく、顔と名前が一致する上級生の数は限られている。三年生の結城忍(しのぶ)の名前を私たちが知っていたのは、愛する福永さんが特に親しくしている三人の親友のうちの一人だったたからだ。

　生徒会の役員をしていた結城忍、創明初のライバーアイドルとして活動している奥(おく)原(はら)カンナ、父親が病院長で学校の理事もしているお金持ちキャラの高橋悠乃(たかはしゆの)の三人に、福永塁さまを加えた四人組を、私たちはFフォーと呼んでいた。といっても私は元となった漫画もドラマも見ていないので、それが適切なのかどうかはわからない。敦美の命名に乗っかっているのはFフォーのFが福永のF、つまり「福永さんとその仲間たちの合計四人」という意味にも解釈できたからだ。四人の中で誰が主役、誰が脇役といった分担が実際にあるとは思わないが、私たちの目から見たらやはり塁さまが主役であるべきだった。

忘れもしない七月十一日。県大会二回戦の相手は優勝候補にも名前が挙がる強豪校で、前日の一回戦に続いて創明は二年生エースが先発したが実力差は明らかで、六回までに一対五と四点のリードを許していた。そして最終回となる七回表。監督は投手を控えの塁さまに交代した。いわゆる思い出登板なのは誰の目にも明らかだった。ベンチ入りできなかった私たちは観客席からその雄姿を見ていた。全員マスクを着けて距離を取り、声が出せないので拍手のみの応援だった。当日は一般生徒の入場もまだ可能で、少し離れたところにはFフォーの三人の姿もあった。そこでスリーアウトを取れていれば、チームが負けても塁さま自身は有終の美が飾れたのだろうが、結果はワンアウトしか取れず満塁にしたところで降板。二年生エースが再び登板して追加点を一点献上し、その裏も三者凡退で創明は最終的に一対六で敗れたのだった。帰りのバスの中でも散会の挨拶でも、部員たちの前ではキャプテンとして気丈にふるまっていた塁さまだったが、Fフォーの仲間と就いた帰路では号泣していたという話を、私たちは噂話（うわさばなし）として耳にしていた。塁さまにとって、そういう弱い自分をさらけ出せる仲間がFフォーなのだ。

その一人、結城さんが二両目に乗っていた。私服を着ているのでいったん家に帰って昼食を摂ってから出てきたのだろう。今は右手だけでスマホを操作している。ゲームとかではなく文字を打っているような手の動きに見えたので、誰かと連絡を取り合っているのかもしれない。使った形跡のある長柄の傘を持っているのは、二度目の外出時にすでに雨が降っていたか、あるいは最寄り駅に向かう途中で降られたのか。終点の地蔵ヶ丘駅の改札は電車の進行方向にあるので、二両目に乗っているのは途中駅で降りる予定なのかと最初は思っていたが、一分ごとに停車する途中駅では降りずに結局、終点までご一緒することとなった。一回だけちらっとこっちを見た様子だったが、結城さんのほうはおそらく私たちの顔は知らないはずで、創明の制服を着た子たちが乗っているなと思っただけだったろう。あるいは同じ学校の下校中の生徒の目を避けるために（湯崎駅から上りに乗る子は一両目に乗ることが多いので）二両目に乗っていたのかもしれない。

というわけで下車したときは私たちのほうが改札に近かったのだが、私が精算機で乗り越しぶんの料金を払っている間に、結城さんは先に改札を出てしまっていた。おそらく三十秒ほど遅れて私たちは改札を抜けたはずだ。

そこは駅ビルのコンコースで、正面のやや遠い位置に西口、右手には駅ビル一階のショップの一部が、左手にバスターミナルに通じる通路などがあり、その通路の手前に、結城さんと立ち話をしている女性の後ろ姿があった。私は思わず立ち止まった。敦美も同時に歩を止める。

見間違えようはずもない。塁さまだった。

私たちと同様に制服姿のままで、手には通学鞄だけを提げている。

私たちの位置からは残念ながら後頭部しか見えていないが、会話中の結城さんの顔はハッキリと見えている。その口が動いた。声も少しだけ届いた。

「え、そんなに？」

そこでいったん上目遣いになったあと、再び相手の顔を見据えて、

「九百十七円？」

そう口にした瞬間、私たちの視線に気づいたらしく、

「ま、続きはあとで」

塁さまを促すように、バスターミナルのほうに向かって歩き出した。二人はあっという間に通路の先に消えて行ってしまった。

私たちは二人とも、憧れの人を突然目の当たりにしたことで、言葉を失っていた。その姿が見えなくなってからようやく、敦美が声を発した。

「塁さまがいた」

「私たちがいたことには気づいてもらえなかったけど……。ゴメン。普通に私が切符を買っていれば、結城さんより先に改札を出て、挨拶ぐらいする時間はあったよね」

「そんなの予想できなかったし。杏華は悪くないよ」

未練は残ったが、さすがに後を追って同じバスに乗るというわけにもいかない。私は気持ちを切り替えて、敦美のマンションに向かうために、正面の西口に向かって歩き出そうとしたが、その私の左腕を敦美が引っ張った。

「うん？」

「九百十七円って何だろう？」

敦美は考え込んでいるふうだった。先を急ぎたい私は、

「わからないけど、何か九百十七円のものを買ったんでしょ。それを待ち合わせていた結城さんに報告した」

「でも値段はわかってるんだよ。九百十七円って。九百円とかじゃなくて端数のある特徴的な数字で。それって特定できたりしないかな」

「えっ」

「塁さまとお揃(そろ)いの物を持つチャンスだよ」

なるほど、そういう考え方もあるのか。

「あと、塁さまはさっき傘を手にしてなかった。だからその何かを買った場所は、ここから雨に濡れずに移動できる範囲内にあるはず。このセントルのどこかって決め打ちしてもいいと思う」

セントルとはこの駅ビルの正式名称《セントル地蔵ヶ丘》を略した言い方で、市の中心街にいくつかある総合デパートのひとつである。JRの地蔵が丘駅（こちらは『地蔵が丘』表記である）とは三百メートルほど離れていて、セントルの地下通路はJRとは繋がっておらず——というか地下通路伝いで行けるのはたしか隣のビルだけで、しかもそこにはラーメン屋とエステ店しか入っていない。道路を一本渡ればマク

ドナルドなどもあったが、この雨の下で傘も差さずに道路を一本渡ったら、それだけで髪や服が少しは濡れた感じになるだろう。でも先ほどの塁さまの後ろ姿は湿度ゼロの乾いた感じに見えた。あれは午後二時に雨が降り出したあと、ずっと屋内にいた人のものだった。つまり午後二時の時点で、塁さまはすでにこのセントル内にいたはず。

　もちろん午後二時より以前に、セントルの外で買物をしていた可能性は残るのだが、彼女が九百十七円を使ったのがこのビルの中だったという敦美の仮定は、かなり蓋然性のあるものとして受け容れることができた。

「あと手に持っていたのは鞄がひとつだけだった。私たちも持ってるこの通学鞄と同じものがひとつだけ。だから購入したものは、この鞄に入るサイズだったってこと」

　さすがにその決め付けはどうかと思ったので、私は推理の粗を指摘した。

「あるいはお腹の中に収まったか。塁さまは制服姿だったからまだ家に帰ってない。お昼は外で食べたはず。で、実際に街中まで来てたんだから、学校のそばとかじゃなくてきっと選択肢の多いこっちでお昼を食べたはず。その値段が九百十七円もしたよっていうのが、さっきの報告だったんじゃない？」

「お昼に九百十七円って、金額的に、別に普通じゃない？　結城さんがあんな感じの反応をする額かな？」

「うーん、たとえばマックとかだったら？」

「今日のお昼、マックで九百十七円も食べちゃった――まあたしかにそれなら『そんなに？』って言っちゃうか」

「お昼ご飯に使った金額だったたって可能性は、だからあるよね」

「うん。まあ、たしかに」

　敦美はしぶしぶといった感じで一度は認めたが、まだその後も何やら考え続けている。九百十七円がお昼だったらお揃いにできないので、そうじゃない可能性のほうを追求したいのだろう。

「でも十二時半に学校を出たとして、午後一時よりもっと早く、十五分前ぐらいにはここに着いたと思うし、お昼に多少時間がかかったとして多めに見たとしても、一時半にはきっと食事を終えていて——今は二時十五分。少なくとも四十五分ぐらいは——そしてたぶん実際には一時間以上は、お昼の後の時間があったはず。一時間もここにいて、何も買わなかったとしたら、逆に何のためにここに来たのか。お昼のため？　何か買う用事があって、じゃあお昼もここで食べようって言って食べたんじゃないかな。そして買物をした」

　塁さまがバス通学者で、普段はセントルを経由しない路線を利用していることは、二人とも承知していた。だから今回セントルにいたのは何か目的があって、わざわざ交通費を出して来ていたのだということは、言葉に出さずともお互いに議論の前提として認めていた。

「うーん。九百十七円で買えて、こういう鞄に入っちゃうような小さな物を？　しかも九百十七円じゃ高すぎるみたいな言われ方をしてたから、実際には五百円ぐらいで買えると思われているような物を、わざわざセントルまで来て買った？　そっちがメインでお昼はついでだったたってこと？」

「金額が数百円だったとしても、セントルじゃないと買えないような物ってあるでしょ。学校の近くのお店じゃ売ってないような、たとえばブランド品とか。逆にそういった考え方で条件が絞れると思わない？」

「それは……そうかもしれないけど」

「わたしもいちおう、お昼の値段だったたって可能性は否定しないけど、それは後から考えようよ。九百十七円って言ったときに、食べ物の値段だっていうのが、わたし的にはあまりピンと来ないんだ。セントルでご飯が食べられるお店って限られてるし、たとえば五階のレストラン街だって、たいてい何百何十円ってキリの良い値段で出してるでしょ。だから——」

そう言われると私も、食べ物よりは小物の類だったという可能性のほうがはるかに高いように思えてきた。金額が特定できていてサイズも上限がわかっている。わざわざ街中のデパートまで足を運ばないと買えない物だという条件まで加えたら、敦美の言うように、塁さまが買った品物が特定できるのではないかという気がだんだんしてきた。

といっても私自身は、塁さまとお揃いの物を持つということに、それほど執心は抱かなかった。そこが私と敦美の違いでもあった。敦美は部室で塁さまの着ている下着をチラ見しただけでメーカーを特定し、同じメーカーの下着を購入し愛用したりしていた。また私が塁さまの役を演じる際には、その下着を私に着けさせたりした。塁さまとお揃いの物を身に着けることは、彼女にとってそれだけ重要な意味を持っていたのだ。

私たちはいったん西口の出口付近まで移動して、セントルの各階の案内図を確認することにした。デパートとして機能しているのは地下一階から地上五階までで、六階から上は私鉄の事業部のようなものが入っていた。あと九階にシネマコンプレックスが入っていたが、映画と九百十七円という金額の組合せにピンと来るものがなかったので、とりあえず私たちは九階を除外することにした。

「こうして見ると、けっこうな数の店が入ってるよね」

店舗数をざっと数えたところ百三十店を超えていた。敦美は見落としがないように、この全店を見て回ろうというのだ。比較的チェックが楽そうに思えた——該当品が少ないだろうと予想されたのが、小規模なブランドショップの類で、逆に手強そうに思えたのは、床面積も商品数も圧倒的な、五階の丸善&ジュンク堂、四階のノジマ、三階の東急ハンズといったあたりか。

私たちはまず手始めに、いま自分たちのいる一階フロアから全店巡りを始めた。一階はそれこそ電鉄やバスのターミナル部分およびコンコースなどが一定の面積を占めている関係で、店舗数が十二と最も少なかったのだ。そのうちローソンはわざわざセントルまで来た理由にはなり得ないので、残り十一店舗をぐるっと一周してみた。ブランドショップでは服や靴の値段にいちいちビックリさせられた。

「こういうのって、でもちゃんと買う人がいるんだよね。凄いよね」

私が庶民レベルの感想を口にすると、敦美が右手の人差し指を立てて、

「それこそ高橋悠乃さんとかじゃない？　お金持ちはわざわざ自分からデパートとかに行かずに、デパート側に外商部っていう部署があって、そういうお金持ちの家に訪問販売をしに行ったり、あるいはデパートにお金持ちが来たときにはコンシェルジュ的に付き添って、いろいろ商品の説明をしたりするんだって。テレビで見たけど」

「ああ。ここからここまで全部ちょうだい、ってやつ」

私が実際の商品を指さしてそう言った直後に、店員さんと目が合ったので、いえいえ今のは違いますと慌てて手を横に振って、店を飛び出す羽目になった。

革製品やワイン、眼鏡の専門店など、塁さまとは縁が無さそうな店は素通りして、ファッション関係を中心にざっと見てみたものの、値段が一致する商品は見つからず——コスメ関係はひとしきり悩んだが、部活引退後の高校三年生がコスメデビューする可能性はなきにしもあらずということで、いちおうチェックはしてみた。

「なかなか無いね、九百円台の商品って」

「あってもたいていキリの良い数字だよね」

　コンコースに戻ってきたところで、敦美がスマホを電卓にして計算をし始めた。

「税込み価格が九百十七円になる商品の本体価格って、四捨五入や切り捨ての場合が八百三十四円、端数を切り上げて九百十七円になる場合は八百三十三円の、そのどちらかだね。でも普通、税込み価格か税抜き価格のどちらかは、キリの良い数字になるはずだよね」

「つまり普通じゃない値段の付け方をしてるってことか。それを手掛かりにすれば、普通の値段の付け方をしているほとんどの店がスルーできるかもね」

　楽をしたい私がそう言うのを尻目に、さらにスマホをペチペチして、

「うん？　さっき言った八百三十四円とかってのは税率十パーセントの場合だったんだけど、仮に税率が八パーセントだったとして、九百十七に百八分の百を掛け算してみると……」

　敦美がスマホの画面を見せてきた。『八四九・〇七四〇七四〇七四……』と表示されている。

「おっと。これは八百五十円ってことだよね」

「そうそう。ようやくキリの良い数字が出てきたけど……」

「八パーセントってことは食料品ってこと、だよね」

「しかもイートインの場合は税率が十パーセントになるから、その食料品を胃の中で

はなく、鞄の中に入れてテイクアウトしたってことになるけど……」

鞄の中に入る食料品とは——私はしばらく考えた末に、ひとつの案に辿り着いた。

「缶詰とかかな。カニ缶とかならけっこうするでしょ。結城さんも缶詰ひとつで九百十七円って言われたら『そんなに？』って思わず言っちゃうと思うし」

しかし敦美はその案を認めず、

「か、缶詰？　塁さまがデパートまでわざわざ缶詰を買いに来たって？」

そう言ってケラケラと笑い出す。何よ、ひとがせっかく無い頭を絞って考え付いたというのに。まあでも、実際の答えがそれかと言われたらたぶん違うだろうけどさ。あと装飾品や日用品じゃなかったら、塁さまとお揃いの物を持つことにはならないので、敦美の望む答えからは外れちゃうだろうけどさ。

「じゃあ次は五階にする？」

五階は一階に次いで店舗数が少なく、その多くがレストラン関係で、食料品の可能性が出てきた現段階でチェックするのにふさわしく思えた。エレベーターで五階に直行する。

レストランはたいてい入口の脇に見本ケースやメニューが展示されていて、中に入らなくても、各店の値付けの癖のようなものが把握できるようになっていた。やはり税込み価格で一円の位がゼロになるように値段が付けられている店がほとんどであった。

イタリアンのお店ではトマトフェアというのを開催していた。

「トマトフェアって。奥原さんが喜びそうだね」

元生徒会役員の結城忍さんとは同じ電車で乗り合わせ、先ほどは一階でお金持ちの高橋悠乃さんの名前を出したからだろうか、敦美はそこでFフォーの残る一人、奥原カンナさんの名前を出してきた。

世の中にはライブ配信アプリというのがあって、誰でも配信者になろうと思えばなれる時代、創明から誕生した（おそらく）初のライバーが奥原先輩である。Fフォーの仲間（生徒会役員や理事の娘）の後押しもあって、学校側もテストケースとして学校名や個人名を明かさない等の条件をつけた上で活動を容認しているという話の奥原さんは、アプリ上では『トマトちゃん』という芸名（？）を名乗っており、私も興味本位で二、三度見たことがあったが、トマトの国から来た妖精という設定があるらしく、常にトマト柄の服を着ていて、配信部屋自体もトマトグッズの赤と緑の二色で埋まっており、配信中は常にトマトジュースの入ったグラスをテーブル上に置いているというキャラ作りの徹底ぶりは、好みの分かれるところであろう。それでも収入源となる有料アイテムがそこそこ画面上で飛び交っていたので、それなりに人気はあるみたいだった。彼女が利用しているアプリでは、誰でも配信主になれるものの、一定の条件を満たさないと『アマチュア』から『アイドル』のカテゴリーには移れないので、アイドルとして配信している以上は、すでに一定数のファンを獲得し、何らかのステップアップを経験しているのだろう。

トマトフェアを開催中のそのイタリアンがレストラン街の端っこで、私たちは次に書店へと向かった。

五階で最大の床面積を占め、商品数でも手強いぞと私が秘かに意気込んでいた丸善&ジュンク堂を、しかし敦美はあっさりスルーすることに決めた。

「本の価格って、だいたい本体価格プラス一割の税金って感じで、その本体価格はほぼキリの良い数字なんだよね。だから税抜きで八百三十四円は本の値段じゃないと思う。あと本だったら、今は文庫本一冊で九百いくらって言われても別に高いとは思わないし」

それは本の値段の相場を知っている人の場合であり、本一冊の値段を五百円ぐらいだと思っている人も世の中にはいるだろうとは思ったものの、生徒会役員をしていた秀才の結城さんが文庫本の相場を知らないはずもないので、彼女の『九百十七円、そんなに？』という反応を理由に、今回は本を除外できるという敦美の論理は、いちおう筋が通っているように思えた。

続いて四階である。ファッションと小物の店が多く、最初にチェックした店の店頭には定価九百九十円のバレッタやポニーフックが並んでいた。ショートヘアの塁さまには必要のない品だと、敦美は最初からスルーしかけたが、そこで私がふと閃いたのだった。

「ねえ敦美ちゃん、九百九十円の税抜き価格って、いくらだと思う?」

「九百円でしょ」

即答された。もちろんそれはわかっている。

「それは消費税が十パーセントの場合でしょ。もし八パーセントだったら?」

敦美は素直にスマホを取り出し、再び電卓にして計算をした。

「あっ、ホントだ。九百十七円だ。……どういうこと?」

敦美のスマホ画面上には、私が暗算で計算したのと同じ『九一六・六六六六……』という数字が並んでいた。私はそこで先ほど一瞬の間に閃いた自説を披露したのだった。

「消費税率が八パーセントってことは、こういった雑貨じゃなくて、やっぱり食料品ってことになる。しかもテイクアウトの場合ね。だからまた缶詰を例に出すけど笑わないでね。あくまでも例として出すだけだから。で、九百九十円で売っていた缶詰を買った場合、結城さんに値段を聞かれて、そのまま答えたら高いって言われるのがわかってて、それが嫌で少しでも値段を安く言おうとして、税抜き価格のほうで答えたとしたら、九百十七円って数字がそこで出てくるのは、可能性としてはあるかなって」

敦美はその間、スマホ画面上で逆に九百十七に一・〇八を掛けて検算していた。結果は『九九〇・三六』で、四捨五入でも切り捨てでも、税込み価格はちゃんと九百九十円になっている。

「うーん。たしかに杏華の言うとおりで、八パーセントで計算すると、九百十七円が本体価格だった場合は税込み価格が九百九十円でキリの良い数字になるし、逆に税込み価格が九百十七円だった場合も、さっき計算したように本体価格は八百五十円になって、どちらもキリの良い数字だから、やっぱり消費税率は八パーセントで、だからどっちにしろ問題の商品は食料品のテイクアウトだった可能性が高い、と……うん？ちょっと待って」

敦美はそこで八百五十に一・〇八を掛けて検算をした。結果、画面には『九一八』の三つの文字だけが表示されていた。

「待って待って。八百五十のほうは成り立ってなかった。一円だけだけど今回に限っては大違い。そうするとキリの良い数字が九百九十円だけになって、それって税込み価格を素直に答えたくなくて税抜き価格のほうを言ったっていう、ちょっと苦しい説しか残らないから、うーん、だから税率八パーセントに決め打ちするという案自体、まだ保留にしたほうが良さそう。ちなみに十パーセントのほうはと言うと――」

スマホでさらに計算を重ねる。九百十七に一・一〇を掛けた結果は『一〇〇八・七』である。キリの良い数字にはならない。九百十七円が税込み価格だった場合の税抜き価格の、消費税率が十パーセントだった場合は先ほどすでに計算したとおり、八百三十四円である。これで九百十七円を中心に、それを本体価格として税込み価格を二通り、それを税込み価格として本体価格も二通り、全部で四通りの値段を計算したことになるが、キリの良い数字は八パーセントの消費税を加算した場合の九百九十円が唯一であった。八パーセントの消費税を減算した場合の九百四十九円プラスアルファは、九百五十円に丸められるかと思ったものの、逆向きに検算したときには一円違いで成り立たず、キリの良い数字には該当しなかった。

「うん？　うん？　うん？　待って待って」

敦美はそこでさらに独自の計算を始めた。八百三十四に一・〇八を掛けてみると『九〇〇・七二』になった。その画面を見せてくる。私は少し混乱した。

「え、どゆこと？」

「ちょっと待って」

敦美は自分の傘を私に預け、鞄の中からノートとシャーペンを取り出すと、空いたページに簡単な図解を書いてみせた。

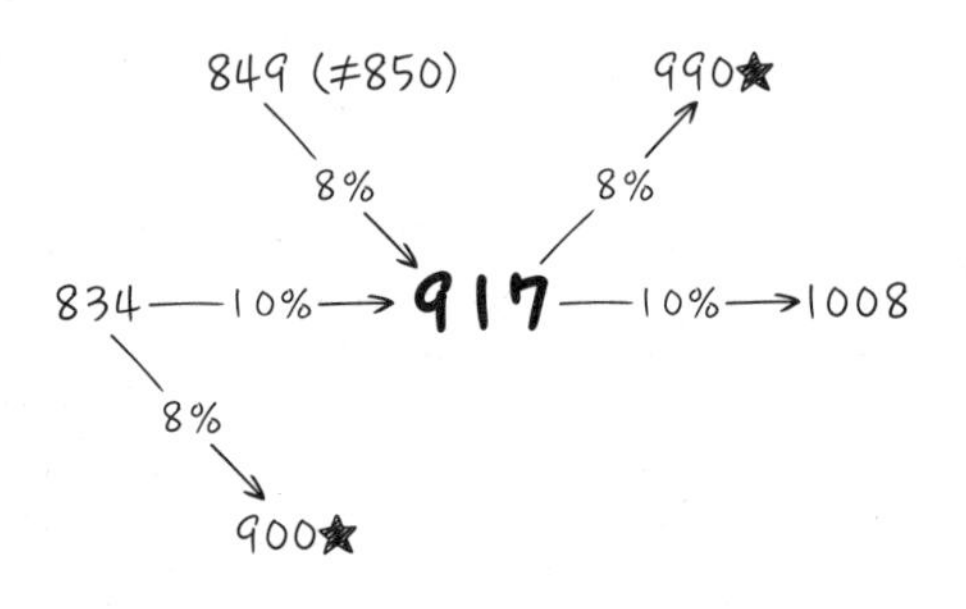

「税抜きと税込みと、両方とも端数のある変な数字だった可能性も無いわけではないけど、どちらかが端数のないキリの良い数字だったとして考えた場合、九百十七円を中心にして四つの数字を検討したところ、九百九十円がひとつ見つかった。でもここに九百円というキリの良い数字がもうひとつ出てきた。これはね、最後に掛けた数字

が八パーセントだから、テイクアウトがメインの店で、テイクアウトのときにキリの良い数字になるように、本体価格を設定している店があったとする。九百円の場合は本体価格が八百三十四円になるのね。でもその店でイートインを選んだ場合には、同じ商品が税率十パーセントになって、それがまさに九百十七円になるってこと」

九百十七円を起点にすると、九百円に到達するには、十パーの消費税を引いた上で八パーの消費税を加算するという複雑な計算を要するので、少しわかりにくくなるが、八百三十四円を起点にすれば、テイクアウトで九百円、イートインなら九百十七円と、事態が大いにわかりやすくなる。私がようやく図解の意味を把握できたのを見て、敦美が結論を出した。

「九百九十円のほうは、実際に支払った金額ではなく、あえて税抜き価格のほうを咄嗟に計算して答えたことになって、無理があると思ってたけど、九百円のものをイートインして九百十七円のほうは、そういった不自然さもなく、九百十七円っていう謎の数字にちゃんとした答えを出している気がする」

「要するに、それは塁さまがどこかで食べた今日のお昼の値段だったってこと、だよね？　だからお揃いになる物を買うことはできないと」

地下一階から地上五階まで全部で六フロアあるうち、店舗数の少ない一階と五階を大雑把にチェックしただけで、まだ時間的にも労力的にもそんなには費やしてはない。現在時刻は午後三時になろうかというところ。今から敦美の家に行ったとして、まだ二時間半ほどお楽しみの時間は残されている。

しかし敦美は首を横に振った。

「胃の中をお揃いにできる可能性がまだあるから」

彼女はあくまでも塁さまが遣った九百十七円の用途を特定したいようだった。


テイクアウトが主体の店ということで、私たちは三階のフードコートにあるモスバーガーに注目した。しかし実際に行ってみると、モスバーガーではテイクアウトもイートインも同じ価格を採用していた。なので会計の際に九百十七円といった端数は発生し得ない。フードコート内の他の店のメニューもざっと確認してみたが、九百十七円の商品は見つからなかった。

私たちは最終的に地下一階に向かった。そこはいわゆるデパ地下で、さまざまなお弁当やお菓子、ケーキといった食品を売る店が並んでいた。いちばん奥には私鉄が経営するスーパーマーケットが出店しており、イートインはできないものの、スーパーならば商品の組合せ次第でお会計が九百十七円になることもあり得たが、塁さまがわざわざセントルまで来てスーパーで買物をしたとは考えられず、地下一階で最大の床面積を誇る店がまず除外できたのはありがたかった。

ちなみに地下一階には食料品店だけでなく、キッチン用品を売る店も出店していた。私は知らなかったが、２１２キッチンストアというブランド店で、敦美は小物をお揃いにしたいという当初の目的が忘れられなかったのか、まずはその店に足を踏み入れた。

「これとかも奥原さん食い付きそう」

敦美が指さした店舗の一角には、トマトケチャップで有名なあのデルモンテとの提携商品が並べられていた。エプロン三千三百円、エコバッグ千六百五十円、キャニスター千五百四十円など、提携商品ならではの付加価値がそれなりに反映された値段になっていた。この値段で買う人は、それこそトマトちゃんぐらいしかいないのではないかと、庶民派の私は思ったが、それでも保冷ランチバッグ二千七百五十円のシールの貼られたフックには商品が掛かっておらず、買った人がいることを示していた。

そうして寄り道をしつつ、私たちが最終的に辿り着いたのが、ミスタードーナツのセントル地蔵ヶ丘店であった。地下一階の食料品を売る店の中では唯一、イートインのコーナーを持っていた。といっても席は四つしか無かった。二メートルほどのカウンターが透明な仕切り板で四つに区切られていて、一人一人が壁に向かって食べる感じになる。

テイクアウトが主体の店だけどイートインも可能だという、一見したところ条件に合っている感じだったが、ショーケースに貼られた値札を見た段階で、私はここもダメだとすぐに判断した。本体価格がだいたいキリの良い数字になっているのだ。だがイートインで九百十七円にするためには、本体価格の合計で八百三十四円という半端な数字を作らなければいけない。あれもこれも一円の位はゼロだった。ドーナツポップという小さなボール状の商品は五円刻みで一個三十五円とかだけど、それをいくつ加算しても一の位は四円にはならない。

私がそうして早々に諦めかけたとき、敦美が目聡くそれを見つけたのだった。

六種類のドーナツポップが並んだケースの端に、次の貼り紙がしてあったのだ。

ドーナツポップ	八個入り	一六個入り	二四個入り
税抜	¥二五〇	¥四八二	¥七〇四
税込テイクアウト	¥二七〇	¥五二〇	¥七六〇
税込イートイン	¥二七五	¥五三〇	¥七七四

二十四個入りのドーナツポップが税抜き価格で七百四円！　あと百三十円足せば八百三十四円になる。そして税抜き価格が百三十円のドーナツはたくさんある！

土曜日の午後三時過ぎ。たまたまなのか、商品ケースの前に客は並んでいなかった。敦美はケースの前に進み、店員に欲しい商品を告げた。二十四個のドーナツポップは六種類の中から好きなものをチョイスできたが、敦美は六種類それぞれを四個ずつで合計二十四個にした。税抜き価格百三十円の商品には、十種類ほどの選択肢の中からチョコリングを選んだ。

店員が二十四個のドーナツポップを手際よく専用容器に詰めながら、持ち帰るかどうかを聞いてくる。
「イートインで」
「いや待って。そこまで一緒にする必要はなくない？」
私が咄嗟に注進したのは、四つあるイートイン席のうち、真ん中の二つが埋まって
いたからでもあった。敦美が食べている間、私はどこにいればいい？　いやそもそも、
あれだけの量を食べ切れるのか？
「あ、じゃあテイクアウトにします。……ちなみにイートインの場合はいくらになり
ますか？」
店員はレジを操作して「九百十七円になりますが」と答えた。
敦美はテイクアウトの代金九百円を払いながら会心の笑みを浮かべた。
地上階に戻って西口から外に出る。商品の入った紙袋を持ちながら傘も差さなけれ
ばならない敦美のために、私は彼女の鞄を持ってあげることにした。二つの鞄をまと
めて持つとそれなりの重さがあったが、握力は毎日鍛えているし、彼女のマンション
までは徒歩五分なので、何とか耐えられた。
それから三十分。敦美の自室に、普段とは違った甘い香りが漂っていた。
ドーナツポップ六種類をまずは一個ずつ、敦美は味わいながらもテンポ良く食べて

いった。それぞれピンポン玉ほどの大きさの球形で、輪っか状のドーナツとして同じ味のものが売られているが、それを一口サイズにした商品である。六種類の中ではエンゼルクリームボールというのが気に入ったらしかった。二周目は一周目よりも時間がかかった。そして合計十二個を食べたところで、ピタッとその手が動かなくなった。

「敦美ちゃん、残したら、別のところに突っ込んじゃうよ」

私が塁さまの喋り方を真似てそう言うと、敦美はプレイに乗っかって、オールドファッションボールを手に取り、一瞬のためらいの後にそれを口に放り込んだ。苦しそうに咀嚼(そしゃく)している。六種類ある中で、オールドファッションとチョコファッションの二種類は表面がごつごつしている。痛そうなものを減らそうとして選んだんだなと思うと、思わず笑みがこぼれた。

十三個目を何とか食べ終えた敦美は、苦しそうな溜息(ためいき)を何度もつきながら言った。

「これは一時間半かかるわ。むしろよく一時間半でイートインできたよ。塁さまはやっぱり凄いわ」

「いやいや。敦美ちゃんはお昼を食べてるじゃん。それに対して塁さまは、これをお昼として、空腹の状態から食べ始めたんだから。条件が違ってるんだから」

私がそう言って、敦美は全部食べる必要はないと主張したのは、早く次のステージに進みたかったからだった。

敦美が私のことをどう思っているかはわからないが、実は私の中には、敦美のことを敦美として愛する気持ちが芽生えていた。

自分が愛するときには、自分が塁さまに成りきって、敦美のことを愛するし、逆に私が愛される番であっても、塁さまに愛されていると半分思い込みつつも、実際に私を愛する唇は、指は、敦美のものである。

敦美を困らせたい。敦美に舐めさせたい。敦美をいかせたい。

私の視線は先ほどから頻繁にベッドへと向けられていた。

しかし敦美は意地になったようにテーブルの前から動かなかった。

「ねえ杏華、覚えてる？　塁さまの最後の登板のこと」

不意にそんな質問をしてきた。

「もちろん」

「じゃあ塁さまが何球投げたか覚えてる？」

私は正確な答えを返せなかった。敦美はまだ半分残っているドーナツポップに目をやりながら正解を告げた。

「十八球。最初の打者に粘られて、八球目でフォアボール。次の打者は初球を打ち上げて内野フライでワンナウト。でも次の打者にツーノーからど真ん中に投げた三球目を打たれて一、二塁。次の打者にはストレートのフォアボールでワンナウト満塁。ここまでで十六球ね。さらに次の打者に対してツーボールノーストライクになったところで、塁さまは交代させられた」

敦美の記憶は正確だった。私の脳裏にはあの夏の一ページがまざまざと蘇っていた。

敦美の話は続いていた。

「前に読んだ推理小説に、体育会系の部活を辞めた女の子が出てきて、やっとお腹いっぱい食べられると思ったのにこれだけか、みたいなことを言うシーンがあったのね。それで塁さまも、ソフト部の現役のときは節制してたけど、部活を辞めて体型を維持する必要がなくなって、一度思い切り甘いものを食べてみたくなって、こんな無茶なチャレンジをしたのかなって。しかもイートインだから逃げられずに——まあ食べ切れなかったら持ち帰ってもいいんだろうけど、結果的に全部食べ切って——鞄の中に食べ残しを入れてなかったとしたら、だけど、おそらく食べ切ったんだよね。塁さまなら出来たと思う。その精神力の源に、じゃあ何があったかって考えてて、思ったの。塁さまはあの日、当然のことながら、本当はスリーアウトを取って交代したかったはずだって。あと二つのアウトが欲しかった。もちろん一球だけでも内野ゴロでダブルプレーって可能性はあるけど、そういう運任せじゃなくて、自分の力であとアウト二つを取るためには——」

「三振が二つ。合わせて六球」

「そう。だから全部で二十四球は必要だった。そういった思いが残っていて、それでこの二十四個のボールを全部食べ切ってやるぞって、こんな無茶なチャレンジに挑んだんじゃないかなって。そう思ったら、わたしも塁さまと同じチャレンジをやり遂げたいなって」

　でも見るからにもう無理そうである。逆に私はドーナツならばお腹に入りそうであった。

「ねえ敦美ちゃん、今日は私が塁さまの役をやる番だよ。だから私が、塁さまと胃の中をお揃いにする必要があるとは思わない？」

　それが最後の一押しとなったようだった。敦美はがっくりと項垂れた。それは頷きを兼ねていた。

「じゃあ、いただきまーす」

　私はとあるインスタグラムで見かけた「別腹」の英語表現「Additional stomach for sweets」が、文法的に合っているのかどうかはわからなかったが、個人的に気に入っており、それを敦美に披露した上で、

「敦美ちゃんは今日のお昼、メロンパンと何だっけ、アップルパイ？　甘いパンを食べてたじゃん。だから別腹があまり残ってなかったんじゃない？　私はこれ全部いけそうだよ。どうする？　ドーナツポップが十一個とチョコリングだと半分以上だよね。半分だとして四百五十円出そうか？」

「いいよ。全部わたしが食べるつもりで買って、それを助けてもらってるのに、お金まで――ちょっと待って！」

　そこで敦美はスマホを手に取り、またしても電卓機能を使い始めた。

「見て！　九百十七円を三倍してみたら——」

　画面には『二七五一』という四桁の数字が表示されていた。それでも私はまだピンと来ていなかった。

「そうだ。そうだ。奥原カンナさんの名前がカンナなのは——」

　今度は別のアプリを起動していた。起動した画面は配信中アイドルの一覧で、都合の良いことに『トマトちゃん』もその時刻に配信をしていた。敦美の指がそのページを開く。

　以前に視聴したときとは枠外の背景が違っていた。よく見ると『ＨＡＰＰＹ　ＢＩＲＴＨＤＡＹ』という文字が書かれていた。そんな誕生日仕様の画面の中に、トマトちゃんがいた。敦美が呟く。

「神無月の生まれでカンナさん」

　配信画面の中のトマトちゃんは、リアルな友達から貰ったというプレゼントを開封していた。ガサゴソと包みを開ける音がして、中から出てきたのは緑色の、大きく「ＤＥＬＭＯＮＴＥ」の文字が入ったランチバッグだった。緑の部分に銀色が見えているので、保冷機能がついたもののようだった。

　売り切れていた保冷ランチバッグ——二千七百五十円。三人で割り勘にすると——端数の処理にもよるが、一人あたり九百十七円。

　高橋悠乃お嬢様は都合が悪く、結城忍さんも一度家に帰る用事があったので、昼食を兼ねて福永塁さまがセントルに一人で行って、トマトちゃんへの誕プレを選ぶことになった。選んだところに結城さんが合流する。

お弁当入れはいいけど二千七百五十円？　お弁当用のバッグひとつで——そんなに？

視線を上に向けて暗算して、目を戻して（私が払うのは）九百十七円？

結城さんの動作も台詞も、これでようやくすべての説明がついた。

そして。

敦美は力尽きたようにバタンと床に倒れ、そのまま動かなくなった。

今日はもう愛し合う余裕はなさそうだな。

私はなぜか振られたような気分になり、自棄(やけ)になって残りのドーナツを食べ尽くした。

［微笑の対価］
相沢沙呼

相沢沙呼（あいざわ・さこ）

1983年埼玉県生まれ。2009年『午前零時のサンドリヨン』で第19回鮎川哲也賞を受賞しデビュー。『小説の神様』は実写映画化されるなど大きな話題に。2019年『medium 霊媒探偵城塚翡翠』が各種国内ミステリランキングにて第1位を獲得したほか、第20回本格ミステリ大賞を受賞。その他の著書に「マツリカ」シリーズ、『教室に並んだ背表紙』『invert 城塚翡翠倒叙集』『invert II 覗き窓の死角』など。

扉イラスト／清原紘

不快な臭いに鼻腔を擽られながら、一心不乱に穴を掘る。

臭いは、わたしの胸中と同様に混沌としていた。立ちこめる草木と掻き出される土の香り、そして紫乃の髪の香り――。意識が混濁していくみたいに、あの瞬間から嗅ぎ取ったすべての臭いが入り交じって、わたしの鼻先に漂っている。

山奥にひっそりと佇んだこの廃墟を、普段は照らす光など一つもないのだろう。頼りない星明かりと、地面に置いた懐中電灯だけが心細い照明となって、周囲の暗闇をくり抜いている。廃墟の裏手、一面を雑草で覆われた空間を、わたしは必死になって掘り返していた。

もう何時間、この作業をしているのかわからない。額から滴る汗を軍手の甲で拭う。この汗のしずく一つすら、地面に落としてしまうのが致命的なことになりそうで、わたしは恐怖していた。

なんの痕跡も残さずに、埋めてしまわなくちゃ。

がちがちと歯が鳴る。唇を噛みしめて、手にしたスコップに力を込める。

こんな作業、何度繰り返したところで、慣れてくれることはない。

それでも、だって、これが紫乃のためなんだから。

あなたは愛のために人を殺せる人間だね。

いつか聞いた言葉が、今でも呪いのように繰り返されている。

わたしならできる。

絶対に、やり遂げてみせる。

だから、だから紫乃、泣かないで——。

そう言い聞かせながら。

わたしは傍(かたわ)らに転がる死体に、眼(め)を向けた。

*

真嶋(まじま)紫乃と出会ったのは、高校生のときだった。

入学してすぐ、初めて彼女の姿を眼にしたときのことは、未(いま)だによく憶(おぼ)えている。

教室の隅の席に腰掛けていた彼女は、退屈そうに頰杖(ほおづえ)を突いて、灰色に濁った窓向こうをぼんやりと見つめていた。艶(つや)のある長い黒髪に、切れ長の眼を飾ってカールを描く睫毛(まつげ)、そしてそこに浮かんでいる物憂げな黒い瞳。映画の中で映し出されるような景色に、わたしの興味は自然と引き寄せられた。とても綺麗(きれい)な顔立ちをしているというのに、高慢なお姫様のようにどこか憮然とした表情は、笑顔を浮かべるといった感情の変化を忘れ去ってしまっているように見えた。

本当に綺麗な子というのは、こうも心を惹きつけるものなのだろうか。それまで女の子の顔に見惚れてしまう経験なんてまるでなかったのに、教室での席が近かったということもあって、わたしは気づけば彼女の横顔を無意識に追いかけるようになっていた。

すらりとした体躯と相俟って、紫乃の美しさは多くのクラスメイトの視線を釘付けにしたけれど、当人の素っ気ない態度を見て、やがてはみんな興味を失ってしまったようだった。紫乃は教室の誰とも話さない。休み時間はふらふらとどこかへ姿を消してしまうし、彼女の笑顔を引き出そうと話しかける男子のことは、その存在ごとまるきり無視をする。最初の頃は、彼女と友達になりたくて熱心に話しかけていた女の子もいたけれど、お昼を一緒に食べようというクラスメイトの言葉に、「興味がないから」と素っ気なく断る様子には、愛想の欠片も存在していないようで、ついには誰も彼女に話しかけなくなってしまった。

わたしはというと、もちろんそんな非友好的な人間を相手にして、積極的に絡んでいけるような性格ではなかった。もともと誰かの面倒を見たり、人と関わったりするのが好きな方だったのだけれど、それができなくなってしまったのには、中学時代の出来事が大いに関係していたように思う。

だからわたしにとって、真嶋紫乃はつい眼を惹かれてしまうけれど、どこか近寄りがたいクラスメイトという、ただそれだけの相手で終わってしまうはずだった。

一ヶ月が経って、ブレザーを着た鏡の中の自分にも見慣れてきた頃に、わたしはその光景に出くわしてしまった。クラスメイトたちから、ちょっとしたお使いを命じられて、普段はあまり行かない体育館裏手をショートカットして通ろうとしたときのことだった。

一人の女の子を、数人の男子生徒が囲んでいる。その異様な景色に、わたしは足を止めていた。男子生徒たちの中にはどう見ても一年生には見えない先輩が混じっていて、一見してわかるくらいに柄が悪かった。まさに不良たちが女の子に因縁をつけて囲んでいるという、一昔前のドラマでしか見られないような状況だ。わたしは息を潜め、そのままなにも見なかったことにして身を引き返すべきかどうか逡巡した。けれど、そこで退屈そうな表情をして男子たちから視線を逸らしているその顔に気がつく。女の子は、あの高慢そうなお姫様——真嶋紫乃だった。

わたしは暫く様子を覗っていた。すぐ逃げようとも助けようともしなかったのは、真嶋紫乃という、他人と関わろうとしない彼女の秘密の一端を、垣間見ることができるかもという好奇心のせいだった。幸いなことに誰もわたしに気づいた様子もなく、わたしは男子たちが紫乃にかける言葉をじっくりと耳にすることができた。それは当時のわたしにとっては、少なからず衝撃を受ける種類の言葉だったと思う。もしかすると助けに入る必要なんてなく、このままわたしは身を引き返すべきなのではないかとも考えてしまうくらいに。

けれど、その言葉をかけられる紫乃の表情を見て、わたしは考えを変えた。

「先生！　こっちです！」

わたしは大声を上げた。そのやり方が効果的なものであることを、わたしは身を以て知っていたので躊躇はなかった。案の定というべきか、ぎょっとした視線をこちらに向けた男子生徒たちは、足早に逃げ去っていった。体育館の汚れた壁面を背にして、紫乃だけが微動だにせず、わたしの方を見つめていた。

「大丈夫だった？」

わたしは彼女に近付いて、そう声をかけた。

それに応えず、紫乃はわたしがやって来た方に物憂げな瞳を向けた。

「先生は？」

「あれは嘘」

わたしが笑いながら言うと、彼女はきょとんと眼をしばたたかせた。その驚いた表情が、いつも教室ですました顔を浮かべている彼女からは、想像できないほど愛くるしいものに見えて、不思議と得をした気分になる。

それから紫乃はしげしげと、物珍しげな視線を隠そうともせずわたしの顔を見つめた。

「名前、なんて言うの？」

クラスメイトの名前を覚えていないことに、気まずさのようなものは感じていないらしい。

「沢渡。沢渡優香」

「ふぅん」

自分から訊ねてきたくせに、紫乃はあまり興味がなさそうな声を漏らす。それから、わたしがその場から立ち去らないことを不思議に思ったのだろう。紫乃は小さく首を傾げ、眉を寄せながら聞いてきた。

「あたしに、なにか用？」

「え、いや、そういうわけじゃないけれど」

助けてくれた人に対して、その返しはどうなのよと思わなくもない。ヘタでもいいから、笑顔の一つでも浮かべて、ありがとうとでも言ってくれれば可愛げがあるのに。あまりにも他人に対して横柄で無愛想な態度に、むしろ潔さのようなものを感じてしまい、わたしは思わず吹き出してしまった。

「なに？」

そんなわたしを見て、やはり紫乃は訝しげに訊く。

「べつに。なんか、真嶋さん、面白いと思って」

わたしは、言ってすぐに後悔した。そんなふうに抱いた感情をすぐに口に出してしまうことが、どれだけ多くの軋轢を生むものなのか、実感はしているつもりだった。

睨まれるかもしれないと怯えたものの、紫乃は長い髪を弄びながら、むしろ不服そうな表情をした。今にも唇を尖らせて、拗ねてしまうんじゃないかって。そんなふうに思えてしまうくらいに、それは愛らしい仕草に見えた。

「沢渡さんは、なに？　あたしと友達になりたいの？」

わたしは少しだけ返事に詰まった。それはいじわるな質問だったし、図星だったかもしれなかったから。

「なにそれ。真嶋さんって、自己評価高くない？」

少しムキになって、いじわるな言葉で返したつもりだったけれど、紫乃は当然のことのような表情で言う。

「あたし、顔がいいから。声をかけてくる人は多いの」

「わかってるなら、もうちょっと愛想良くしたら？」

紫乃はさも困難な仕事を押し付けられた人みたく、顔を顰めた。

「余計なお世話」

「そんなんだから、へんな噂を立てられちゃうんだよ」

「へんな噂って？」

「それは……。ほら、さっきの」

「さっきの、ね」

紫乃はわたしから視線を背けた。男子生徒たちが去って行った方角へ顔を向けて、流れる黒い髪を片手でそっと梳いていく。

「沢渡さんは、ただの噂だって思う？」

「違うの？」

紫乃は応えなかった。代わりに、あなたはどう思うの、と切れ長の瞳がちらりとわたしを一瞥した。

「その……、わかんないよ。わたし、真嶋さんのこと、ぜんぜん知らないもの」

さっきの男子たちが彼女にかけていた言葉は、あまり口に出したいものとは思えなかった。もともと、ここ一ヶ月くらい教室であからさまに浮いている彼女には、奇妙な噂が立っていた。曰く、夜の街をよく徘徊していて、ホテルから中年男性と一緒に出てきたところを目撃したとか、SNSでそういう行為をしていて、お小遣いを稼いでいるとかなんとか。男子たちが紫乃に投げかけた言葉は、つまりその類のものだった。俺たちも見ちゃったんだけれど、秘密にしておいてやるからさ、その代わりに——。

紫乃は、噂に対して否定をしなかった。けれど男子たちの言葉には、迷惑そうな表情を見せていた。噂の真偽がどちらにせよ、気づいたときには、わたしは彼女を助けるべく声を上げていたのだ。

今も、彼女はわたしに対して否定しなかった。

「それじゃ、あたし、行くから」

紫乃は踵(きびす)を返した。

行かせてはいけない。

どうしてか、瞬間的に、そう考えてしまった。

わたしは彼女のその寂しげな背中に、慌てて声を掛ける。

そう。わたしにはその背中が、どうしてか寂しいものに見えた。

寂しそうに、見えてしまったのだ。

「どっちでも、いいと思うよ」

勢い込んで言ったので、驚いたのだろう。紫乃は立ち止まり、横顔だけで振り向いた。

「あのさ、真嶋さん、一人きりだから、ああいう面倒くさいのに絡まれちゃうんだよ。誰かと一緒にいたら、ああいうのも手出ししにくいと思うし、だから」

わたしはなにを言っているんだろう。そこまでして彼女を引き止めなくてはいけない理由なんて、きっとどこにもなかったはずなのに。

「だから――、わたしが友達になってあげるよ」

＊

わたしと紫乃の交流は、そんなふうに始まった。

今にして思えば、友達になってあげるだなんてひどく上から目線の申し出だった。いったい何様だというのだろう。けれど紫乃はわたしのその言い方を気に入ってくれたらしい。とはいえ、紫乃と友達を続けるというのは、なかなかにしてハードルの高いものだった。

第一に、紫乃はすぐ学校でふらっと姿を消してしまう。お昼ご飯を一緒に食べようとしても、少しでも眼を離せば教室からいなくなってしまうので、探し出すのが大変だった。いつだってLINEは既読スルーで、よくて意味不明なスタンプが返ってくるだけ。スマホを通してはまともなコミュニケーションを取れたことがない。

彼女は空き教室で食事をとっているらしく、食生活は酷いものだった。だいたいいつも食べているのはバータイプの栄養補助スナックや、コンビニで買ってきたというサンドイッチ。朝食抜きで、夕食はピザのデリバリーだという。いったいどのようにして、その滑らかな肌や髪を維持しているのか疑問だった。お金がないのかと訊くと、「そんなことないけれど」と不思議そうに首を傾げられてしまう。だったらきちんとした食事をしようよ、とわたしは彼女を学校の食堂に連れ出して、栄養価の高い定食を毎日選んであげるようになった。そうすると、今度は「夜に食べるものに困る」と相談されてしまったので、わたしはときどき、彼女の住んでいるアパートに上がり込み、夕食を作ってあげるという通い妻みたいなことを繰り返した。

うちは両親が共働きなので、母が忙しいときに朝食や夕食の用意をするのがわたしの役目だった。そこそこの自信があり、弟からも評判がいい。案の定、紫乃はわたしが振る舞う料理を喜んでくれた。ほとんど笑顔を浮かべることなく、仏頂面のままで表情筋が壊滅的に死んでしまっている紫乃だけれど、わたしの料理を初めて口にしたときの顔は今でも憶えている。彼女は切れ長の眼を見開き、驚いたときにいつもそうするように、何度も瞼をしばたたかせて見せた。真っ白な頬をほんの少し紅潮させて、潤んだように煌めいた黒い瞳が、わたしを見つめて言う。

「びっくりした」

　美味しい、ではなく、びっくりした、という感想が癪ではあったけれど、それが彼女としては笑顔を見せるにも等しい感情の発露だったのだろう。ほんとうに、いつも退屈そうな顔しか見せないのだから。あんな顔を見せる相手は、きっとわたしくらいなものだろう。

　紫乃は母親と二人暮らしをしているらしく、そのお母さんも水商売をしていて朝になるまで帰らないというので、一度か二度くらいしか会ったことがない。狭い紫乃の部屋は退廃的というかゴミ屋敷のようで、女子高生らしいところは微塵もなく、けれど高そうなバッグやアクセサリー、化粧品やら洋服が乱雑に放り棄てられているのが、女子らしい部分に見えなくもなかった。

「あんな高いもの、どうしたの？」

「あれはお母さんのを借りているのよ」

紫乃は素っ気なく、わたしの疑問に応える。そうだとして、あんなに綺麗なバッグや可愛らしい服を着て、どこへ行くというのだろう。

結局のところ、紫乃はいつも、あの噂を否定することはなかった。ただ、否定をしないということは、真実を垣間見せていることにも等しい。

「じゃあ、あのコスメは？　紫乃、ほとんどメイクしないじゃん」

夕食を振る舞ってあげたあと、彼女の部屋の小さなベッドに腰掛けて、わたしたちはよくだらだらとした時間を過ごしていた。まったく片付けができないんだから、とぶつくさ言いながら散らばったゴミを始末してあげると、室内は多少は女の子らしい部屋の様相を覗(のぞ)かせる。我が家の夕食当番ではないとき、月に一度くらいは、ときどき紫乃に夕食を振る舞って、部屋の掃除をしてあげるというのが、高校生のわたしのルーチンワークになっていた。

「借りたけれど、使い方がよくわからない」

表情筋が壊滅的な子ではあるけれど、彼女との付き合いを重ねていくうちに、わたしはその微妙な変化に気づくことができるようになっていた。紫乃は、ひょっとすると本当にメイクの仕方がわからなかったのかもしれない。それを恥じらうように、どこか憮然とした様子で答えた。

「優香はメイクが上手ね」

いつだったか、紫乃にそう褒められたことがある。今も彼女は渋い顔をしたまま、そのときと同じセリフを口にした。

　上手と褒められるのは悪い気はしないけれど、学校に行くときは本当に微妙な変化をつけるだけのメイクしかしていない。校則が厳しいというわけではないのだけれど、多少、顔色がよく見えるようにとか、ちょっと睫毛がカールするようにとか、肌荒れを隠すとかそれくらい。わたしは小学生の頃から普通の女の子より背が伸びていて、それは今でも変わらない。骨格も大きく、中学生の頃は男子っぽいとよくからかわれたものだった。そんな自分に嫌気がさして、高校生からは女の子っぽく見えるようにとメイクの仕方を憶えた。紫乃がそう言ってくれるのなら、試みは成功していると言っていいのだろう。今はネットの動画でやり方を丁寧に教えてもらえるし、百均で安価に道具を揃（そろ）えられる。けれど、紫乃の部屋の鏡台に散らばっているのは、存在は知っていてもわたしじゃ高くて買えないブランドのコスメばかりだった。

「よかったら、やってあげようか」

　見れば、ネットで見たことのある化粧下地が置かれていることに気づいた。可愛らしいデザインで、飾っておくだけで気分が高揚しそうなもの。本当に、それがお母さんから借りたものなのかどうかはわたしにはわからない。でも、自分のポーチの中にあるものを足せば、必要最低限の道具は揃いそう。

「お願いするわ」

　紫乃は背筋を伸ばして、ベッドに腰掛けたまま、わたしの方へと向き直った。その真剣な表情を見て、わたしはなんだかおかしくなってしまい、笑いそうになる。紫乃はわたしが笑ったのを不服に感じたのか、不貞腐れたような表情を見せた。

「どうして笑うの」

「ごめんごめん。なんだか可愛いから」

やはり紫乃は不満そうだった。けれどそんな表情が、滅多に笑うことのない彼女から感じ取れる愛嬌というものなのだろう。

ともあれ、彼女にやり方を説明しながら、メイクを施した。動画で憶えた自己流だし、始めたばかりだし、胸を張って教えられるようなものではないかもしれないけれど、こうして紫乃に頼られるのは悪い気がしない。化粧水などのスキンケア用品も、紫乃はあまり使ったことがないというので、洗面所にある彼女のお母さんのものを拝借した。こういう道具に頼らなくても充分に綺麗だというのは、なんだか腹立たしいものがある。肌にも潤いがあって、化粧乗りが凄くいい。下地やファンデを塗りたくってやりながら、わたしは彼女と自分の違いというのを見せつけられるような気分になっていた。

他人にメイクをするなんて初めての経験だったけれど、挑戦してみたいことだったたり、使ってみたかった道具を試すにはうってつけの機会だった。おまけに相手は素材がいい。けれど、もともと彫りの深い顔立ちをしているから、立体感を出そうなんて気張らなくても、なんだか様になってしまう。やりがいがあるのかないのか微妙な気分になりながら、わたしは集中して紫乃にメイクを施した。

紫乃は大人しく、ずっと黙っていたけれど、ときどき擽ったそうに身じろぎをして、眉尻を下げながらわたしを見返す眼差(まなざ)しが、なんだかとても可愛らしく、わたしは笑ってしまっていた。

紫乃もほんのちょっとだけ、くすくすと笑ったように思う。

その笑顔はわたしが施すメイクの、何倍も彼女を魅力的に見せていたような気がする。

だから、わたしはもう少し彼女が笑うところを見たくて、パウダーを乗せるためのブラシで、彼女の首筋を擽った。

紫乃が肩を跳ねさせて、悲鳴を上げる。それから、わたしを睨んだ。頬を膨らませて、唇を不貞腐れたように歪(ゆが)ませた。そうして堪(こら)えきれなくなったみたいに、やっぱりくすくすと笑うのだった。

あのときのメイクの出来は、きっとお世辞にも良いものではなかったと思う。それでも紫乃は鏡を見て喜んでくれていた。それは一緒に鏡を覗き込んだとき、鏡越しに眼が合った彼女の、ほんの少し口元を綻(ほころ)ばせて、お姫様みたいに得意げに微笑んでいた紫乃の表情を思い起こせば、間違いなかったと思う。

ただでさえ綺麗だった紫乃は、さらに綺麗になった。高校生とは思えないくらいに大人っぽく、色っぽい女に。ひょっとしたら、そもそもの過ちは、そこにあったのかもしれない。

　もし、わたしが紫乃にメイクを教えていなければ、あんなことにはならなかっただろうか。それとも、そんなことは大した影響なんかじゃなかったんだろうか。わたしは、真嶋紫乃という少女にどれだけの影響を与えたのだろう。

　それとも、わたしなんて、あなたの人生に必要なかった？

「優香」

　帰り道、紫乃はわざわざ駅までわたしのことを送り届けてくれた。メイクを施して制服を着た彼女は美しく、ほんとうに映画の中に出てくる女優さんみたいで、すれ違う男の人たちがみんな彼女に視線を向けているのがよくわかった。その夜道の途中で、紫乃が言う。

「寂しくなったら、いつでも晩ご飯を作りに来ていいから」

「なにそれ」

　わたしは笑った。

　笑って、生意気なことを言う友人の頭を、くしゃりと撫でつけた。

「わたしは紫乃のお母さんかよ」

　紫乃は笑わなかった。ただ、真面目な表情で、上目遣いにわたしに告げたのだ。

「あたし、本気よ。だから優香も、もう寂しく思う必要なんてないから。あたしが、優香を寂しくなんてさせない」

寂しくなったら、いつでも。

あのとき、寂しかったのは、誰なんだろう。

それは、ぜんぜん友達のいる様子のない紫乃のことだったのだろうか。それとも、紫乃はすべてわたしのことを見抜いていて、あんなことを言ったんだろうか。わたしの両親がうまくいっていなくて、喧嘩が絶えなかったこととか。中学生時代に友達へのお節介があだになって、みんなから無視されたり、男みたいって笑われるようになったこととか。運悪く同じ中学から入学した子が教室にいて、それで教室で浮き気味になっていることとか。そのせいで、今もうまく友達を作れないでいることとか。

男みたいなあなたのことなんて、誰も好きになってくれないよ。可哀想。

中学時代に耳にした、くすくすと笑う女子たちの言葉は、それ以来、わたしの胸に空虚な穴を空けている。

もしかしたら、紫乃にはすべて、お見通しだったのだろうか。

どちらにせよ、その言葉は、わたしを救ってくれたように思う。

不器用で、寂しがり屋で、人とうまく関われない彼女の世話をわたしが焼いてあげる。そうして紫乃は、同じく他人との距離を測りかねていたわたしを受け入れてくれた。わたしのメイクの技術が上昇するにつれて、目を見張るように綺麗になっていく彼女は、男女問わずに羨望の視線を集めたけれど、相変わらず誰に対しても素っ気ない態度を取り続けていた。そんな紫乃がわたしにだけは心を開いてくれる。それは奇妙に心地よい関係で、わたしたちの高校生活はそんなふうにして過ぎていった。

紫乃に纏（まつ）わる噂はいつまで経っても消えることはなく、彼女はそれを否定しなかった。夜の街で見かけたという噂の中で、紫乃はよりいっそう綺麗に見えたらしく、様々な憶測が好き放題に流れていた。そしてわたしは、彼女が誰のためにメイクを施して出かけるのかを、卒業するまで知ることはなかった。

べつに、知りたくなんて、なかったから。

*

高校を卒業したあと、プロのメイクアップアーティストを志したわたしは、専門学校に通った。放課後の空き教室で、こっそり紫乃にメイクをするのが、わたしの日課になっていたから、もっと多くの人にメイクを施してみたいと考えたのは、自然の成り行きだったのかもしれない。その夢を告げたとき、紫乃はあのちょっと不貞腐れた表情で、唇を曲げながら言ったものだ。

「優香、あたしの専属じゃなくなっちゃうの？」

そんなふうに、とても残念そうに言われてしまったせいで、一瞬だけ夢を躊躇（ためら）ってしまった。

「冗談よ」紫乃は、僅（わず）かに口元を綻ばせて言う。「応援してる」

紫乃は大学には通わずに、働くのだという。経済的な問題らしい。どんな仕事をするつもりなのかと聞いたら、「まだ考え中」とだけ言われてしまった。

紫乃には、卒業するまでわたしの他に友人らしい友人ができなかったようだ。少なくともわたしにはその存在を感じ取ることができなかった。そのことにわたしは少しだけ複雑な感情を抱いていた。この個性溢れる美しい友人を独り占めすることのできた安堵と優越感は、いったいなにに起因するものなのだろう。わたしはそれを喜ぶべきだったのだろうか。紫乃だって、友達を作れないことを寂しく感じていたんじゃないだろうか。表情筋が壊滅的で、愛想が致命的になくて、他人になんてまったく興味を示さない、めちゃくちゃ非社交的な高校生だったけれど。

でも、だからって、寂しくないわけじゃないんだと思う。

高校卒業後も、できるだけ紫乃とは会うようにしていた。けれど、あのときと同じようにとはいかない。お互いの忙しさもあったのだろう。あの頃は毎日のように会っていたはずなのに、週に一度だけ、月に一度だけ、二ヶ月に一度、そして一年ぶり……と、徐々に疎遠になっていってしまった。大人になるっていうのは、きっとこういうことなんだろう。

紫乃は元よりLINEなんかをこまめに返してくれる子ではなく、自分から積極的に新しい話題を振ってくれるような性格でもなかった。だから、わたしの方からはできる限り連絡をとるようにしていた。引っ越したときのこととか、美容師の資格を取れたこととか、車の免許を取ったので、中古車でドライブするのが休日の楽しみになったとか、就職先の当てができたこととか。

けれど、そうして返ってくる紫乃からの返事は、忙しさに疲れ果てたわたしを和ませてくれる一方で、何日も既読がつかないこともあり、いったい彼女はなにをしているのだろうと焦燥にかられた。

長く会わない間に、彼女にも他に友人ができたのだろうか。わたしのことなんて、どうでもいいと思えるくらいに、わたしたちの間には溝が出来てしまったんだろうか。会いたいと思うのに、こんなにも予定が合わないなんてことが本当にあるんだろうか。わたしも紫乃と同じようなもので、他人との距離を測りかねていたから、これが当たり前のことなのかどうかが、まるでわからない。

ねぇ、わたしがいなくても、ちゃんとしたご飯を食べられてるの？

だから、あの電話がかかってきたとき、わたしは喜びを感じるのと同時に、意外にも思っていた。こまめに連絡を取っていたものの、専門学校を卒業し社会人となった自身の忙しさもあって、紫乃とはもう一年近く会えていなかったのだから。最後にLINEをもらったのだって、春の終わりにわたしの誕生日を祝ってくれた素っ気ないスタンプが一つだけだった。

「優香……。助けてほしいことがあるの」

喫茶店で待ち合わせて、久しぶりに会った紫乃は、ますます美しくなっていた。

黒い髪はウェーブが掛かっていて、ほんの僅かにメッシュカラーが入り、紫乃らしいクールっぽさを維持しながらも、ひどく垢抜けた印象になっていた。メイクは自分で施しているのだろうか、パープルのカラーをうまく乗せたアイシャドウが、大きな瞳の魅力をより引き立てている。美しくなった。それは喜ばしいことのはずなのに、わたしはどうしてか僅かな落胆を感じてしまっていた。一言で表現するなら、それはわたしの知っている紫乃ではなくなってしまったような気がしたから。

「会えて良かった」

開口一番にそう言ったのは、紫乃の方だった。わたしはその言葉に小さな安堵を抱きながら、彼女の向かいの席に腰を下ろす。けれど、その一方で抱えている不安は消えてくれたりはしなかった。久しぶりに再会した紫乃。いったいどんな用件だろう。紫乃が自分を頼ってくれるのは素直に嬉しい。電話で交わした声はひどく真剣な空気を孕んでいたように思う。けれども、元より感情が読みにくい相手だ。わたしの考え過ぎという可能性もあるかもしれない。

「なに、久しぶりに会おうだなんて」

わたしはなんでもないことのように軽口を叩いた。

「壺を買ってくれとか、そういう勧誘？」

紫乃は真剣な眼差しで、小さくかぶりを振った。

「優香にお願いがあるの。もし、話を聞いて迷惑に感じたのなら、断ってくれてもいい」

それから、紫乃が語りだした言葉を、わたしは暗澹たる心持ちで聞いていた。

正直、動揺が強すぎて、きちんと彼女の話が頭に入っていたのかは、自信がない。

紫乃には、付き合っている男性がいるという。

その相手は年上で、有名商社に勤める四十代の会社員。二十以上も年が離れていることになる。けれど紫乃には本気の恋だったらしい。結婚をするつもりだったし、相手もそれを承諾していたという。

ところが、紫乃が妊娠を告白したことを切っ掛けに、最悪の事実が判明した。相手の男には妻子がいたのだ。男はそれを隠して紫乃と付き合い続けていた。不倫だったのだ。けれど、その事実を知っても紫乃の気持ちは揺るがずに、奥さんと別れてほしいと彼に縋った。だが、相手にその気持ちは微塵もなく、あまつさえ紫乃と別れるつもりもないと言い切ったらしい。自分が弄ばれていたことに気づき、ようやく紫乃は相手の男と別れることを決意した。だが、身籠もった子や責任の処遇もあるのだろう。その話し合いの場に、わたしに同席してほしいというのだ。

わたしは、淡々とそう告げる紫乃の言葉を、ぼんやりと耳にしていた。気持ちがうまく切り替わってくれなくて、氷でも飲み込んでしまったみたいに胸の奥が冷え切っていくのを感じていた。その冷たさは嫌悪感にも似ていたし、失望のようでもあった。目の前にいるのは、もうわたしの知らない紫乃なのだと思った。

「そういうのは」

　まるで子猫のように、不安そうな眼差しで紫乃がこちらを見ていることに気づいて、わたしは唇を開けた。ひどく喉が渇いていて、声が掠（かす）れてしまっていたように思う。

「そういうのは、弁護士とかに、相談した方がいいんじゃないの」

　告げると、紫乃はテーブルの上に乗せていた両手を動かした。アイスティーのグラスの傍ら、両手の五指が震えて、きゅっと縋るように握りこぶしがかたち作られる。

　紫乃は視線を落として、ぽつりと言った。

「そう……。断ってくれていいの。でも、こんなこと、優香にしか頼れなかったから」

　そういう言い方は、とてもずるいと思う。

　紫乃に頼られるのは、悪い気分じゃない。

　結局のところ、わたしがいなければ、なにもできない子であることに、変わりはないのだ。

「まったく、久しぶりに会ったっていうのに、わたしは紫乃のお母さんかよ」

　そう軽口を叩いてやってから了承を告げると、紫乃は顔を上げてその口元を僅かに綻ばせた。

「ありがとう」

　その些細な表情の変化が、彼女なりの笑顔なのは変わらない。

二年ぶりの再会にもかかわらず、やはり紫乃は紫乃だった。

話し合いは、紫乃の家で行う予定だという。人目があった方が冷静な話し合いができそうなものだと思ったけれど、それでは口にしづらい言葉もあるんだろう。彼女はいま、東京の郊外にある一軒家を借りて住んでいるのだという。そのことに驚くと、紫乃は首を傾げて冷静に言った。

「東京って言っても、区外でほとんど田舎よ。駅からも遠くて、ちょっと不便」

地図を確かめると、なるほど確かに不便そうな立地にあって、紫乃みたいな変わり者でなければわざわざ住まないかもしれない。ドライブがてら、車で行った方がいいだろう。

そのあと、わたしたちは簡単な打ち合わせと近状報告をして、二時間くらいで別れた。もっとも、話をしていたのはもっぱらわたしの方で、それは高校生の頃から変わらない。だから、わたしは紫乃がなんの仕事をしているのかを聞かなかった。

聞かなかったというより、聞けなかったという方が、正しいのかもしれない。

どちらにせよ、わたしたちの運命を狂わす日は、すぐにやって来た。

＊

どうしてこんなことになってしまったんだろう。

荒々しい呼吸の音は、わたしが発するものだろうか。それとも紫乃のものだろうか。啜り泣いているのは、誰だろう。わたしだろうか、それとも紫乃なんだろうか。

こんなことになるなんて、誰に予想できただろう。自分の人生に訪れた出来事にしては、あまりにも突拍子がなさすぎると思った。もしかするとひどい悪夢を見ているだけなのかもしれず、わたしは赤く濡れている自分の掌を見下ろした。その液体の質感を確かめるように拳を握ると、それはねとりとしたひどく鮮明な感触を返した。ひどい夢だ。どうしてこんな夢を見なくてはならないのか。悪いのは誰だ。わたしはふらふらと視線を彷徨わせた。間違いない。悪いのはこの男だ。名前はなんだったろう。たしか、加木屋という名前だったっけ。加木屋卓司。紫乃が愛した男。すべてはこの男が悪い。この下劣な男が、あんな最低なことを口にしたりしなければ。だってわたしはなにも悪くはない。紫乃だってそう。なにも悪くはない。この男はこう言ったのだ。妊娠したというのなら、俺の子だという証拠を見せろ。お前だってすべてわかって俺と一緒にいたんだろう。いまさら、俺の人生を台無しにするつもりなのか？　あの男は激昂し、紫乃を脅した。紫乃がコップの麦茶を相手にぶち撒けると、男は紫乃に摑み掛かった。紫乃は抵抗して傍らのキッチンから包丁を手にしたが、男と揉み合ってそれは床に落ちた。わたしは首を絞められそうになった紫乃を助けたかった。すぐに、近くにあった花瓶で男の頭部を打ち砕いた。それでも男は紫乃を殺そうとした。だから、仕方がない。だって、そうしなければ紫乃が殺されてしまう。わたしは包丁を手にして、男の腹部を刺した。それで、やっと男は紫乃から離れた。それでも男は、わたしを凄まじい勢いで睨んでいた。殺されるかもしれないと怯えた。けれどそうなる前に、男を殺したのは紫乃だった。わたしの手から包丁を奪い取って、紫乃は男にとどめを刺した。一度、二度、三度、もしかしたら、それ以上刺したかもしれない。気づけば、わたしたちの手はどす黒い血で濡れていて、床に凄まじい形相をした男の死体が倒れていた。紫乃は顔も髪も服もすべて血まみれだった。

　わたしたちは暫く、なにも言わなかった。ただ互いに荒々しい呼吸を繰り返して、息を整えようとしていた。

「どうしよう」

　不安げにそう呟いたのは、紫乃だった。

「あたし、ただ、優香を助けたくて……」

「わかってる」

　わたしはようやく声を漏らして、頷いた。滴る汗が前髪を濡らす。それが鬱陶しくて髪を掻き上げようとして、男の血に気がついた。指先のそれと汗とが前髪でまじり合う。

「大丈夫。わたしもそう」

「警察に……、連絡、しないと」

　紫乃が怯えた声で言った。

「待って」

わたしは考えながら言う。

これは正当防衛になるのだろうか。

少し前に見たドラマの知識が過(よぎ)っていく。わたしも紫乃も、お互いを護(まも)ろうとしただけだ。だが、それを証明できるだろうか。わたしたちは傷一つ負っていないが、この下劣な男は紫乃に複数回刺されている。過剰防衛だって言われるかもしれない。もし、そうなるとしたら――。

わたしは思いのほか冷静だった。様々な考えが頭の中を過っていき、自分にとって最適な行動を探し出そうとする。

「このままじゃ、紫乃は捕まっちゃう」

「なら、優香は帰った方がいいわ」

「え?」

わたしは紫乃に眼を向ける。紫乃は腰が抜けたみたいに、鳶座(とんびずわ)りの姿勢になっていたが、茫然(ぼうぜん)としているわけではないようだった。返り血で汚れた美貌が、わたしに向けられている。

「全部、あたし一人で片付けるから」

「片付けるって、どうやって」

「聞かない方がいいわ。シャワーと服を貸してあげる。身体を綺麗にしたら、すぐに帰って。優香はここに来なかったことにするの」

「そんなのダメだよ」

わたしは反射的に言っていた。

「最初に刺したのはわたしなんだから。だからわたしだけ逃げるなんて、そんなの」

「でも、優香は関係ない」

「そんなこと」

「ほんとなら、優香はあたしたちのことには、関係なかったはずだもの。ただ、あたしが呼んじゃっただけで……」

「関係ある！」

否定の言葉は、思いのほか強く迸っていた。

紫乃がその瞳を大きく見開いて、驚いたような表情を見せた。

「関係あるよ」

けれど、具体的になにがどう関係があるというのだろう。

わたしと紫乃はただの友人だ。親友という言葉を使っていいと考えているのは、もしかしたらわたしだけなのかもしれないけれど、親友なのだとしても、確かに彼女の陥っていた境遇には、本来なら無関係の人間だったろう。けれど、そうして自分が蚊帳の外に置かれていたことに対して、わたしはひどく苛立っていた。

「関係あるよ。最初に刺したの、わたしだから」

だって、そうでしょう。

わたしだって、あなたと共犯なんだから。

わたしを、除(の)け者になんて、しないでよ。

「いちおう聞くけれど……、紫乃はどうするつもりなの」

「優香が帰ってから、警察に連絡する」

「そう……」

諦めにも似た声と共に、わたしは呻(うめ)いた。

けれど、それは駄目だ。紫乃が捕まってしまう。一人きりだったことになったら、花瓶で殴りつけた上に、包丁で何度も刺したことになる。とてもじゃないけれど、正当防衛には見えないだろう。

「あたし、馬鹿みたい。こんなやつのことが、好きだったなんて……」

紫乃は男の死体を遠いものでも見つめるように眺めながら、そう呟いた。

紫乃の恋が、どんなものだったのかはわからない。けれど、紫乃はこの男よりもわたしを護ることを優先してくれたのだと思った。そこに怒りの感情があったにせよ、紫乃はわたしのことを護ろうとしてくれた。

「大丈夫」

わたしは呟いた。

「紫乃はわたしが護るから」

紫乃は不思議そうに、わたしのことを見た。

「こんな男のために、紫乃が人生を無駄にすることなんてないよ」

そうして、わたしは彼女に決意を告げた。

「棄てに行こう」

*

車で来ていたことが功を奏した。それに、紫乃の住んでいる一軒家の周囲に住宅がそれほどなかったことも幸いしたに違いない。わたしたちの怒声や悲鳴は、きっとどこにも届かなかったはずだ。

わたしたちはシャワーを浴びて着替えると、男の死体を毛布でくるんだ。深夜を待って、車のトランクスルーにそれを放り込む。死体は重たく、女の細腕では二人がかりでもひどく苦労してしまった。

作業の間、わたしたちは互いにほとんど無言だった。だって、これから二人で死体を棄てに行くというのに、どんな話題を口にすればいいんだろう。きっと大丈夫だから。うん。そういうやり取りだけを、何度か繰り返していたように思う。

わたしは紫乃を乗せて車を出発させた。死体を棄てる場所は既に決めていた。専門学校時代に先輩たちに連れられ、肝試しに行ったことのある山奥の廃病院だ。付き合いで断りづらく、行ったことを後悔していたのだけれど、そのときに誰かがこんなことを口にしていたのを思い出したのだ。こういう場所に死体を棄てたら、しばらく見つからないよね。それを聞いて、別の誰かが言う。じゃあ、見つけちゃうかもね。そのやり取りに、女の子たちがこわーいとあざとい悲鳴を上げていた。実際に調べてみると、確かにそういう場所に遺体が棄てられていたという事件があったようだった。その廃病院は肝試しスポットとして有名だったらしいが、YouTuberが投稿した動画で怪奇現象のやらせが発覚し、その後の人気は衰えているらしい。今なら誰も近付かないかもしれない。

幹線道路を使わずに下道を通った。主要な道路では、警察が車の通りを撮影して記録しているらしいと小説で読んだことがあるからだった。紫乃を護るためにも、もし遺体が発見されてしまったときのことを考えて行動する必要がある。途中に寄った二十四時間営業のホームセンターで必要な道具を購入した際には、紫乃から拝借した帽子とサングラスで変装をした。防犯カメラに映ってしまったかもしれないけれど、死体が見つかったときには時間経過でデータが消えていることを祈るしかない。

「あたしが買いに行くべきじゃない？」

防犯カメラに残る可能性を口にすると、助手席に座っていた紫乃がそう言った。

「もし死体が見つかったときに、優香が疑われちゃうわ」

「だって、紫乃って免許も車も持ってないでしょ」

わたしがそう言うと、紫乃は不思議そうに眼をしばたたかせた。

「車がないんじゃ死体を運べないから、犯人は免許持ってる人間だってわかる。つまり、紫乃じゃない人間が関わってるってバレるってこと」

そう言うと、紫乃は感心したように大きな瞳を更に大きくする。

「すごい。優香。探偵みたいね」

「だいたい、紫乃はまずいよ。サングラスしたところで目立ちすぎる」

「そう?」

「芸能人オーラみたいなのが出そう。お店の人の記憶に残っちゃうのはまずいよ」

ある意味では暢気(のんき)な会話を交わして、ホームセンターで必要な道具を買い揃えたあと、廃病院へと車を走らせた。寂れた山奥にあるのでほとんど明かりはなく、防犯カメラの類も気にしなくていい場所のはずだ。

思っていた通り、廃病院の周囲は人工の明かりが一つもない暗闇だった。車が入れる場所まで乗り入れてから、毛布に包んだ遺体を引き摺(ず)り出した。どうにか二人で裏手まで運んで、埋める場所に見当を付ける。この辺りなら誰かが肝試しに訪れたとしても、気づかれることはないだろう。何年もずっと解体されていない場所だから、工事で掘り起こされる心配もない。肝試しで訪れたときには酷く不気味で仕方がなかったのに、今のわたしは恐怖の感情を微塵も抱くことがなかった。わたしならできる。きっと紫乃を護り通してみせる。その使命感でいっぱいだった。

スコップは一つしか買わなかったので——流石(さすが)に深夜に二つもスコップを買うのは不自然すぎると思ったから——、穴を掘る作業はわたしが務めた。紫乃の華奢(きゃしゃ)な身体じゃ、きっとすぐにばててしまう。紫乃が照らしてくれる懐中電灯の光だけが、この暗闇を切り開いてくれている。その光に励まされるようにして、わたしは汗を流しながらひたすらに穴を掘った。思っていたよりも土が硬くて、それには長い時間が必要だった。

わたしたちはずっと黙っていた。ただただこの死体を埋めて、すべてなかったことにしてしまいたくて、ひたすらに心血を注いで作業を続けていた。こんな最低な男のせいで、すべて台無しになんてされたくない。こんなやつのせいで、紫乃がめちゃくちゃにされて、弄ばれて、人生を棒に振らなくてはならないなんて。あっていいはずがないのだから。

きっとそれは紫乃も同じだったのかもしれない。ずっと黙っていた紫乃が、鼻を啜っていることにわたしは気づいた。彼女の表情は完全な逆光でなにも見えなかったけれど、泣いているらしいということは理解できた。

「泣かないで」

「ごめん。優香。あたしのせいで」

「紫乃のせいじゃないよ」

「でも」

「大丈夫。大丈夫だから」

あなたを一人きりになんてさせない。

だってあなたは言ってくれたでしょう。

あなたが、わたしを寂しくなんてさせないって。

それはわたしも同じ。

わたしも同じだから。

だから泣かないで。

泣かないで紫乃。

そして、どうせなら笑ってほしい。

あなたが泣いているところなんて、見たことはなかったけれど。

まさか満面の笑顔より先に、そんな表情を見ることになるなんて。

そんなのは悲しすぎるじゃない?

「泣かないで、紫乃」

「うん」

わたしは埋めた。

すべてを。

男の死体も、わたしたちが犯した罪も、わたしたちがするべき償いも、そしてわたしが紫乃とこの男の間にあるものに抱いていた感情も、なにもかもすべてなかったことにして埋没させた。
きっとこれでいい。これで大丈夫。
紫乃、あなたのことは、わたしが護ってあげる。
だから。
だから――。

＊

加木屋の身元を示すものは、事前にすべて取り除いておいた。財布やスマートフォン、衣服や靴に至るまで、すべてを剝いでおいたから、そこから身元が判明することはないだろう。歯型から特定されないように、穴の中にある男の顎をスコップの先端で突き刺し、何度も何度も砕いておいた。あとは永遠に見つからないことを祈るだけ。もし見つかったとしても、腐り落ちて骨になっていてくれることを祈るばかりだった。

すべてが終わり、紫乃の家に着いたときにはお昼になっていた。リビングの床には、相変わらずわたしたちが犯した罪のかたちが残っていたけれど、それは時間をかけて掃除をすればいいだろう。わたしはもうくたくたになっていた。これからどうしようと考えるばかりで、自分が泥だらけになっていることには、紫乃に言われるまで気がつけなかった。シャワーを借りて紫乃のTシャツを羽織った頃には、身体は疲労の限界ですぐ横になりたくてたまらない心持ちだった。今日はシフトを入れていないから、仕事を休む必要がない。

「優香、あたしのベッドで休んで」

紫乃がシャワーを浴びに行く間、その言葉に甘えることにした。案内してもらった紫乃の部屋は二階にあった。一軒家ではあるものの、建物はそれほど大きくはなく、室内は狭かった。紫乃の部屋はどこかで見たような懐かしい光景で、つまるところ混沌としていた。衣服や化粧品、下着が散らばっていて、足の踏み場もないというのは言い過ぎかもしれないけれど、疲労困憊の状態でなければ、片付けたくなる欲求を堪えられなかっただろう。

わたしは紫乃のベッドに倒れ込んだ。夏なのでタオルケットだけが拉げたようにかけられていて、それを手繰り寄せる。ズボンは貸してもらえなかったので素足が心許なく、そこを覆いたくなったのだ。シーツくらいはちゃんと洗濯しているのか、思いのほか清潔感があって綺麗だった。けれど、間違いなく懐かしい紫乃の匂いがした。

高校生の頃、紫乃の家のベッドで、よく二人で寝転んだものだった。そうしてくだらない話をした。紫乃は頷くばかりだった気がするけれど、わたしにはそれで充分だった。ちゃんと聞いてるの？　紫乃もなんか面白い話をしてよ。あたしに面白い話なんてできるわけないでしょ。優香ってば、あたしの友達のくせに、あたしのことわかってないのね。わたしは腹を立てて、紫乃の脇を擽ってやる。紫乃はくすぐったそうに身じろぎをして、小さく吹き出した。それを笑顔というのなら、わたしは紫乃の笑顔を見たことがある。けれど、その顔は涙混じりでひどく不細工なものだったけれど。

やめてよ、優香のいじわる。

それでもいい。それでもいいから、紫乃、泣かないで。笑顔を見せて。わたしにだけ笑って見せてよ。

いつの間にか、眠ってしまっていたらしい。サイレンのようなものが聞こえて、わたしははっとした。警察が来たのかもしれないと怯えたけれど、よくよく耳にするとそれは遠くを走る救急車の音だった。室内は薄暗くカーテンが閉じているので、時間がよくわからない。もしかしたらもう夜なのかもしれなかった。

ふと気配を感じて、身体を横たえたまま視線を向けた。

ベッドに腰掛けた紫乃が、わたしのことを覗き込んでいた。

「おはよう」

紫乃がそう告げる。

「おはよう……。いま何時？」

紫乃は、そんなことが知りたいの、といった不思議そうな表情で首を傾げた。

「わからないわ。六時は過ぎていると思うけれど」

わたしはのろのろと身を起こす。

「なに、人様が寝ているところを観察していたの？」

「そういうわけじゃないけれど」

紫乃はかぶりを振った。それから困ったように言う。

「ここ、あたしのベッドだもの」

「もしかして、他に寝る場所ないの？」

「そうよ」

他の部屋にベッドなりなんなりあって、紫乃はそこで眠るのかと思っていた。けれどそんな部屋があるのなら、紫乃は最初からわたしにそこを貸したことだろう。

「ごめん。てっきり……」

「大丈夫。優香の寝顔を見るのも、悪くはなかったから」

そういえば、前にも紫乃の部屋でうっかり自分だけ寝てしまっていたことがあった気がする。

わたしは、いじわるそうに輝く紫乃の瞳から眼を背けた。そうして、紫乃が薄手のキャミソールを着ていることに気づく。ふんだんにレースをあしらわれたそれは可愛らしくも肩と胸元が丸出しで、短い裾からは脚を組んでいなければショーツすら覗きそうだった。

「なんか、すごい格好してる」

「そう？」

紫乃は心外だというふうに首を傾げた。黒髪のウェーブはセットしていないせいか、力ないものだったけれど、それだけに高校時代の少女だった彼女の面影を残していた。メイクもしていないから、尚更だったろう。目の前にわたしの知っている紫乃がいる。けれど、その部屋着はどうだろう。紫乃はこれまで、その格好で男と過ごしていたのだろうか。わたしたちが殺して埋めた、あの男の前でもそんな格好をしていたのだろうか。

けれど紫乃には昔から、そういう無防備さみたいなのがあった。異性を引き寄せるような魅力というのだろうか。それは彼女の容姿や服装だけに限ったものではなく、仕草や表情などから匂い立つものだったのだろう。彼女に纏わる噂もそれを助長していたに違いない。一緒に過ごしていて、ときどき短いスカートから覗く彼女の脚に、わたしであってもドキリとさせられてしまったこともある。

今も、紫乃はそんな気配を纏(まと)っていた。どこか儚(はかな)く、放っておいたらそのまま消えてしまいそうで、それなのに覗く首筋や鎖骨のなめらかさがひどく艶(なま)めかしい。わたしの方が、なんだか頬が熱くなるのを感じてしまう。

「Tシャツ、あとは変なのばかりなの。まともなのは優香が着ているから」

首を傾げている紫乃の肩から、さらさらと黒髪が流れて零(こぼ)れ落ちていく。

「そっか」

わたしは自分が着ているTシャツの、なんて書いてあるのかよくわからないロゴを見下ろして頷いた。これも少し変な気がするけれど、もっと変なのというと逆に興味が湧いてしまう。

ふと、紫乃が言った。

「優香。手を繋いでいい？」

「え」

驚いて、紫乃を見る。

紫乃は視線を落とし、片手で自身の腕を掻き抱いていた。ひどく心細そうな様子に見えた。

「いいけれど」

少女だった頃は断りもなく、そして断る必要もなく、紫乃の部屋で自然とそうしていたような気がする。そうすると安心するからと、高校生の紫乃は気恥ずかしそうに零していた。クールに気取っている自分のイメージが崩れてしまうのが嫌だったのだろうと思って、わたしはからかうことをしなかったけれど。

紫乃はわたしの傍らに身を寄せてきた。彼女の香りを強く感じて、わたしは紫乃の手に自分の手を絡ませる。紫乃の手は少し冷たくて、震えているような気がした。

「もしかして、紫乃、寝てない？」

紫乃は視線を逸らした。

そうか、とわたしは狼狽えた。

「ごめん。怖かったよね」

あんなことがあったのに、わたしはここで寝てしまっていたのだ。紫乃は不安だったろうに、わたしを起こすこともできずに、何時間も一人で耐えていたのだ。

紫乃は否定をしなかった。この子は嘘をつけない子だと思う。頷かなくても、否定をしないということは、そういうことなのだ。

「優香。もう少し、こうしていてもいい？」

「いいよ」

「今晩も、泊まっていってくれる？」

「うん。なんなら、久しぶりに一緒に寝る？」

紫乃のお母さんが朝まで帰らなかったとき、何度か紫乃の部屋で眠ったことがある。二人して並んだベッドはとても窮屈なものだったけれど、その窮屈さがわたしには心地よかった。このベッドは同じように紫乃の香りがしたけれど、あのときのものよりずっと広い。まるで二人で眠るためのように。

二人？　誰と？　嫌な連想が過って、それを打ち消すべく、わたしは紫乃の手を引いた。紫乃は抵抗することなく、その身体をベッドに横たえた。

「大丈夫。大丈夫だよ。わたしが一緒にいるから」

わたしは紫乃にそう言い聞かせながら、その髪を梳いた。

紫乃は瞼（まぶた）を閉ざす。長い睫毛が小刻みに震えていた。今にもその封じられた隙間から雫（しずく）が溢れてきそうだと思った。わたしは彼女の小さな頭を抱える。こんな行為で、いったいなにを慰められるのかはわからない。どれだけの安堵が得られるというのだろう。けれど、紫乃はタオルケットの中で素足をわたしの脚に絡ませてきた。意外に思って驚いたけれど、不思議と拒否感は生じなかった。それで安心できるならそれでいい。脚の間に彼女の肌の柔らかさと仄(ほの)かな熱を感じると、なんだかいけないことをしているような気持ちになって、少しだけどきどきしてしまったけれど、すぐに呼吸は落ち着いた。わたしだって、安心したかったのだろう。

そのまま、わたしは紫乃を抱いて眠りについた。

＊

ほんとうなら、もし死体が発見されたときに備えて、紫乃とはもう会わないようにするべきだった。高校時代の友人。今はもう何年も会っていない。そういうシナリオが出来上がれば、動機のある紫乃は運転免許を持っておらずに犯行が不可能になる。疑いの目は別の人間に向けられるだろう。

けれどその提案を紫乃は拒んだ。いつもクールで他人を憮然と拒む彼女は、伏し目がちに肩を震わせながら、そう話したわたしの服の袖を摑んでいた。そう。わたしたちは少女だったあのときに、お互いに寂しい思いをさせないと決めたのだ。

一緒に暮らすという結論が出るまで、時間はかからなかった。仕事の都合もあってすぐにとはいかなかったけれど、わたしたちは合間を縫って準備を進めていった。もちろん、紫乃はあの一軒家を引き払った。わたしたちの新居にあの下劣な男の記憶は似合わない。

何度か内見を重ねて、都内の狭いマンションを借りることになった。狭さの割に家賃は高かったけれど、仕事場にも近くて二人で折半をするならあまり気にならない。紫乃はもう少し良い部屋を借りたがっていたけれど、彼女の金銭感覚は少しばかりおかしい。それは彼女がしている仕事のせいもあるんだろう。薄々勘付いてはいたし、とやかく言うつもりはなかったけれど、紫乃は夜の仕事をしているようだったから。

それを打ち明けられたときには、どうしてもっと早く教えてくれなかったのかとわたしは彼女を問い詰めた。紫乃は長い睫毛を伏せると、くるくるとした髪の先を指先でいじりながら、肩を小さくして呟く。

「だって、優香に嫌われたくなかったから」

確かに、ショックは受けたかもしれないけれど、そんなことで嫌いになるのなら、紫乃との付き合いはこれまで続けられなかっただろう。そもそも高校生の頃からそういった噂があったのだから、今更驚くことじゃないと思う。

まぁ、あんな無愛想なのに客商売が務まるなんてとは思ったけれど、それが好きという男の人からは人気があって稼ぎが良いのだと、紫乃は少しだけ誇らしげに答えていた。わたしはそれ以上のことを聞かずに、紫乃のように素っ気なく、そう、とだけ相槌を打って話を終わらせた。べつに自分が初心な小娘だなんて思っているわけではないけれど、その話を耳にすると、どこか空虚な心持ちになってしまうのがわかっていたから。

引っ越しの準備を進めている間に、紫乃はお腹の子供をおろしたらしい。あの男を殺すまで、彼女がお腹の子をどうするつもりだったのかはわからない。おそらく紫乃自身にも迷いがあったのだろう。たぶん、それだけかつての彼女があの男を愛していた気持ちは本物だった。そのことを考えると、わたしは自分自身の立場について自問せざるを得なくなる。紫乃は言った。ほんとなら、優香はあたしたちのことには、関係なかったはずだもの。それは紫乃の言う通りなのかもしれない。そうだとしたら、わたしは紫乃にとってなんなのだろう。そして、紫乃はわたしにとって、なんだというのだろう?

ただ、人を殺した罪を共有するだけの相手なのだろうか?

新しい部屋の寝室は、思っていたよりも物を少なくすることができた。鏡台を新調して、無数にあるコスメをこれも新しくした戸棚に収納すると、少しだけ気分が高揚した。紫乃はそれを見て、まるでお姫様みたいねと感想を述べた。べつに鏡台も戸棚もピンクではないけれど、化粧品や香水の小瓶たちがきらきらと輝いているから、そういう印象を受けるのかもしれない。そんなつもりはないけれどと言うと、紫乃は不思議そうに訊いた。

「お姫様には憧れないの?」

子どもじゃあるまいし、とわたしは鼻で笑う。まぁ、多少の憧れはあるかもしれないけれど、わたしには似合わない。それにお姫様という言葉が相応しいのは、紫乃のような女の子の方だ。

新しい生活は、そんなふうに始まった。昼間はサロンで働き、夜に帰ってリビングでくたびれていると、小綺麗な格好をした紫乃が少し遅れて帰ってくる。彼女の帰宅は早いときもあるし、朝まで戻らないときもあって、不規則なものだった。ほとんどの場合、紫乃は疲れを見せないいつもの澄まし顔で帰ってくるけれど、ときどき機嫌が良いときがある。笑顔を見せてくれるわけではなかったのだけれど、微かに口元が綻んでいて口数が多くなるから、わたしにはよく判別できた。なにかいいことがあったのかと訊ねても、「べつに、なんでもないわ」とはぐらかされてしまったけれど。

仕事でいいことがあったんだろうか。彼女のしている仕事でいいことって、なんだろう?　そういう世界のことは、まったく想像ができない。

紫乃は夕食を食べて帰ってくることが多いけれど、予定が合いそうなときは高校時代にそうしていたように、わたしが料理を振る舞うこともあった。そういうときも、彼女は機嫌良さそうに口元を綻ばせ、瞳を輝かせながらわたしの作ったものを味わってくれる。休日が合えば、一緒にドライブをしたり、美味しいと噂を聞きつけたお店で外食をすることもあった。

「こういうの、なんだかデートみたい」

　助手席に腰掛ける紫乃は面白がってそう言うけれど、本当にそう思っているのかどうかはわたしにはわからない。少なくとも一緒に出かけるときの彼女は、いつもとても綺麗な格好をしていた。わたしにメイクをねだり、髪をセットして、どんな服が似合うのかを聞いてくる。紫乃はたくさんの服を持っていた。準備に二時間近くかかったときもあって、仕事に向かうときよりもずっと手間をかけてくれているような気がした。

「そんなに気合いを入れなくてもいいんじゃないの」

　わたしの言葉に、助手席に座っている見た目だけならお姫様のように上品な彼女は、いたずらっぽい瞳をちらりと向けてこう言うのだ。

「だって、優香がカッコいいんだもの。あたしもそれに合わせなきゃ」

「わたしがカッコいい？」

「そうよ」

　紫乃は前を見て言う。

「王子様みたい」

　そのとき、信号が青になったので、わたしは彼女の表情を確かめることができずに、アクセルを踏まなくてはならなかった。けれど紫乃の声音はからかうようではなくて、少し真剣な色が含まれていたように思う。あるいは、それはただの幻聴だったのかもしれないけれど。

高校生の頃、紫乃にメイクを施していくにつれて、わたしは彼女と自分との決定的な違いを知ってしまったように思う。どんなに自分を可愛らしく飾ろうとしても、紫乃のようにはなれない。だから自分の個性を伸ばそうと思った。高い身長も、しっかりとした骨格も、男のようだと揶揄されてきたけれど、それを活かすようなメイクとファッションなら、自分を魅力的に見せることができるんじゃないだろうかと思った。髪はインナーカラーを入れたショートにしたし、服装もユニセックスなものを着るようにした。そのおかげか、職場で同僚やお客さんにカッコ良いと言ってもらえることも多い。けれど紫乃に王子様と表現されたとき、わたしは初めて自分の気持ちが高揚する感覚を味わったように思う。今までは誰かにそう褒められたところで、少し自尊心が満たされる程度に留まっていたけれど、紫乃の声でそう言われると、なんだか自分の鼓動が速くなったような気がした。それでいて、ちょっと切ないような。

「お母さんの次は王子様かよ」

わたしはごまかすみたいに笑う。

「そうね。優香はあたしの王子様」

そう言って、紫乃もふふっといたずらげな声を漏らした。

失敗した。運転中じゃなければ、紫乃の笑っている顔を見ることができたのかもしれないのに。あるいは、紫乃はそんな冗談を言うときでも、すまし顔なのだろうか。

人を殺したにしては、わたしたちはひどく能天気だったかもしれないけれど、まだ死体が発見されていないことが気持ちの余裕を生んでいたのだろう。あの男が行方不明になったというニュースも報道されていないし、警察がやってくる気配もない。紫乃が言うには、あの最低な男は自分の妻に浮気がばれないように、紫乃との交際の痕跡が残らないようにしていたらしい。スマートフォンは処分したし、紫乃の存在が辿(たど)られることはないことだろう。

その日、夜になって少し酔った気分でベッドにいると、シャワーを浴びてきたらしい紫乃がわたしの寝室にやって来た。冬の寒さを気にしないのか、肌が透けるようなレースのキャミソールを肩に引っかけている。けれど紫乃は髪を洗っていなかったし、メイクも落としていなかった。長い黒髪は艶やかで、くるくると綺麗にカールを描いている。わたしが施してあげたそのままとは言い難かったけれど、それでも綺麗だった。着ているキャミソールも、彼女の仕事道具と言われても不思議ではないくらい、どこか蠱惑(こわく)的だ。

「どうしたの」

なんだかどきどきしてしまって訊ねると、紫乃はいたずらっぽい瞳で言った。

「王子様に抱かれにきたの」

「酔ってるの？」

「そうかも」

紫乃の剝き出しの肩は真っ白で、でもだからこそ寒そうだった。彼女はベッドに這い寄ってくると、くるくるとした毛先でわたしの胸元を擽りながら、頰を近付けてくる。吐息からはワインの甘い薫りがした。もちろん、いつもの心地よい紫乃の香りも。

「寒いんだもの」

「そんな格好してるからでしょ」

「裏切られないように、王子様を誘惑しなくちゃいけないもの」

なんてふしだらなお姫様。

彼女の言葉に少しだけ胸が痛くなったけれど、わたしは毛布で紫乃を包んでやる。

紫乃はわたしの首筋に唇を押し当ててくる。とてもいけないことをしている気分になったけれど、彼女の指先も、足の先も、あのときのようにとてもひんやりとしていたから、わたしが温めてあげなくてはと思った。彼女の笑顔は見られなかったけれど、初めて耳にする彼女の甘い声を耳元で何度も聞いた。蕩けるような刺激を憶えるうちに、わたしたちは寒さを忘れていく。

その夜から、紫乃は自分のベッドを使わなくなった。

＊

わたしたちがあの男を殺して、二年以上が経っていた。

その日のわたしは仕事が休みで、これからお店に出るという紫乃にメイクを施していた。わたしに時間があるとき、出勤する前の紫乃はいつも同じことを頼んできた。髪型を整えて、綺麗に化粧を施す。自分でするよりもずっと評判がいいらしい。それは誰からの評判なのか、わたしは訊ねたことがなかったけれど、きっと同僚の類ではないのだろう。

こういうとき、紫乃はいつもわたしに対価を払おうとする。わざわざわたしが勤めているサロンのサイトを見て、わたしに頼んだ場合にかかる金額を、ブランドものの財布から抜き取ったお札で支払おうとする。最初のうち、わたしはそれを拒もうとしていたけれど、紫乃はいつまでも食い下がった。

「だめよ。優香はプロだもの。あたしは優香の時間と技術を買っているの。優香は自分の技術を大事にしなくちゃだめ。プロの技術には対価が必要だわ」

つまるところ、わたしが紫乃にヘアメイクを施すのは仕事の延長上にある行為なのだった。だからというわけではないけれど、わたしが紫乃を飾るのに手を抜くことはない。いつだって完璧に、美しく、可憐に、彼女の魅力を引き立ててみせた。けれど、そうして仕上がった彼女はわたしだけのお姫様ではない。鏡の中に映る美しい紫乃の姿は、わたしではない誰かに向けられたもの。整えられた眉も、光沢のある髪も、煌めくような肌も、美味しそうなそのくちびるも。その味はわたしだけが知るものではないのだろう。決してわたしが独り占めすることが叶(かな)わない美しさを、わたしはいつも自分自身の手で完成させなくてはならない。

可愛らしい艶を放つピンクのリップの光沢に、そっと紫乃の指先が触れる。

うっとりと、わたしですら見惚れてしまうような仕上がりだった。

「このリップ、気に入ったわ」

「紫乃によく似合ってる」

「優香はつけないの？」

「うーん、こういうカラーは、わたしには似合わないかな」

そんなふうに女子力溢れるリップは、もう何年も付けていない。ときどきブラウン系のものを使う程度だろうか。

「ほら、完成したよ」

鏡の中の紫乃は、いつもわたしの仕事の出来に満足すると、ほんの微かに口元を綻ばせて、いたずらっぽい瞳でわたしのことを鏡越しに見返す。たぶん、このお姫様は気づいていないのだろう。ブランドものの財布から出てくるお札よりも、それこそがわたしにとって最高の報償なのだということに。わたしが綺麗にしてあげた彼女は、男たちの前では、どんな表情で、どんな声を出すのだろう。わたしが知っているそれとは違うのだろうか。そのことを考えると焦がれるような気持ちになって、紫乃が出かけていったあとの時間は憂鬱だった。この感情に、わたしはなんて名前を付けたらいいのかがわからない。

わたしはあなたの最大の秘密を知っている。人を殺した罪という秘密を。それなのに、わたしには知ることのできない秘密が紫乃にはたくさんあるような気がした。

ねぇ、紫乃、わたしにには、それを知る資格はないの？

いつも彼女のか細い裸身をシーツの上で抱きしめるとき、わたしは紅潮したその耳元で囁きたくなって仕方がなくなる。もうこんな仕事はやめて。もうわたしに化粧をさせないで。させるなら、わたしだけのお姫様になってよ。

そう告げたら、紫乃はなんて言うだろう。

「優香、そんなに熱くなるなんて、馬鹿みたいよ。あたしたち、ただ秘密を共有しているだけの仲でしょう？」

素っ気なく、すました顔で、そう返されてしまうのが怖かった。

紫乃は言っていた。

「裏切られないように、王子様を誘惑しなくちゃいけないもの」

そんなことを言わないで。

わたしはなんだってする。なんだってしてきたよ。あなたのためにあの男を刺したし、あなたのために死体を運んだ。あなたのために穴を掘って、あなたのためにあの男を埋めたんだよ。裏切るはずなんてないでしょう。それなのに、そんなことを言うの。

「あなたは愛のために人を殺せる人間だね」

どうしてだろう。ずっと昔に言われた言葉を、今更ながらに思い返した。それは占い師の老婆が告げた言葉だった。専門学校生だったとき、仲良くなった女友達と一緒に興味本位で覗いた路上占い師がいた。当時のわたしは、まさか自分が人を殺すなんて微塵も考えていなかった。友人がきゃーこわーいと声を上げるのを、笑って聞いていたように思う。けれど占い師の表情はどこか本気だった。あなたは愛のために人を殺せる。

愛のため。

わたしが紫乃に抱く感情は、愛なのだろうか。

愛ってなんだろうという月並みな疑問が湧き出てきて、笑いたくなってくる。だってそんなのは知らない。そんな気持ちを抱いたことはないし、抱いたときにそれが愛なのだと教えてくれる人はどこにもいない。でも、これが愛なのだとすると、それはなんだか意外なもののように思える。まさか自分が女の子にそんな感情を抱くなんて、考えてもいなかったから。それでも、わたしのベッドに初めて彼女が潜り込んできたとき、わたしはその行為を自然と受け入れていたばかりか、むしろずっとそれを求めていたのだと歓喜に震えていた。

わたしは紫乃が欲しかったのだ。

でも、紫乃はどうだろう。

わたしをなんだと思っているのだろう。

ただ、たまたま秘密を共通しているだけの、寒さと寂しさを紛らわせるだけの相手？

中学生の頃、あなたのことなんて誰も好きにならないよと、そう嗤っていた女の子たちの声が甦る。可哀想、と彼女たちはわたしを憐れんだ。好きにならないということは、愛さないということ。わたしは誰からも愛されない。紫乃はどう思ってるだろう。

相手を裏切らせないためには、誘惑するのがいちばん手っ取り早いのかもしれない。

紫乃、教えて。

誘惑は、愛とは違うの？

その日もいつものように、わたしは紫乃を完璧に仕上げた。

時間まで少しあるというので、リビングでコーヒーを飲みながら時間を潰す。賑やかしにテレビを点けていたけれど、わたしはずっと紫乃を見ていた。ニュース番組のつまらない内容となんか比べるまでもなく、彼女の顔を見ている方がずっと楽しい。わたしはくだらない話をしたけれど、紫乃はやっぱり口元を少しだけ綻ばせて大人しくそれを聞いているだけ。表情筋壊滅お姫様の満面の笑顔は、どうしても見ることができないようだ。

わたしが性懲りもなく職場で聞いた話を面白おかしく脚色して聞かせていると、ふと紫乃の表情が変化したことに気づいた。微かに眼を見開いて、潤いに満ちていたはずの唇を蒼白にさせている。その視線が、わたしではなく、テレビの方を見ていた。

「紫乃？」

わたしは彼女の視線を追いかける。

そこに映し出されていたのは、あの廃病院の敷地で成人男性の遺体が発見されたというニュースだった。

*

紫乃はずっと震えていた。とても仕事に行けそうな顔色ではなかったから、わたしは紫乃を休ませた。わたしはわたしが仕上げた完璧なお姫様を抱きしめることができたけれど、心が晴れることはまったくなかった。毛布の中で彼女を温めながら、大丈夫だからと繰り返し彼女の髪を撫でた。彼女の髪の匂いは、自分が付けた香りなのに、わたしを切なくさせた。だって、運命がわたしの腕の中から彼女を奪い去ろうとしていると、そう感じてしまったから。

翌日も紫乃は仕事を休んだ。彼女を放っておくことができずに、わたしも休みをとるしかなかった。紫乃は着替えることもせず、ずっと部屋に籠もっていて、わたしが用意した食事も食べる気配を見せなかった。いつもハンバーグを作ってあげると、子どものように眼を輝かせて満足げな表情を見せてくれるのに、それもない。わたしは毛布をかぶって沈黙する彼女の背中に寄り添って、呪文のように繰り返し彼女に言い聞かせる。大丈夫。大丈夫。大丈夫だから。

　大丈夫。

　わたしは紫乃に、そして自分自身に言い聞かせる。なにも根拠がないわけじゃない。もう三年近く経とうとしているのだ。身元の特定には時間がかかるだろうし、たとえ紫乃とあの男との繋がりが判明したとしても、わたしたちが殺したという証拠はなにも残っていないはずだった。

　その次の日の早朝だった。今日も仕事を休むつもりで、わたしは紫乃のベッドの中にいた。珍しくインターホンが鳴って、心臓が跳ねた。予感のようなものがあった。大丈夫だから、と紫乃に囁いて彼女の髪を撫でつける。物音を立てないように息を殺しながら部屋を抜け出し、ドアホンの画面を見つめた。そこにはスーツ姿の男性が二人、映っていた。目眩（めまい）のようなものを感じて、わたしはどうにか倒れないように踏み止まる。

「真嶋紫乃さんはご在宅ですか」

　どこか暗澹（あんたん）とした粘り気のある不快な声音で、画面に映っている男が言った。

「警視庁のものです。真嶋さん、いらっしゃいますよね」

　男は懐から取り出した警察手帳を開いて、カメラに見せつけてくる。

　わたしは息を呑（の）んだまま、どうするべきかを思索していた。最悪なことに彼らの来訪は、発見から短期間であの男の遺体の身元を割り出し、紫乃との繋がりまで辿ってみせたということを示している。けれど、どうやって？　不倫が家族に発覚しないよう、あの男は慎重に行動していたのではなかったのだろうか。だからこそ行方不明になって三年近く、今日まで警察の手はここまで伸びてこなかったのではないか。彼らはどこまで知っているのだろう。

居留守を使うべきなのかと考えたが、それは一時しのぎにしかならない。画面に映る男は、いらっしゃいますよね、と確信を持ったような言葉を投げかけてきた。もし居留守を使っても、たとえば昨晩から張り込みをされていたらどうだろう。在宅であることを知っているのに、居留守を決め込めば、こちらにやましいことがあると教えるようなものだ。

部屋の扉が開き、紫乃が顔を覗かせた。

不安そうに眉根を寄せていて、顔色が悪かった。

「大丈夫だよ」わたしは根拠もなく紫乃にそう告げる。「でも、居留守を使うのはまずいと思う。いちおう、着替えておいて」

紫乃は頷き、部屋に戻った。

「はい」

わたしは辛抱強く佇んでいる男たちを不気味に思いながら、ドアホンに応答した。

「すみません、ちょっと、着替えている途中で」

言葉に嘘はない。わたしも下着しか身に付けていなかったから、なにか服を着なくてはならないだろう。

「や、どうもお忙しい時間にすみません。お手間はとらせませんから」

陰鬱な表情の男の代わりに、傍らに立っていた童顔の男がそう言った。

「あの、なんのご用ですか?」

「ある死体遺棄事件の捜査をしていまして。参考までに、真嶋さんにお話を伺いたいんです」

「少しお待ち下さい」

残念ながら、ほとんど紫乃と打ち合わせをする時間を持てそうになかった。仕事を口実に後日にしてもらう必要もあったが、わたしは今日も休みを取っていたし、紫乃もそうだった。事前に勤務先で調べられていたら余計な疑いをかけてしまうことになる。手早く服を着ながら、紫乃と軽い打ち合わせをした。こういうとき、若い女だからと時間を使っても不自然にならないのは助かる。わたしはTシャツにジーンズ、紫乃は人前に出るにしては可愛すぎるもことしたルームウェアを身に付けていたけれど、元よりそういうのを気にしない性格なのだろう。意を決して、わたしはリビングに刑事たちを通した。幸いなことに心を静めるために掃除をしていたから、見られて恥ずかしいものは片付いている。普段なら、あちこち脱ぎ捨てられている紫乃の服を拾ってまわる必要があっただろう。

彼らは警視庁捜査一課の刑事だという。陰鬱な顔をしている四十代の男は警部で、眼鏡をかけた童顔の若い男の方は巡査部長だと名乗った。そちらの方はドラマで見るSPみたく、小さな黒いインカムのようなものを耳につけている。無線かなにかを聴くためだろうか。わたしたちはソファに腰を下ろしたが、彼らはすぐに失礼しますのでと断り、立ったままだった。しかし暗鬱そうな表情の警部は痩せ型ではあったが背が高く、立ったままでいられると威圧感がある。刑事たちは紫乃に視線を注いでいたが、わたしに席を外すように言うことはなかった。わたしは焦れったい気持ちで紫乃の横顔を見つめた。

「真嶋さんと、沢渡さんですね。今日は主に真嶋さんにお話をお伺いしたくて来ました」童顔の刑事が説明する。「真嶋さんは、加木屋さんのことをご存じですか」

「はい」紫乃は静かに頷いた。それから眉を顰めて言う。「でも、もう何年も会っていません」

「交際されていたんですよね？」

それは核心を突く質問だった。

息を呑んで、わたしはじっと紫乃を見守る。

「いいえ」

紫乃はかぶりを振る。わたしはひやりとした。もし、不倫の証拠を刑事たちが掴んでいるのなら、紫乃は明確な嘘をついたことになってしまう。あの日、話し合いが行われたことや殺害したことなど、重要な事実以外は認めるべきだろうと、わたしは紫乃に説明していたのに。

たとえば、紫乃の中絶手術の記録は調べられてしまうだろうから、加木屋の失踪時期に妊娠していたことは警察に知られてしまうだろう。それなら、不倫関係を続けていたが、紫乃が妊娠してしまい、その事実を告げると相手は責任を取らずに一切の連絡ができなくなって、そのまま関係が途切れてしまった——とする方が無難だろうと考えたのだ。

だが、刑事たちの眼がある以上、わたしが口を挟むことはもうできない。

紫乃は柳眉を寄せて、不思議そうに言った。

「交際はしていません。どうしてそう思うんですか」

紫乃の質問に、警部はどこか陰湿な声音で質問を返した。

「違うのですか?」

紫乃は首を傾げて言った。

「相手がどう考えているかはわかりません。加木屋さんはお店に来てくれるお客さんです。何度も指名してくれて仲良くなれたし、優しくて羽振りの良い人だから、何度かお店の外でデートをしてあげました。あたしはプロなので、あくまでもお金と引き換えの関係です。けれど、それだけで最近は会っていません」

その返答が不服であるかのように、警部は眼を細めた。

対して、紫乃は大きな黒い瞳を僅かに輝かせて、蠱惑的に口元を綻ばせる。切れ長のその眼差しが、刑事たちへゆっくりと注がれていった。

「あたしの仕事は、お客さんたちに擬似的な恋愛を楽しんでもらう部分もあるの。お店の外でデートをして、他人からは恋人同士に見えたとしても、言っていることは全部リップサービスよ。でも、だから勘違いしてしまう人たちも多い。刑事さんたちにはわからない？」

紫乃はもう敬語を使っていなかった。童顔の刑事は、その熱っぽい眼差しにやられたのか、少し困ったふうに眼を背けた。彼女の発する妖艶な空気に飲まれるように、刑事たちは押し黙る。そう言われれば反論する材料がなかったのかもしれない。

だが、もう一方の警部の方は、一瞬だけわたしの方を見た。それは疑惑の視線だったのだろうか。紫乃が車の運転をできないことを、警察はもう摑んでいるかもしれない。だとしたら、失踪の同時期に一緒に暮らし始めたわたしが関与していると疑うのは当然のことだろう。

「それで――」

紫乃は眉を顰めると、小さく首を傾げた。

「その加木屋さんが、どうかしたの？」

わたしは、はっとした。

恐ろしさのようなものを感じて、肌が怖気立っていくのがわかる。その狙いを証明するように、暗鬱な警部の双眸が細められた。童顔の刑事の方も、ほんの一瞬だけ虚を突かれた様子に見えた。

白々しく、警部が説明をする。

「ああ、まだご説明していませんでしたね。実は——」

刑事たちは、死体遺棄事件の捜査としか言っていない——。

加木屋が死んだとは、一言も言っていないのだ。それはわたしたちにとっては当たり前すぎる事実だったけれど、彼を容疑者として捜査しているのだとも受け取れる情報の出し方を、この刑事たちはわざとしているのだ。

わたしたちの、反応を見るために。

だから、紫乃が不思議そうに訊くのは、対応としていちばん正しい。紫乃は加木屋のことを訊かれたときに、『相手がどう考えているかわからない』と過去形を使わずに答えた。死んだことを知っている人間なら『どう考えていたかは——』と口にしてしまうかもしれない。だからこの暗鬱な警部はあのときに不服そうな表情をしたのだ。わたしのように、緊張に息を吞んでばかりでは、逆に怪しまれることになる。

紫乃に説明する警部の代わりだろうか、童顔の刑事が眼鏡越しにわたしの方をじっと観察していることに気づいた。

「残念ながら、先日、加木屋卓司さんがご遺体で発見されたのです」

紫乃は僅かに眼を大きくし、瞼を瞬いた。わざとらしいものではない。本当に驚いたふうの表情に見えた。わたしは静かに息を吐く。しっかりしなくてはならない。少なくとも、紫乃の足を引っ張らないようにしないと。

「どうして？」

紫乃の言葉に、警部はかぶりを振った。

「まだ死因はわかっておりません。捜査中です」

「その人、殺されちゃったんですか」

あまり黙り込んでいるのも不自然かと思って、わたしは刑事たちに訊いた。口がからからに渇いていて、声は掠れてしまっている。

「まだ不明ですが、その可能性は高いかもしれませんね」

その返答からは、遺体の状況や、どこまで彼らが摑んでいるかなど、わかりそうにもない。その後、刑事たちは加木屋にトラブルがあった様子はなかったかなど、当たり障りのない話を紫乃から聞き出していた。彼らがここに来ている以上、狙いはわたしたちのはずで、それを悟られないためのどうでもよい質問なのかもしれなかった。

手帳にメモをとっていた童顔の刑事が、わたしの方を見る。

「念のためですが、沢渡さんは、加木屋さんのことは――」

「いいえ、なにも知りません」

「沢渡さんは、真嶋さんとは高校時代からのお友達なんですね。加木屋さんについては聞いたことがなかった？」

「ええ、お互い、仕事のことはあまり話さないので。特に彼女はお客さんのプライベートな話はしません」

わたしは顔を顰めて言う。それは本心からの言葉だったので、説得力はあったろう。

「そうでしたか」

童顔の刑事は耳元に手を添え、眉を顰めた。

「では、我々はこれで失礼いたします」

暗鬱な警部が小さく頭を下げる。なにか思い出したことがあったら連絡が欲しいと、彼らは名刺を渡してきた。わたしは紫乃をリビングに残して、二人を玄関まで送る。せめて、捜査に協力的な一市民の体裁は整えておかなくてはならないだろう。

「ああ、最後に一つだけいいですか」

そう訊いてきたのは、玄関で靴を履き終えた童顔の刑事だった。

彼は振り向いて、眼鏡越しの瞳でわたしをじっと見つめる。

「沢渡さんは、真嶋さんのお母さんが不審死を遂げていることを、ご存じですか」

「え――」

わたしは思わず、リビングの方を振り返った。狭いマンションなので、開いた扉からこちらを見ている紫乃の表情が見えた。紫乃はなにを考えているのかよくわからない顔で、ただこちらを見つめている。この巡査部長が発した言葉は、聞こえなかっただろう。

「どういう、ことですか」

「四年前に、アパートの階段から転落して亡くなられています。ご存じではなかった？」

「いえ……。知りませんでした。その……、自分のことは、あまり話さない子なので……」

「先ほどは驚きませんでしたね」

　刑事はわたしを見つめていた。その言葉の意味がわからずに唖然としていると、奇妙な間を置いてゆっくりと告げてくる。

「加木屋さんと交際していたのかと真嶋さんに訊ねたとき、あなたは黙って真嶋さんを見守るだけでした。驚かなかったし、誰のことなのかという顔もしなかった。いま、彼女のお母さんの話を耳にしたときは、驚いて真嶋さんの方に眼を向けましたね。あなたは自分の知らない事実に関しては、そんなふうに真嶋さんを伺うように見えます。沢渡さんは、真嶋さんと加木屋との関係を事前に知っていたのでは？」

「あの……。いえ、知りません。ただ、ああいう子なので、男の人と付き合っていても、不思議はないと思って。だから、元カレとか、そういう相手なんだろうって」

　どうだろう。言い訳を考えるので精一杯で、眼が泳いでしまっていたかもしれない。大きなフレームの眼鏡の奥の瞳は、じっとわたしの表情を観察しているように思える。

彼は静かに告げた。

「元カレですか。僕は最初に加木屋さんとしか言いませんでしたが、よくそれが男性だとわかりましたね」

息が止まる思いだった。

だが、それはすぐに不自然ではない反応であることに気づく。

「だって……、交際しているかって質問でしたから」

「ああ、確かに……、仰る通りですね。普通は、女性が交際している相手と聞けば、男性を連想しますよね」

言外の意味を含ませた刑事の言葉を耳にする限り、それは罠だったのだろう。わたしと紫乃の関係を探ることを兼ねた、狡猾な質問。さっきから、きっとわたしの言葉なんてどうでもいいのだろう。この刑事はわたしの表情を観察しているのだ。普通であれば焦る必要なんてどこにもない揚げ足取りのような質問の数々に、わたしは動揺を見せてしまっていた。

わたしはこの刑事たちの恐ろしさを改めて自覚しなくてはならなかった。本当に警戒するべきは暗鬱な警部の方ではなく、この童顔の巡査部長の方かもしれない。彼らはそれ以上を追及することなく、事務的に礼を述べると、いやな汗をかいているわたしを玄関に取り残し、そのまま去って行く。

わたしは壁に手を付いて、よろめきそうになった身体を支えた。緊張の糸が途切れ、どっと疲れが込み上げてくる。リビングに戻ると、紫乃はソファに腰掛けたまま、不思議そうにわたしを見上げていた。

「優香。顔色が悪いわ」

「大丈夫」

「あたしが余計なことを言ったせい？」

「違うよ」わたしは彼女の言葉を否定する。「紫乃は悪くない。足を引っ張っているのは、たぶん、わたしだと思う」

「どうしたの？」

わたしはキッチンの戸棚からコップを取り出し、水を注いだ。それを一気に呷る。汗で失った水分が身体に巡っていくのを感じて、ようやく一息を付くことができた。わたしは自分の失点を簡潔に紫乃に伝えた。

「あいつら、きっと紫乃に気づいていると思う」

「大丈夫よ」

なんの根拠があるのだろう。紫乃は平然とした表情でそう言った。

「加木屋は、奥さんにバレないよう慎重だったから、証拠なんて残っていない。さっきも言ったでしょう。あたしとの繋がりがもし見つかっても、お客さんが勘違いするのはよくあること。刑事たち、あれ以上はなにも踏み込んでこなかったでしょう。きっと確信を持てなかったからだと思う」

「中絶のことは？」

「それも大丈夫。優香が思っているより、お医者さんは口が硬いのよ」

「それならいいけれど……」

今日はわたしよりも紫乃の方が頭が回るようだった。もしかすると、死体が見つかってから刑事たちが来訪することに備えて、いろいろと頭の中でシミュレーションを行っていたのかもしれない。確かに紫乃の言う通り、刑事たちは決め手を持っていないようだった。だからこそ、わたしを動揺させる手段を用いてきたんだろう。その試みは、悔しいけれど成功だったと思う。

「ねぇ、紫乃」

「なに？」

わたしはキッチンの傍らに立ったまま、なにを考えているのかわからないお姫様を見つめた。

「お母さんが亡くなったって、本当？」

紫乃の眼が、微かに驚きを示した。

「刑事たちに、なにか聞いたの？」

「本当なんだね」

紫乃は俯く。

「どうしてなにも言ってくれなかったの」

「優香には関係のないことでしょう」

「それは……」

そういうものなのだろうか。紫乃のお母さんとは面識がないわけじゃない。四年前といえば、一時的に紫乃との交友が途絶えていた時期だ。自分からは持ち出しにくい話題だったのかもしれないし、紫乃はそういうことをわざわざ話さない性格だろう。それでも今日までずっと一緒に暮らしてきたのに、なにも言わなかったのは不自然なんじゃないだろうか。刑事は言っていた。不審死だと。けれど、階段から落ちて死んだというのなら、それは不審死とは呼ばないのではないだろうか。たとえば、普通に足を踏み外したのではなく、誰かに突き落とされた疑いがあったとか――。

ばかげている。紫乃が彼女のお母さんを殺す動機なんてどこにもないはずだった。動機があったところで、紫乃がそんなことをするはずもない。

気づけば、紫乃の黒い瞳が、じっとわたしを見つめていた。

「もしかしたら、刑事に変なことを言われたのかもしれないけれど」

なにを考えているのか、一切が読めない表情のまま、静かに彼女が首を傾げる。

「あたしはなにもしてないわ。本当よ」

「そう……」

「優香、信じてくれる？」

「もちろん」

わたしは笑って言う。

紫乃は僅かに口元を綻ばせた。

でも、どうだろう。

わたしのその言葉には、もしかしたら嘘が混じっていたかもしれない。

いつも、あなたがわたしのことをどう考えているのか、口にしてくれないように。

紫乃はいつだって、わたしに本当のことを教えてくれないのだから。

＊

日常は一変して、不安に苛(さいな)まれる日々が続いた。

とくに明確な変化があったわけではない。刑事たちはあれ以来、まったく姿を見せることはなかった。ニュース番組ではときどきあの事件が取り上げられたが、目新しい情報が得られることはない。ただ、ある夜一人でいるときに流れたニュースのことは、強く記憶に残っている。その報道番組では、遺体が損壊していたことや、身元が判明したという情報がようやく出たくらいで、やはり捜査の進展は窺(うかが)えないものだった。けれど、仲睦(むつ)まじい一家の父親を襲った残虐な事件、というテロップが流れて、リポーターが被害者の自宅の近隣住民にインタビューを行っている映像が流れていた。

本当に仲の良い夫婦で。いつも親切にしてくれていました。まだ幼い娘さんがいて、よく公園で遊んでいるのを見かけると、挨拶をしてくれて……。奥さんは、何年も旦那さんが帰るのを待ち続けていたみたいなんですが。本当にお気の毒で、早く犯人が見つかってほしいです。

平和な一家を襲った悲劇。関係者によると、遺体には頭部を執拗に損壊された痕跡が。あまりにも狂気的で異常な、赦されざる犯行。犯人はどんな恐ろしい理由で、幼い少女から父親を奪ったのか――。

わたしは耐えきれなくなり、テレビを消した。そうか、と項垂れることしかできない。世間からは、そんなふうに見えてしまうのかと思った。あの殺されて当然の最低最悪で下劣な男の死は、世間からはそんなふうに映っていた。誰もあの男が不倫をしていて、その相手を孕ませ、なおかつ責任を取らずに平然としていただなんて、そんなこと微塵も想像していないのだ。わたしたちが一方的に悪くて、残虐で狂気的な殺人なんだと思っている。

大丈夫。証拠なんてどこにも残っていない。わたしたちは決して捕まらない。それなのにわたしは怯え続けていた。出勤をするときも、帰宅するときも、常に誰かから視線を注がれているような気がした。通勤に使う道にはいつも同じ車が駐車していて、わたしの行動を見張っているようだった。サロンでお客さんにヘアメイクを施している間ですら、ガラスの壁面の向こうにある通りから、誰かの視線を感じずにはいられない。それはただの錯覚で、考え過ぎなのだろうか？　それとも――。

紫乃の方は、わたしとは正反対に、刑事たちのことを気にしていないふうだった。塞ぎ込んでいたのが嘘のように、時間が合うときはわたしにメイクをしてほしいと頼んでは仕事へと出かけていく。気を紛らわせるためなのだろうか。むしろ普段よりも仕事に行く日が増えたような気がしている。紫乃は上機嫌で帰宅すると、男たちからの捧げ物だろう高級ブランドのロゴで彩られた紙袋をたくさん持ち帰ってきていた。

いつも、わたしが仕上げる完璧なお姫様。今日のあなたは、どんな感情を胸に秘めて、どんな男のところへ行くのだろう。鏡台の前にすまし顔で座るあなた。指先で彼女の肌に触れながら、わたしはいつも息苦しい想いにかられる。彼女の素顔も、最大の秘密も、わたしはすべて知っているというのに、どうしてこんなにも切なくなるのだろう。どうしてこんなにももどかしく、満たされないのだろう。

わたしが化粧を施す間、紫乃は語った。今晩は帰らないわ。どうしてかと訊くと、彼女はすました顔で、けれど声に嬉しそうな色を含ませながら言った。

「お得意様と約束があるの。憂鬱なことを考えなくてもいいくらい、いつも気持ち良くしてくれるのよ」

化粧を終え、完璧に仕上がった、ふしだらなお姫様。

「優香、どうしたの」

紫乃の黒い瞳が、わたしのことを見つめている。

「紫乃」

ずっと胸に抱えていた息苦しさが、行き場を求めていた。

わたしはそれに堪えきれず、鏡に映る彼女の様子を見る。

彼女の髪を整えようとする指先が、震えていた。

「こんな仕事、いつまで続ける気なの」

わたしはいつまで、お金であなたを買うような人たちのために、あなたを美しくすればいいの。

それとも平然と見えるようで、紫乃も不安なのだろうか。だから、そんなことを言うのだろうか。男ではないわたしでは、彼女の恐怖と寂しさを埋めることはできないのだろうか。だとしたら、どうしてわたしは女に生まれてしまったのだろう。

「どうして優香に、そんなことを言われないといけないの」

紫乃は眼を細めて、そう言った。

わたしたちは、なんなのだろう。

たぶん、あなたへの愛のために、わたしは人を殺すことができる。けれど紫乃はそうではない。わたしたちは、ただ秘密を共有しているだけ。

「だって……」

だって、なんだというのだ。わたしは言葉を続けられずに唇を閉ざした。

鏡の中の紫乃は、冷たい瞳で、わたしのことを見ている。

「あたしたち、ただの友達でしょう」

紫乃が、静かに立ち上がった。

「生き方まで、優香に指図される理由はないわ」

わたしが施した残り香を置いて、彼女はわたしの寝室を出て行く。

その夜も、次の夜も、紫乃は帰らなかった。

*

紫乃が帰らない夜は徐々に増えていき、春も終わりが近付いてきた。

元々彼女の生活が不規則だったということもあって、わたしたちがリビングで顔を合わせる機会も自然と減っていく。紫乃は刑事たちが来た日から、一度もわたしのベッドに潜り込んでくることがない。メイクも、あの夜から一度だってすることがなかった。

ねぇ、紫乃、なにが悪かったの？

わたしは一人きりのベッドに横になり、自問自答を繰り返した。彼女のお母さんのことを、わたしが信じ切れなかったせいだろうか。

優香、信じてくれる？

その問いへの答えに小さな揺らぎがあったことを、紫乃は見逃さなかったのかもしれない。あるいは、刑事たちの罠に失態を見せたわたしに愛想を尽かしたのだろうか。

紫乃は、もうわたしと一緒に暮らすメリットを失ったのかもしれない。わたしが女だからなのだとしたら、寂しさを紛らわせるための新しい男でもできたのだろう。

　だとしたら、とわたしは恐れを抱いた。それは妄想ともいえる想像だった。紫乃は、すべての罪をわたしになすりつけるかもしれない。嫉妬に狂ったわたしがあの男を殺して、ひとりで車で運んで山に埋めた。そんなエピソードを密告されてしまったら、警察はそれを信じるだろうか。

　たぶん、なにか証拠があれば、信じるだろう。たとえば、わたしの知らない物証を紫乃がなにか持っている可能性だってある。割れた花瓶の欠片、凶器の包丁やスコップなど、二人で手分けして片付けたものだってある。それを、紫乃が未だ棄てていない可能性は？

　もちろん、そんなのはただの被害妄想だった。紫乃はそんなことをするような子ではない。けれど、彼女の心がわたしから離れて行ったのは紛れもない事実のような気がした。それとも、やっぱり最初から、わたしは彼女の心に触れることなんて、一度もできていなかったのだろうか。

　あなたのことなんて、誰も好きになってくれないよ。可哀想。

　ずっと昔に耳にした、そう嗤う少女たちの声音が、頭にこびりついて離れない。

　やっぱり、紫乃もそう思う？

仕事からの帰路についているときだった。ここ数日、ずっと尾行されていることには気づいていた。たぶん、わざとだろう。そうすることでわたしに揺さぶりをかけているに違いない。わたしは夜道で立ち止まり、振り返った。視線が合うが、男は構わずゆっくりとした歩調で、まるでわたしを焦らすみたいにして歩み寄ってくる。どんよりとした暗鬱な眼差しが夜闇の中で猟犬の瞳のように煌めき、わたしを捉えていた。あの警部だ。顔を見るのは最初に会ってからの数ヵ月ぶりで、今日は一人きりらしい。

「毎日毎日、いったい、なんなんですか」

苛立ちと共に声を発すると、警部は静かな口調で言った。

「お見せしたいものがあるのです」やはりこの刑事の声音は、どこかじっとりとしていて生理的に受け付けない。「ここではなんですから、そこの喫茶店に行くのはどうでしょう」

断ることも考えたが、潔白を証明するならば要求を呑んだ方がいい。見せたいものというのも気がかりだった。わたしたちは近くにあったコーヒーショップの席に向かい合って座った。警部は無駄な話をすることはなく、率直に本題に入った。ある動画を観てほしいのです。少しショッキングな映像かもしれませんが、よろしいですか。わたしは怪訝に思いながらも了承する。彼はスマートフォンを取り出し、なにかの動画を再生させた。音声は再生しません、とよくわからない断りを入れながら、その小さな画面をわたしの前のテーブルに置く。

わたしはそれに視線を落とす。

すぐに、後悔した。

気持ちが、悪かった。

それは、男と紫乃の性行為を撮影したものだった。男が自分で撮影したのだろう。

男の顔は映っていない。カメラは紫乃を見下ろしていた。紫乃は跪（ひざまず）き、男を見上げている。艶めかしく華奢（きゃしゃ）な裸身をくねらせて、熱っぽい視線をカメラに向けている。なによりも気持ちが悪かったのは、紫乃が満面の笑みを浮かべていたことだった。

わたしの知らない紫乃。

わたしの見たことがない笑顔。

潤んだ黒い瞳が、熱っぽく男を見上げている。唾液で濡れた唇が開いて、なにかを囁いていた。音声はなかったけれど、なにを言っているのかは想像がついてしまいそうだった。

好きよ。

愛してる。

笑顔を浮かべて。

切ない表情になって。

くすくすと、照れくさそうに笑いながら。

そして、それは紛（まご）うこともなく、わたしが仕上げたお姫様で――。

わたしは片手で顔を覆って、残酷な映像を映し出す機器を突き返す。

「真嶋さんは、リップサービスと仰っていましたが」警部は言った。「この言葉を聞くと、交際を疑うに足る映像に見えるのですよ」

沢渡さん。大丈夫ですか。沢渡さん。

目眩のようなものに襲われながら、わたしは刑事の言葉を耳にしていた。

「もし、なにかご存じのことがあれば、ご連絡をください。私が思うに――」彼は別れ際にこう言った。「あなたは、真嶋さんに騙されているのではないですか」

それは今まで聞いた中でも、もっともわたしを怖気立たせる陰湿な声だ。

思考が追いつかない中、わたしはひとりマンションへの道を歩いた。すぐにでも倒れ込んで、あれは夢だったのだとすべて忘れたくなった。けれど脳裏には、吐き気を催すあの映像が強くこびり付いていた。

自分の施した化粧を、見間違えようがない。男に媚びる紫乃は、わたしが施したメイクをしていた。けれどわたしがプロとなり、紫乃にメイクを施すようになったのは、わたしたちがあの男を殺してからだ。そうだ。髪型も今とは違っていた。だとするなら――。

あれは何年も前のもの。

紫乃が、高校生だったころの。

放課後に、わたしが施したメイクで、彼女はあの男に会いに行っていた。

そんなにも、昔のときから――。

紫乃は、一言も教えてくれなかったのに。

わたしは帰宅し、トイレに籠もって、すべてを吐いた。嘔吐(えず)き続けて、涙しか棄てるものがなくなった頃に、ようやく便器から顔を上げることができた。涎(よだれ)を拭く手間すら億劫(おっくう)になり、トイレの壁に背を預けて天井を見上げていた。たぶん、メイクが崩れて、今のわたしは酷い顔になっているだろうと思った。

メイク。

わたしが、施したメイク。

綺麗になったから、紫乃は年上の男と付き合うようになったのだろうか。

それとも、そんなのは関係がなかったのだろうか。

わたしが紫乃にメイクを施していたのは、あんな男を悦(よろこ)ばせるためなんかじゃなかったのに。

わたしの知らない紫乃の笑顔。

何年も一緒に過ごしてきたのに、何度も身体を重ねたのに、見ることの叶わない表情。

あの気持ちの悪い映像は、他のなによりも、わたしの知らない紫乃の愛を示すものだった。

女であるわたしには決して向けられることのない、死んだ男への愛。

わたしはこれまで、なにをしてきたんだろう。

なんのために、生きてきたんだろう。

よろめきながら、なんとか起きあがって、顔を洗った。酷い虚無感に苛まれていた。もうどうだっていい。捕まったところで、構わない。そうか。それが狙いか、と思った。あの刑事は、わたしを揺さぶって壊すために、あんな動画を持ち出してきたんだ……。

わたしが、紫乃を裏切るようにって……。

わたしが、裏切る?

紫乃を?

あなたが。あなたが、手に入らないのなら。わたし。

鍵が差し込まれて、ドアが開く音がした。洗面台で、顔色の悪い自分を見つめていたわたしは、はっとして振り返る。紫乃が帰ってきたのだ。

玄関に顔を覗かせると、紫乃はヒールを脱いでいるところだった。また男に貢がれたのだろう。わたしもよく知るハイブランドの紙袋を引っさげている。わたしに気づき、紫乃は表情を硬くした。きっと咎められると思ったのだろう。その紙袋を後ろ手に回し、警戒した眼を見せる。けれど、すぐに怪訝そうに眼をしばたたかせた。

わたしが酷い顔をしていたからだろう。

本当は包丁でも握って、あなたを待ち構えていられたら良かったかもしれない。あなたを刺して、わたしも死んでしまえば、きっと楽になれるから。

だって、あなたが手に入らない人生に、なんの意味がある？

「優香、どうしたの？」

けれど、そんなふうに心配そうに顔を覗き込まれたら、きっとわたしは躊躇ってしまう。だから玄関に立っていたわたしは、包丁なんてものを持っていなかった。ただ、わたしはわたしが手に入れることのできないお姫様を、睨むことしかできなかった。

「紫乃、あいつと……、高校生の頃から、付き合っていたの？」

紫乃は眼を落とした。

それから、なんでもないことのように頷く。

「そうよ」

「どうして、黙っていたの」

「優香には関係ないことでしょ」

「そんな言い方……」

関係がない。

あなたのために、埋めたのに？

「わたし、紫乃のことがわからないよ……」

力なく呻くわたしの言葉も、紫乃には届かない。

「わかってくれなくていいわ」

紫乃はリビングへと歩いて行く。

彼女はハンドバッグや紙袋をテーブルに置いた。着ていた上着を脱いで、わたしの方を見る。

「優香ってば、なにを勘違いしてるの？　あたしたち、ただの友達でしょう」

その黒い瞳は、どこかうんざりとした、億劫そうな光を湛えていた。

「わたし……、わたし、あなたのために！」

わたしは彼女に近付き、その華奢な二の腕を摑んだ。摑んだところで、どうすることもできないというのに。

「あなたのために、わたし、あんなことまでしたんだよ！」

静かな瞳が至近距離でわたしを見つめる。それはまるでお姫様の微笑に勘違いした哀れな男たちを見るような眼差しだった。

「頼んだわけじゃないわ。恩でも売ったつもり？　あたしにどうしてほしいの？」

違う。そうじゃない。あなたから聞きたいのは、そんな言葉じゃない。

「そんな……」

紫乃は瞼を閉ざし、溜息を漏らした。

それから、いじわるな瞳で、肩を竦めて見せる。

「そうね。お金には代えられないことをしてもらったんだもの。なんでもしてあげる」

違う。そうじゃない。わたしが欲しいのは、そういうものじゃない。

「そういうことじゃ……」

「優香はあたしとのセックスが気に入った？　いいわよ、タダでしてあげる。プロだもの。女の子が相手でも、満足させてあげられるわ」

どうして。

気づけば、わたしは紫乃の頬を叩いていた。

紫乃は打たれた頬を押さえたまま、冷めた瞳でわたしのことを見返している。

決して臆することもなく。

彼女は告げた。

「勘違いしないで。あたし、あなたが裏切ったりしないように誘惑していただけよ」

もう、立っていることもできない。

みっともなく彼女の身体にしがみつくようにしながら、わたしはその場に頽れた。

それを冷ややかに見下ろす紫乃の表情を、わたしは想像できてしまう。

だって、何度も何度も、あなたの顔を近くで見つめて、飾り立てて来たのだから。

ベッドの隣で眠る、あなたの頬を、愛しい思いで、撫でたのだから。

「でも、あなたはあたしの足を引っ張ってばかりね。今日だって、その様子じゃ妙なことを吹き込まれて動揺してたんでしょ」

頽れるわたしの耳に、紫乃の言葉が降ってくる。

小さく、呆れたように紫乃が鼻を鳴らす。

「大丈夫。慣れてるわ。一緒よ。男の人たちと」

男たちと一緒。

そうか。

わたしは、お金でお姫様の身体を買う男たちと、同じなのか。

甘いリップサービスに、勘違いをしてしまっただけ。

「わかったでしょう。あたし、あなたが思っている以上に、最低の女よ」

わたしは紫乃の衣服を握り締めていた指先を、ようやく離した。腕から力が抜けて、床に落ちる。もう、身体が動いてくれそうにない。

わたし、なんて馬鹿だったろう。

やっぱり、そうだった。

誰も、わたしのことなんて好きにならない。

勘違いをして、一人で思い上がって。

「あたしたち、もう一緒にいない方がいいみたい」

紫乃はそう告げて、わたしから離れた。彼女の部屋の扉が閉まる音がする。

わたしがみっともなく嗚咽(おえつ)を漏らす間も、紫乃は出てこなかった。ただ泣き疲れて、死にたくて仕方がなくなったとき、扉が開いた。けれど紫乃はわたしを慰めることもなく、小さなトランクを引き摺って、マンションを出て行くだけだった。

さようなら、紫乃。

わたしのお姫様。

＊

愛のために人を殺せる人間だと言ったのは、占い師だった。

今ならよくわかる。わたしは愛のために、生きる価値を失ったわたしを殺せるし、紫乃のことだって殺せるような気がする。あなたが手に入らないというのなら、そんなものはもう要らない。ほかの男が彼女を自由にするというのなら、いっそ殺してしまって、永遠にわたしだけのものにしてしまいたい。わたしでは決して手に入れられない笑顔を、ほかの人に向けているところを想像すると、絶望で気が狂いそうになる。そんな人生になんの意味があるの？

こんな醜い情念を、愛と呼べるのかどうかはわからない。正しい愛なんて知らないし、正しい恋でさえも、きっとわたしはしたことがない。だってわたしは少女の頃から、ずっと彼女と一緒にいたのだから。

ほかの感情なんて、知りようがなかったじゃないか――。

朝になるまで、わたしはみっともなく泣き続けていた。けれどこんなときであっても、仕事に行かなくてはならない時間は迫るし、お腹だって空（す）いてしまう。これが失恋というものなのだろうかと、少女のようなことをぼんやりと考えていた。

空腹は誤魔化さないといけない。紫乃はなにを食べているだろう。きちんと栄養のあるものを食べているだろうか。あんな酷いことを言われてさえ、まだ彼女のことを考えている自分に気づき、わたしは自分自身に呆れかえった。

空虚な苦笑がこぼれてしまう。

紫乃は荷物を纏めて部屋を出て行ったのだろう。たぶん、転がり込む先はいろいろとあるはずだ。トーストを焼きながら、その相手が真っ当な男の人であることを祈った。ソファに腰を下ろし、それを齧(かじ)って空腹を誤魔化していると、ふとリビングにある紙袋に眼が止まった。紫乃がわたしから隠そうとした男からの貢ぎ物。怒りが込み上げてきて、それをすぐに捨て去りたくなった。視界に鎮座していることすら腹立たしい。立ち上がり、それに近付く。紙袋を覗くと、中にあるのは可愛らしくリボンでラッピングされた小箱だった。メッセージカードが添えられているのが見える。復讐というわけではないけれど、紫乃がどんな男から貢がれているのか、興味が湧いた。覗いてやろうと思った。わたしは畳まれたメッセージカードを取り出して、それを開く。

書かれていた文字はこうだった。

ハッピーバースデイ、優香。

わたしは震える手で、リボンに包まれた小箱を取り出す。するするとそれを解いて、もどかしい気持ちを抑えながら、けれど慎重に包装紙を開いた。中から出てきたのは口紅を収めたパッケージだった。メッセージカードの文字に眼を落とす。紫乃は字がへたくそだから、解読に少し時間がかかった。

『ハッピーバースデイ、優香。プロにこんなことを言うのは気が引けちゃうけれど、きっとあなたにも似合う色だと思う。あなただって、お姫様になってもいいのよ』

そういえば、来週はわたしの誕生日だった。色々なことがあって、すっかり忘れていた。紫乃は、だからこれをわたしに見られたくなかったのだろう。

でも、どうせこれも誘惑の一つなんでしょう？

わたしが裏切らないようにするための、見せかけの優しさなんじゃないの。

わたしは、メッセージカードに記されている文字を見る。

プロ。

紫乃は言っていた。プロの技術には対価が必要だわ。それはきっと、彼女の信条でもあるのだろう。

いいわよ、タダでしてあげる。

彼女の言葉。けれどそれは、昨晩に要求したわたしの言葉に応えたものだったのだろう。そうだとしたら、それまでは？　それ以前のことは？　なんの対価もなく、わたしのベッドに潜り込んできたのは、誘惑のため？　そこには、本当になんの感情もなかったの？

　パッケージを開けて、わたしはそのリップスティックを取り出す。

　それはわたしには不似合いな、可愛らしい発色のピンクだった。

　言ったじゃん。

　わたしは呆然と呟く。

　こういうの、わたしには似合わないって……。

　けれど、そんなことにお構いなしなのが、きっと紫乃らしい。

　それとも、やっぱり、彼女にはお見通しだったのだろうか。

　少女だった頃、わたしの孤独を見抜いたときみたいに。

　秘やかな憧れも、ばれてしまっていたのかな。

　わたしが鏡越しに彼女を見ていたように。

　紫乃も、あの鏡越しに、わたしのことを見ていてくれたの？

「紫乃……」

　わたしはのろのろと歩いて、自分のハンドバッグを探す。ようやく見つけた中から、スマートフォンを取り出した。勘違いかもしれない。けれど勘違いでもいい。馬鹿なんじゃないのって嗤われたってかまわない。

　わたしは不器用な彼女のことを、信じたかった。

　スマートフォンを手にして、わたしは彼女に通話をかける。通じなかったので、ボイスメッセージを残した。

『紫乃、どこにいるの？　迎えに行くから今すぐ場所を教えて――。教えてくれないのなら、わたしが全部やったって、警察に自首してやるんだから』

その脅し文句が効いたのだろう。

すぐに、彼女からメッセージが返ってきた。

＊

紫乃のいる場所は、少しだけ遠かった。どうやら男のところではなく、同業者の家に泊まったらしい。わたしは電車ではなく車で彼女を迎えに行った。助手席に乗せた紫乃は、相変わらずのすまし顔だったけれど、わたしの真意を測りかねてか、どこか居心地わるそうな様子だった。

「優香、あたしが勝手に出て行って、怒ってる？」

「まぁね」

会話はそれくらいなものだった。わたしはマンションまで車を走らせたけれど、どうにも沈黙が耐えがたく、カーナビが予告する渋滞情報を見て気を変えた。わたしは無言のまま、眼についたラブホテルに車を走らせる。尾行を撒くのにも丁度いいだろう。紫乃は不思議そうにしていたけれど、わたしに言われるがままに付いてくる。パネルを眺めて、どこでもいいから適当な部屋にしようとしたけれど、それを見つけたときいたずらな気持ちが湧き上がり、わたしはそのボタンを押していた。

紫乃を連れて部屋に入る。

室内で眼を惹くのは、大きな天蓋付きのベッドだった。

まるで、お姫様が眠る場所みたいな——というほど可憐な雰囲気ではなく、どちらかといえば豪奢なものだったけれど、贅沢は言っていられない。

「優香、どうして、こんなところ」

わたしは彼女の二の腕を摑む。問答無用で身体を引き寄せると、強引にベッドへと押し倒した。彼女に覆い被さって、至近距離で双眸を覗き込む。本当に、綺麗な顔をしている。わたしがメイクを施さなくても、あなたは本当にお姫様みたいね。

「優香？」

「わざとあんなこと言ったんでしょう」

戸惑うように揺れる瞳が、わたしを見上げた。けれど、わたしはどうしてか紫乃のことを見つめ返すことができなくて、視線を彼女の胸のあたりに落とした。

「違うわ、だって」

「違わない」

「違う。あたし、本当に、最低な人間なの。優香には、相応しくないから——」

「ほら、違わないじゃん！」

わたしは吠えて、睨むように紫乃を見た。

「わざと冷たい態度とって、わざと悪ぶって、あんな酷いこと言ったんでしょう！」

「違う」

紫乃は視線を背けた。

「あたし、優香が嫌いなの。だから……」

「眼を見て言ってよ」

紫乃はわたしを見る。

けれど、彼女はなにも言わなかった。

「どうしてあんなこと言うの」

「だって……。あたし」

黒い瞳が、徐々に潤んでいく。それを恥じらうように、紫乃はまた視線を背けた。

童女がいやいやとするみたく、かぶりを振った。そのまま紫乃は瞼を閉ざす。震える睫毛が、滲んだ液体で輝きだしていくのが見えた。

いつだって美しい、わたしのお姫様。

「あたし……。優香に、なにもあげられない。なにもしてあげられないの」

そんなことを言って、泣かないで。

泣かないでよ。

「紫乃……」

紫乃は唇を噛みしめる。わたしから逃れることができないのを観念したみたく、喉を反らして、祈るような表情で囁いた。

「あたし、なにも持っていないの。それなのに、優香はあたしにたくさんのものをくれる。あたしのために、つらいことまでしてくれた。それなのに……」

目尻から溢れた液体が、彼女の化粧を滲ませていった。

そう。それでいい。それでいいんだよ、紫乃。

わたしは彼女の目尻に触れる。

化粧なんて、すべて剥がしてしまって。

わたしに、本当のあなたを見せて。

「あたしのことなんて、嫌いになってほしかった。もうこれ以上、あなたのことを、巻き込みたくなかった……」

違う。

違うよ、紫乃。

あなただって、わたしにたくさんのものをくれたんだよ。

言ってくれたでしょう。あたしが、寂しくならないようにしてあげるって。あの言葉に、どんなにわたしが救われただろう。あなたと一緒に過ごした時間が、どれだけわたしの心を温めてくれたのか、あなたは知らないの？

なにも要らない。

ただ、わたしは、あなたが欲しかった。

正しい恋なんて知らない。これが愛なのかどうかもよくわからない。

それでも、わたしは欲しい。

ずっとずっと昔から、あなたが欲しかった。

「なにも持っていないなら、あなたをちょうだい」

わたしは彼女の閉ざされた瞼を見下ろす。

怯えたように、固く閉じて震えているそれ。

「わたし、あなたが欲しい。わたしだけのものになって」

祈るように呟くと、まるで魔法の呪文がもたらしたみたいに、紫乃の瞼がゆっくりと開かれていく。

黒い双眸は、涙で潤んだまま、躊躇いがちに揺れていた。

「優香……」

紫乃は瞬きを繰り返した。逡巡があったのかもしれない。わたしを巻き込んでいいのかどうか。これ以上の罪を背負わせていいのかどうか。けれどわたしは構わない。あなたのためだったら、きっと何人でも殺せる。それくらいに、わたしはあなたが欲しい。

やがて、紫乃はわたしを見つめ返した。それは、まるで告白を受けた清純なお姫様といったくらいに、おどおどとした眼差しだったけれど。

「うん……。あたしが、優香の恋人になってあげる」

いつか、わたしが、あなたの友達になってあげると、そう言ったときと同じように。

けれど、そのときとは違って。

紫乃は涙を浮かべながら、わたしの欲しかった、満面の笑顔を咲かせていた。

＊

あのリップは付けてくれないの、と紫乃に訊かれたから、わたしはそれを唇に乗せてみた。部屋の鏡で確かめてみると、やはり可愛らしすぎて、似合っていないように思える。天蓋付きベッドに裸身を横たえ、わたしの方を見ている彼女は、もう泣いていなくて、どこかいたずらっぽい瞳で、その結果を待ち望んでいた。

「どう？」

ベッドに戻ると、紫乃が首を傾けて言う。

「よく見えないわ。こっちに来て」

近付いて、ベッドに腰掛けると、腕を引っ張られた。

そのまま、素早く身を起こした彼女に押し倒されてしまう。数時間前と逆のかたちになっていた。

「可愛いわ」

わたしを見下ろしながら、熱っぽく紫乃が囁く。

「今度は、優香がわたしのお姫様になって」

長い髪が、わたしの首筋を何度も繰り返し擽っていく。

とても長い時間、わたしは幸福に身を委ねていた。

大丈夫。

この幸せを、終わらせたりなんてしない。

彼女の身体を抱きしめながら、わたしは誓う。

あなたのことは、わたしが護るから。

あの暗鬱な刑事は、ずっとわたしを尾行している。さっきもホテルに入るまで、一台の車がずっと付いてきていることに気づいていた。けれど、それはなんの証拠も摑めていない証なのだろう。あの動画を持ち出したとき、刑事は一人きりだった。普通、刑事の捜査は二人一組なのだと聞いたことがある。あんな動画を見せてくるのも考えてみれば異常なことだ。なんの手がかりも摑めないが故に、一人きりで捜査するしかなく、違法な手段を用いてまで、わたしが紫乃を裏切るよう揺さぶりを仕掛けてきた――。そんなところなんだろう。

けれど、わたしは紫乃を裏切ったりしない。

「あなたは、わたしが護るから」

隣で乱れた呼吸を整える彼女の白い肌に、わたしは指先を這わせる。

「そういえば、昨日、駅前で変な占い師に声をかけられたわ」

擽ったそうに身を捩らせながら、紫乃が言う。

その言葉に、わたしはぞっとした。

「それって……。お婆さんだった？」

紫乃は、眼をしばたたかせる。

「違うけれど。でも、変なことを言われたの」

「変なこと？」

「あなたは人を殺したことがありますか、って――」

紫乃はなんでもないことのように笑う。

「当たってるからびっくりしちゃったわ」

「なにそれ」

わたしも笑ってしまった。それは占い師というより、ただの頭のおかしな人間だろう。誰彼構わず声をかけていて、たまたま心当たりのある紫乃に当たっただけだ。紫乃は人目を惹きやすいから、そういう変人の標的にされても不思議じゃない。

警戒するべきは、あの暗鬱な警部だろう。

もし、今後も単独でわたしたちにつきまとい続けて、妙な証拠を突き付けてくることでもあれば……。殺して、口を封じたっていい。またどこかに埋めて、誰にも知られないようにすればいいのだから。

あなたを護るためなら、わたしはなんだってできる。

わたしたちは捕まらない。

証拠はなにもないのだから。

「紫乃」

傍らのお姫様に呼びかける。

おずおずと微笑んで、待ち受けるように瞼を閉ざす彼女の唇に。

わたしは静かにキスをした。

＊

あたし、とんでもない悪女ね。

すべては計画通り。

優香があたしを好きだってこと、ずっと前から知っていたもの。だから、きっと彼女なら手伝ってくれるだろうって思っていたわ。

ううん、きっと彼女の性格なら、あたしの代わりに加木屋を殺してくれるんじゃないかってことも思ってた。実際、最初に包丁を突き立てたのは優香だったもの。あの一撃で死んでてくれれば、本当にすべてが計画通りだったと思うけれど、現実はなかなかうまくいかないものね。

ほんとうに、お馬鹿さん。

あたしは指先を這わせて、眠りに就いている彼女の髪をそっと撫でてあげた。うんと激しくしてあげたから、もう疲れちゃってしばらくは眼を覚まさないでしょ。

加木屋に奥さんがいるってこと、あたしは最初に聞かされて知っていたの。でも、それでも別にいいって思えたわ。いつかはあたしの魅力で、別れさせてみせるって考えていた。あの頃のあたしは子どもだったから、ちょっと楽観的だったみたい。幼かった頃にお父さんを亡くしたせいだと思う。いつもあたしが笑ってると、お前は生きてる価値なんてないんだから笑うなって殴ってくるお母さんと違って、お父さんはとても優しかったの。だから、雰囲気の似ている年上の男の人に、どうしても惹かれちゃうみたいね。

奥さんとぜんぜん別れてくれない加木屋に憎悪を抱くようになったのは、いつからだったかな。手に入らないのなら、殺しちゃおうって感覚、優香はきっとわかってくれるでしょ？　最後のチャンスをあげるつもりで妊娠のことを告げたけれど、加木屋の態度は変わらなかったんだから、殺されてしまっても仕方ないよね？

もちろん、妊娠は嘘よ。

あなたはあたしの計画通りに激昂(げっこう)して、加木屋を刺した。そして計画通りに、車で来てくれたあなたはあの男の死体を運んで埋めてくれた。力仕事をぜんぶ任せてしまって申し訳なかったけれど、あたしのために汗を流してくれてありがとう。

あとは、あたしのことが好きなあなたを、手懐けるだけ。

そうすれば、絶対に裏切らないでしょ？

男の人を誘惑するのは得意だもの。

きっと女の子が相手でもうまくいくと思ってた。

すべては計画通り。

たった一つ――、あなたを本当に愛してしまったことを、除いては。

静かに寝息を立てて眠る、あたしの王子様。それとも、お姫様？

どっちでもいい。

その頬に、あたしは唇を寄せる。起こさないように。そっと。

何度目かもわからないキスをして。それでも、まだ足りない気分。

自分でも意外だった。あたしが求めてるのは、お父さんなんだって自覚があったから。だから、あくまでも女の子でしかないあなたは、ただのあたしの友達。そのはずだったのに。

こんな後悔を、するなんて。

瞼を閉ざす。呼吸を意識すると、あなたの手を握る指の先端までもが震えてしまう。

こんなにも愛しい気持ちを抱くなら、最初からあんな男を愛さなければ良かった。

最初から、あなただけを見ていたかった。

あたしのせいで、あなたの運命を、ねじ曲げてしまった。

だから、警察が来たとき、考えたわ。

これ以上、あなたを巻き込むべきじゃないって。

捕まるなら、せめて、自分だけにするべきじゃないかって。

だからあなたを突き放そうとしたけれど、計画は失敗ね。

けれど、あなたへのプレゼントを置いて出てきてしまったのは、計画通り？　それとも——。自分でも、自分のことがよくわからない。もしかしたら、無意識のうちに、あなたに気づいてほしくて置いてきてしまったのかもしれない。

優香、死体遺棄の時効って、何年か知ってる？

三年ですって。

もうすぐ、三年が経つわ。

そうしたら、あなたはなんの罪にも問われなくなる。あたしが加木屋を殺して、あなたがあたしを手伝って遺体を埋めた。そういうことにすれば、もし捕まったとしても、あなたは罪には問われないの。たぶん。

あたしの王子様。

それまで、あたしがあなたを護るから。

それとも、もし捕まりそうなときは、計画通りだったっていうことを、打ち明けてしまおうかしら。きっとあなたは怒って、あたしを殺そうとするかもしれない。捕まるより、あなたに殺されてしまった方がずっといいもの。そのときは、あたしは笑顔であなたを受け入れるから。もしかしたら、泣いちゃうかもしれないけれど。でも、あとできちんと、誰にも見つからないように、あたしを埋めてね？　それとも、あなたはそんなあたしでも、すべてを受け入れてくれる？

もちろん、そんなのは万が一のときのこと。

警察は、証拠を摑めていないみたい。

だから、あたしたちは安泰よ。

唯一の気がかりは――。

駅前で声を掛けてきた、あの若い女の占い師。

どうしてかしら。

あの、なにもかもを見通すような翠(みどり)の瞳――。

それを見たとき、恐怖にも似た感情が湧き起こったのを、思い出せる。それと同時に、鏡でも見ているような奇妙な感覚も。もしかしたら、本当にそういう不思議な力があるのかも。

けれど、大丈夫。オカルトの力なんかで、警察に捕まるはずがないもの。

だから優香。

今は安心して、ゆっくり休んで。

あたしは、愛しいその身体を抱きしめて、瞼を落とす。

幸せだった。

なのに、どうしてだろう。
破滅が近付いている。
そんな予感が、まるで死神の影みたいに、あたしの後ろに迫ってくるのを感じる。
でも、それでもいい。それでも、後悔なんてしない。
あたしは、この幸福を、きっと守り抜いてみせるわ。

二〇二二年三月　小社刊

実業之日本社文庫　最新刊

知念実希人
神秘のセラピスト　天久鷹央の推理カルテ　完全版
左手の聖痕であらゆる病を治すと豪語する「預言者」。鷹央はその「神秘」に潜む真実を明らかにできるのか。書き下ろし掌編「詐欺師と小鳥」収録の完全版！
ち1 105

西村京太郎
十津川警部　北陸新幹線殺人事件　新装版
北陸路を震撼させた事件と戦争の意外なつながりとは!? 山前譲氏による北陸新幹線延伸記念特別企画「北陸新幹線と西村京太郎ミステリー」が加わった新装版！
に1 30

日野 草
殺し屋の約束
戦後の混乱期から現在を経て未来まで。百年のあいだ「約束」を受け継いだ殺し屋たちの願いとは――？　まったく新しい殺し屋ミステリー誕生！　解説／大矢博子
ひ7 1

南 英男
策略者　捜査前線
おまえを殺った奴は、おれが必ず取っ捕まえる！　歌舞伎町スナック店長殺しの裏に謎の女が――？　亡き親友に誓う弔い捜査！　警察ハード・サスペンス！
み7 33

彼女。
百合小説アンソロジー
相沢沙呼　青崎有吾　乾くるみ　織守きょうや　斜線堂有紀　武田綾乃　円居挽
百合ってなんだろう。彼女と私、至極の関係性を描いた珠玉の七編とそれを彩る七つのイラスト。傑作アンソロジー待望の文庫化！　〝観測者〟は、あなた。
ん10 1

実業之日本社文庫　好評既刊

白井智之
お前の彼女は二階で茹で死に
自殺した妹リチウムの仇を討つために、刑事になったヒコボシ。事件の謎を解くのは女子高生探偵マホマホ。スラッシャー小説×本格ミステリ!!（解説・乾くるみ）
し91

下村敦史
ヴィクトリアン・ホテル
百年の歴史にいったん幕を下ろす高級ホテル。最後の一夜に交錯する善意と悪意に一気読み＆二度読み必至の、エンターテインメントを極めたミステリー！
し101

千早 茜
桜の首飾り
あの人と一緒に桜が見たい――気鋭作家が贈る、桜の季節に人と人の心が繋がる一瞬を鮮やかに切り取った、感動の短編集。（解説・藤田宜永）
ち21

東野圭吾
恋のゴンドラ
広太は合コンで知り合った桃美とスノボ旅行へ。ところがゴンドラに同乗してきたのは、同棲中の婚約者だった！　真冬のゲレンデを舞台に起きる愛憎劇！
ひ14

東野圭吾
クスノキの番人
不当解雇された腹いせに罪を犯し、逮捕されてしまった玲斗のもとへ弁護士が現れる。依頼人の命令に従うなら釈放すると提案があった。その命令とは……。
ひ15

実業之日本社文庫 ん101

彼女。 百合小説アンソロジー

2024年2月15日 初版第1刷発行

著 者 相沢沙呼 青崎有吾 乾くるみ 織守きょうや
斜線堂有紀 武田綾乃 円居挽

発行者 岩野裕一
発行所 株式会社実業之日本社
〒107-0062 東京都港区南青山6-6-22 emergence 2
電話 [編集]03(6809)0473 [販売]03(6809)0495
ホームページ https://www.j-n.co.jp/
DTP ラッシュ
印刷所 大日本印刷株式会社
製本所 大日本印刷株式会社

フォーマットデザイン 鈴木正道(Suzuki Design)

ISBN978-4-408-55871-4(第二文芸)